D1405086

manuel de l'élève volume 1

Sciences naturelles

VISIONS

MATHÉMATIQUE

2ᵉ année du 2ᵉ cycle du secondaire

Jean-François Cardin
Jean-Claude Hamel
Antoine Ledoux
Steeve Lemay

LES ÉDITIONS CEC
Une compagnie de Quebecor Media

8101, boul. Métropolitain Est, Anjou (Québec) Canada H1J 1J9
Téléphone : 514-351-6010 • Télécopieur : 514-351-3534

Direction de l'édition
Katie Moquin

Direction de la production
Danielle Latendresse

Direction de la coordination
Rodolphe Courcy

Charge de projet
Julie Provost

Révision linguistique (SAÉ)
Denis Desjardins

Correction d'épreuves
Viviane Deraspe

Conception et réalisation
Dessine-moi un mouton

Illustrations techniques
Bernard Lachance (page 4, page 50, page 51)
Stéphan Vallières

Illustrations d'ambiance
Yves Boudreau

Recherche iconographique
Perrine Poiron

Les auteurs et l'éditeur remercient les personnes suivantes qui ont participé à l'élaboration du projet.

Collaboration
Jocelyn Dagenais, enseignant, école secondaire André-Laurendeau, c.s. Marie-Victorin
Isabelle Gendron, enseignante, Collège Mont-Royal

Consultation scientifique
Élysée-Robert Cadet, professeur, Université du Québec en Abitibi-Témiscamingue
Matthieu Dufour, professeur, Université du Québec à Montréal

Consultation pédagogique
Stéphane Brosseau, enseignant, école l'Horizon, c.s. des Affluents
Richard Cadieux, enseignant, école Jean-Baptiste Meilleur, c.s. des Affluents
Silvia Comsa, enseignante, école Saint-Luc, c.s. de Montréal
Nadia Hammache, enseignante, école Marguerite-De Lajemmerais, c.s. de Montréal
Jonathan Lafond, enseignant, Collège Notre-Dame-de-Lourdes
Teodora Nadu, enseignante, école Jeanne-Mance, c.s. de Montréal
Dominic Paul, enseignant, école Pierre-Bédard, c.s. des Grandes-Seigneuries

Dans cet ouvrage, la féminisation des titres de fonctions et des textes s'appuie sur des règles d'écriture proposées par l'Office de la langue française dans le guide *Au féminin*, Les Publications du Québec, 1991.

Les Éditions CEC inc. remercient le gouvernement du Québec de l'aide financière accordée à l'édition de cet ouvrage par l'entremise du Programme de crédit d'impôt pour l'édition de livres, administré par la SODEC.

Visions, Sciences naturelles, manuel de l'élève, volume 1
2ᵉ année du 2ᵉ cycle du secondaire
© 2008, Les Éditions CEC inc.
8101, boul. Métropolitain Est
Anjou (Québec) H1J 1J9

Dépôt légal : 2008
Bibliothèque et Archives nationales du Québec
Bibliothèque et Archives Canada

ISBN 978-2-7617-2603-0

Imprimé au Canada
1   2   3   4   5   12   11   10   09   08

TABLE DES MATIÈRES

volume 1

VISI3N

VISI4N

PRÉSENTATION DU MANUEL

Ce manuel comporte quatre *Visions*. Chaque *Vision* propose diverses *situations d'apprentissage et d'évaluation (SAÉ)*, des *sections* et les *rubriques* «Chronique du passé», «Le monde du travail» et «Vue d'ensemble». Le manuel se termine par un «Album».

LA Ré-VISION

La «Ré-Vision» permet de réactiver des connaissances et des stratégies qui seront fréquemment utilisées dans la *Vision*. Cette rubrique comporte une ou deux activités de réactivation de connaissances antérieures, un «Savoirs en rappel» résumant les éléments théoriques réactivés et une «Mise à jour» constituée d'exercices de renforcement sur les notions réactivées.

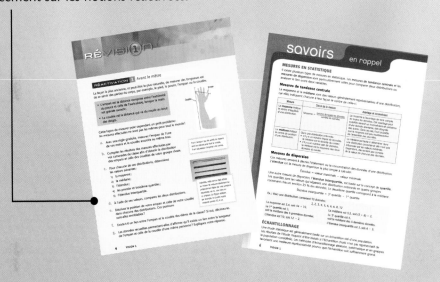

LES SECTIONS

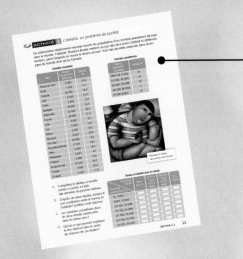

Une *Vision* est divisée en sections, chacune débutant par un problème et quelques activités suivis d'un «TechnOmath», des «Savoirs» et d'une «Mise au point». Chaque section, associée à une SAÉ, contribue au développement des compétences disciplinaires et transversales ainsi qu'à l'appropriation des notions mathématiques qui sous-tendent le développement de ces mêmes compétences.

Problème

La première page de la section présente un problème déclencheur comportant une seule question. La résolution de ce problème nécessite le recours à plusieurs compétences et à différentes stratégies, et mobilise des connaissances.

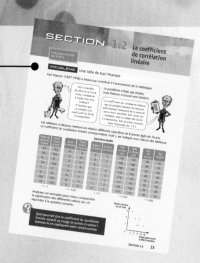

Activité

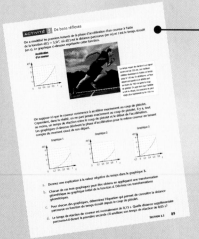

Les activités contribuent au développement des compétences disciplinaires et transversales, nécessitent le recours à différentes stratégies, mobilisent diverses connaissances et favorisent la compréhension des notions mathématiques. Elles peuvent prendre plusieurs formes : questionnaire, manipulation de matériel, construction, jeu, intrigue, simulation, texte historique, etc.

TechnOmath

La rubrique « TechnOmath » permet d'exploiter des outils technologiques tels qu'une calculatrice graphique, un logiciel de géométrie dynamique ou un tableur en montrant comment l'utiliser et en proposant quelques questions en lien direct avec les notions mathématiques associées au contenu de la section.

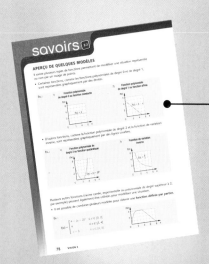

Savoirs

Les « Savoirs » présentent un résumé des éléments théoriques vus dans la section. Des exemples accompagnent les énoncés théoriques afin de favoriser la compréhension des différentes notions.

Mise au point

La « Mise au point » propose une série d'exercices et de problèmes contextualisés favorisant le développement des compétences et la consolidation des apprentissages faits dans la section.

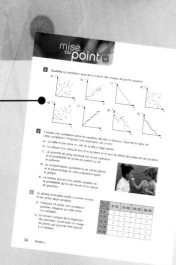

Chronique du passé

La « Chronique du passé » relate l'histoire de la mathématique et la vie de certains mathématiciens et de certaines mathématiciennes ayant contribué au développement de notions mathématiques directement associées au contenu de la *Vision*. Une série de questions permettant d'approfondir le sujet accompagne cette rubrique.

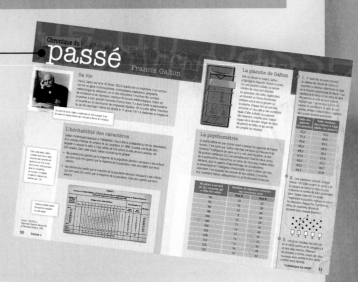

Le monde du travail

La rubrique « Le monde du travail » présente une profession ou une carrière où sont exploitées les notions mathématiques étudiées dans la *Vision*. Une série de questions permettant d'approfondir le sujet accompagne cette rubrique.

Vue d'ensemble

La « Vue d'ensemble » clôt chaque *Vision* et présente une série d'exercices et de problèmes contextualisés permettant d'intégrer et de réinvestir les compétences développées et toutes les notions mathématiques étudiées dans la *Vision*. Cette rubrique se termine par une banque de problèmes dont chacun privilégie la résolution, le raisonnement ou la communication.

Dans la « Mise au point » et la « Vue d'ensemble » :
- un numéro dans un carré bleu indique une priorité 1 et un numéro dans un carré orangé, une priorité 2;
- lorsqu'un problème comporte des données réelles, un mot-clé écrit en lettres majuscules et en rouge indique le sujet auquel il se rapporte.

Répertoire des SAÉ

Le « Répertoire des SAÉ » regroupe des situations d'apprentissage et d'évaluation qui sont liées par un fil conducteur thématique et dont chacune cible un domaine général de formation, une compétence disciplinaire et une compétence transversale. Les apprentissages réalisés dans les sections aident à la réalisation des tâches proposées dans les SAÉ.

ALBUM

Situé à la fin du manuel, l'« Album » contient plusieurs outils qui viennent appuyer l'élève dans ses apprentissages. Il comporte deux parties distinctes.

La partie « Technologies » fournit des explications sur les principales fonctions de la calculatrice graphique, sur l'utilisation d'un tableur et d'un logiciel de géométrie dynamique.

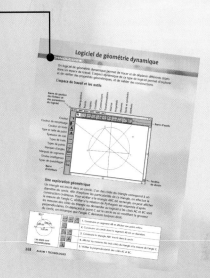

La partie « Savoirs » présente les notations et symboles utilisés dans le manuel. Des énoncés de géométrie sont également proposés. Cette partie se termine par un glossaire et un index.

LES PICTOGRAMMES

Indique qu'une fiche de travail est offerte dans le guide d'enseignement.

Indique que l'activité peut se faire en travail coopératif. Des précisions à ce sujet sont données dans le guide d'enseignement.

Indique que certains aspects de la compétence disciplinaire 1 sont mobilisés.

Indique que certains aspects de la compétence disciplinaire 2 sont mobilisés.

Indique que certains aspects de la compétence disciplinaire 3 sont mobilisés.

Indique que la compétence disciplinaire 1 est particulièrement ciblée dans cette SAÉ.

Indique que la compétence disciplinaire 2 est particulièrement ciblée dans cette SAÉ.

Indique que la compétence disciplinaire 3 est particulièrement ciblée dans cette SAÉ.

VISI⓵N

De la corrélation à la modélisation

Les riches sont-ils plus heureux que les pauvres ?
Y a-t-il une relation entre la taille d'un élève et
sa réussite scolaire ? Jetez un coup d'œil sur
le monde qui vous entoure : une multitude
de variables peuvent être identifiées. Sont-elles
reliées ? Et si un lien est effectivement établi entre
deux variables, quelle en est sa nature ? Est-il fort
ou faible ? Est-il seulement dû au hasard ou bien
existe-t-il une autre explication ? Dans *Vision 1*,
vous analyserez des données statistiques relatives
à différents caractères de populations de personnes,
de pays ou d'objets. Vous déterminerez s'il existe
une *corrélation* entre ces caractères et vous
chercherez à la quantifier. Lorsque vous
découvrirez l'existence d'un lien fort entre
deux caractères quantitatifs, vous tenterez
de le modéliser à l'aide d'une fonction comme
le font chaque jour, partout dans le monde,
les hommes et les femmes de science dans
leur domaine de recherche.

Arithmétique et algèbre	Géométrie	Statistique
• Modélisation • Interpolation et extrapolation		• Distribution à deux caractères • Tableaux à double entrée • Nuage de points • Corrélation • Coefficient de corrélation linéaire • Droite de régression • Équation de la droite de régression

RÉACTIVATION 1 Avant le mètre

La façon la plus ancienne, et peut-être la plus naturelle, de mesurer des longueurs est de se servir des parties du corps, par exemple, le pied, le pouce, l'empan ou la coudée.

- L'empan est la distance comprise entre l'extrémité du pouce et celle de l'auriculaire, lorsque la main est grande ouverte.

- La coudée est la distance qui va du coude au bout des doigts.

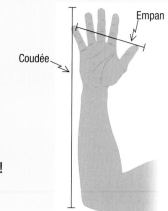

Cette façon de mesurer pose cependant un petit problème : les mesures effectuées ne sont pas les mêmes pour tout le monde !

a. Avec une règle graduée, mesurez l'empan de l'une de vos mains et la coudée associée au même bras.

b. Compilez les résultats des mesures effectuées par vos camarades de classe afin d'obtenir la distribution des empans et celle des coudées de votre groupe classe.

> Pour s'assurer que les unités de mesure sont les mêmes pour tout le monde, il est nécessaire d'imposer une norme.

c. Pour chacune de ces distributions, déterminez les valeurs suivantes :
   1) la moyenne ;
   2) la médiane ;
   3) l'étendue ;
   4) les premier et troisième quartiles ;
   5) l'étendue interquartile.

d. À l'aide de ces valeurs, comparez les deux distributions.

e. Décrivez la position de votre empan et celle de votre coudée dans chacune des distributions. Ces positions sont-elles semblables ?

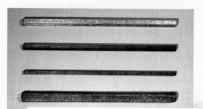

> Autrefois, cette norme était définie au moyen de mesures réellement ou prétendument faites sur une personne importante, un roi, une reine ou un pharaon. En Égypte antique, par exemple, la coudée royale mesurait environ 52,4 cm.

f. Existe-t-il un lien entre l'empan et la coudée des élèves de la classe ? Si oui, décrivez-le.

g. Les données recueillies permettent-elles d'affirmer qu'il existe un lien entre la longueur de l'empan et celle de la coudée d'une même personne ? Expliquez votre réponse.

Même si le système international d'unités a remplacé les anciennes mesures anglaises au Canada depuis 1971, il est encore courant de voir cohabiter les deux types de mesures. En voici quelques exemples:

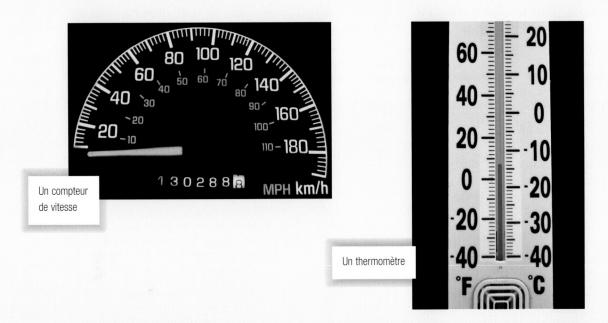

Un compteur de vitesse

Un thermomètre

La double graduation du compteur de vitesse montre qu'il existe une relation fonctionnelle entre l'expression de la vitesse en kilomètres à l'heure et son expression en milles à l'heure.

a. En posant la vitesse en kilomètres à l'heure comme variable indépendante, représentez graphiquement cette fonction.

b. Quelle est la règle de cette fonction?

c. Sur les routes des États-Unis, les limites de vitesse sont indiquées en milles à l'heure. À quelle vitesse en kilomètres à l'heure correspond la vitesse indiquée sur le panneau ci-contre?

Comme on peut le constater, il y a également deux graduations sur le thermomètre. La mesure en degrés Fahrenheit peut s'exprimer en fonction de la mesure en degrés Celsius.

d. Tracez le graphique de cette fonction et déterminez son taux de variation.

e. Quelle est la règle de cette fonction?

f. À quelle température en degrés Fahrenheit correspond le point d'ébullition de l'eau, soit 100 °C?

g. Pour cuire une pizza, on doit régler la température du four à 450 °F. Exprimez cette température en degrés Celsius.

MESURES EN STATISTIQUE

Il existe plusieurs types de mesures en statistique. Les mesures de tendance centrale et les mesures de dispersion sont particulièrement utiles pour comparer deux distributions ou analyser le lien entre deux variables.

Mesures de tendance centrale

La **moyenne** et la **médiane** sont des valeurs généralement représentatives d'une **distribution**, car elles indiquent chacune à leur façon le centre de celle-ci.

Mesure	Calcul de la mesure	Avantage et inconvénient
La **moyenne** indique le centre d'équilibre d'une distribution.	Moyenne = $\dfrac{\text{somme de toutes les données}}{\text{nombre de données}}$	La moyenne a l'avantage de tenir compte de toutes les données. Cet avantage peut toutefois devenir un inconvénient en présence d'une donnée aberrante, très éloignée des autres. Dans ce cas, il est possible que la moyenne soit peu représentative de l'ensemble des données.
La **médiane** indique le centre de position d'une distribution.	Dans une distribution ordonnée : • s'il y a un nombre impair de données, la médiane est la donnée du centre ; • s'il y a un nombre pair de données, la médiane est la moyenne des deux données du centre.	La médiane est facile à déterminer dans une distribution ordonnée et elle n'est pas influencée par les valeurs extrêmes. Cependant, elle ne tient pas compte de la valeur de chacune des données.

Mesures de dispersion

Ces mesures servent à décrire l'étalement ou la concentration des données d'une distribution. L'**étendue** est la mesure de dispersion la plus simple à calculer.

$$\text{Étendue} = \text{valeur maximale} - \text{valeur minimale}$$

Une autre mesure de dispersion, l'**étendue interquartile**, est basée sur le concept de quartile. Les quartiles sont les valeurs qui séparent une distribution ordonnée en quatre groupes comportant chacun environ 25 % des données. Le deuxième quartile correspond à la médiane.

$$\text{Étendue interquartile} = 3^{\text{e}} \text{ quartile} - 1^{\text{er}} \text{ quartile}$$

Ex. : Voici une distribution contenant 10 données :

$$2, 2, 3, 4, 5, 6, 6, 6, 8, 12$$

La moyenne est 5,4, soit $54 \div 10$.

La médiane est 5,5, soit $(5 + 6) \div 2$.

Le 1er quartile est 3, soit la médiane des 5 premières données.

Le 3e quartile est 6, soit la médiane des 5 dernières données.

L'étendue est 10, soit $12 - 2$.

L'étendue interquartile est 3, soit $6 - 3$.

ÉCHANTILLONNAGE

Une étude statistique est généralement basée sur un échantillon tiré d'une population. Les résultats de l'étude risquent d'être biaisés si l'échantillon choisi n'est pas représentatif de la population considérée. Les méthodes d'échantillonnage aléatoire, systématique et par grappes favorisent une meilleure représentativité pourvu que l'échantillon soit suffisamment grand.

TAUX DE VARIATION

Dans une relation faisant intervenir deux variables, le taux de variation est une comparaison entre deux variations qui se correspondent.

$$\text{Taux de variation} = \frac{\text{variation de la variable dépendante}}{\text{variation correspondante de la variable indépendante}}$$

Symboliquement, le taux de variation entre les couples (x_1, y_1) et (x_2, y_2) est : $\frac{y_2 - y_1}{x_2 - x_1}$.

Ex. : Le taux de variation entre les couples (9, 7) et (17, 19) est 1,5, soit $\frac{19 - 7}{17 - 9}$.

FONCTION POLYNOMIALE DE DEGRÉ 1

- Une fonction polynomiale de degré 1 est caractérisée par un taux de variation constant et non nul.
- Sa représentation graphique est une droite oblique.
- Sa règle est de la forme $y = ax + b$, où a est le taux de variation et b, la valeur initiale.

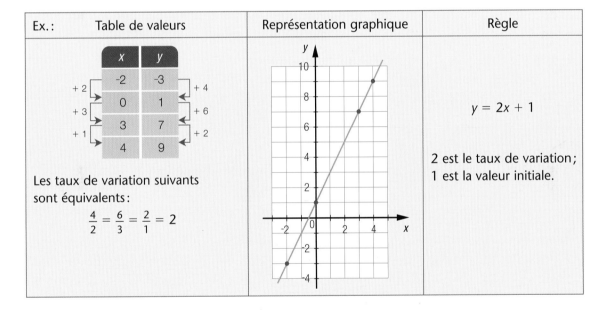

Ex. :	Table de valeurs	Représentation graphique	Règle

Les taux de variation suivants sont équivalents :
$$\frac{4}{2} = \frac{6}{3} = \frac{2}{1} = 2$$

$y = 2x + 1$

2 est le taux de variation ;
1 est la valeur initiale.

Recherche de la règle

On peut déterminer la règle de la fonction représentée par une droite si on connaît les coordonnées de deux points sur cette droite.

On peut procéder de la façon suivante :

- calculer le taux de variation associé à ces deux points pour déterminer la valeur de a ;
- remplacer les variables x et y par les coordonnées de l'un des points et résoudre l'équation obtenue pour déterminer la valeur de b.

Ex. : Deux points d'une droite ont pour coordonnées (3, 28) et (7, 72).

$$a = \frac{72 - 28}{7 - 3} = \frac{44}{4} = 11$$

$$y = ax + b$$
$$y = 11x + b$$
$$28 = 11 \times 3 + b$$
$$28 = 33 + b$$
$$28 - 33 = 33 + b - 33$$
$$b = \text{-}5$$

La règle est donc $y = 11x - 5$.

1 Déterminez la moyenne, la médiane, l'étendue et l'étendue interquartile de chacune des distributions suivantes.

a) 1, 2, 2, 4, 7, 8, 9

b) 0, 2, 5, 6, 7, 7, 11, 12

c) 2, 6, 3, 4, -7, 9, 1, 10, 6, -5

d) 1, 1, 1, 1, 1, 1, 2, 2, 2, 3, 3, 3, 3, 3, 3, 3, 3, 3, 4, 4

2 La magie a toujours impressionné les gens et celle des mentalistes ne fait pas exception. Vous vous apprêtez en ce moment même à participer à l'une de ces expériences mentales. Suivez attentivement les consignes.

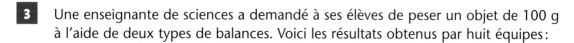

- Écrivez 5 nombres naturels et calculez leur moyenne.
- De chacun de ces nombres, soustrayez la moyenne trouvée.
- Calculez la moyenne des résultats obtenus à l'étape précédente.

Un mentaliste pourrait facilement connaître votre réponse. Expliquez pourquoi.

3 Une enseignante de sciences a demandé à ses élèves de peser un objet de 100 g à l'aide de deux types de balances. Voici les résultats obtenus par huit équipes :

Équipe	Balance romaine Pesée en *libra* (1 *libra* = 327,5 g)	Balance de Roberval Pesée en grammes
1	0,35	96,8
2	0,37	101,7
3	0,35	99,2
4	0,36	103,4
5	0,37	98,9
6	0,36	99,6
7	0,36	99,3
8	0,35	99,0

Balance romaine

Balance de Roberval

Au début du XVIIe siècle, le mathématicien Gilles Personne de Roberval (1602-1675) présenta une toute nouvelle balance révolutionnaire qui relégua aux oubliettes la balance romaine qui était utilisée depuis plus de deux mille ans.

Un instrument de mesure est d'autant plus *juste* que la valeur obtenue est près de la valeur réelle. Il est d'autant plus *fidèle* que les mesures répétées d'un même objet tendent à se regrouper autour d'une même valeur.

a) Quelle est la balance la plus juste ?

b) Quelle est la balance la plus fidèle ?

4 Pour chacune des situations suivantes, déterminez la règle correspondant aux informations fournies.

a)

x	3	5	7	10
y	6π	10π	14π	20π

b)

x	2	5	9	11
y	11	17	25	29

c)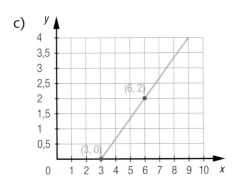

d)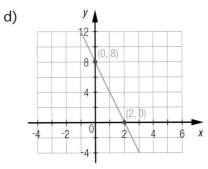

5 Un pêcheur a fabriqué un peson pour calculer la masse de ses prises. Pour ce faire, il a dû étalonner son instrument en utilisant des masses connues.

a) Tracez le graphique représentant la relation entre la masse et l'allongement observé.

Étalonnage du peson

Masse (kg)	0,5	2,5	5,0	8,0
Allongement (cm)	0,4	2,0	4,0	6,4

b) Quel serait l'allongement du ressort du peson si le pêcheur pesait un thon de 500 kg? Que se passerait-il alors?

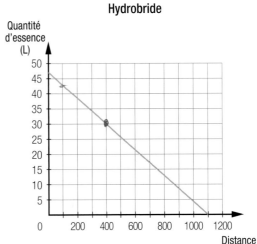

$y = ax + b$

$a = \frac{\Delta y}{\Delta x}$

$b = remplœ$

6 Voici des informations sur l'autonomie de deux véhicules hybrides, l'Hydrobride et l'Écolobride. Le graphique ci-contre représente la quantité d'essence qui reste dans le réservoir de l'Hydrobride en fonction de la distance parcourue. On peut établir une relation semblable pour l'Écolobride, sachant qu'elle possède une autonomie de 1140 km et que sa consommation est de 5,7 L aux 100 km.

Hydrobride

a) Déterminez la règle de ces deux fonctions.

b) Quelle devrait être la capacité du réservoir de l'Hydrobride pour que son autonomie soit la même que celle de l'Écolobride?

c) Si la capacité du réservoir de l'Hydrobride était celle calculée en b), quelle modification faudrait-il apporter au graphique ci-dessus?

L'appréciation qualitative d'une corrélation

Cette section est en lien avec la SAÉ 1.

PROBLÈME La société vue par les journaux

Lisez attentivement les extraits d'articles suivants.

Associated Press, **le mardi 17 juillet 2007**

Quand la taille en dit long

La taille importe-t-elle réellement ? De nombreux économistes répondraient que oui, la taille étant en corrélation avec de nombreux indices de mesure du bien-être d'une population. Les personnes de grande taille sont ainsi en meilleure santé, plus riches et possèdent une espérance de vie plus importante que les petits.

GIORDANO JODI, *La violence dans les jeux vidéo,* **http://videogameviolence.pbwiki.com (consulté le 14 mars 2008)**

La violence dans les jeux vidéo

De nombreux chercheurs ont trouvé un lien entre la violence dans les jeux vidéo et les comportements violents. Cependant, ce lien est une corrélation et n'est donc pas un rapport de cause à effet.

American Geophysical Union, **le dimanche 5 août 2007**

L'abondance de taches solaires liée à des précipitations abondantes en Afrique de l'Est

Une nouvelle étude révèle la corrélation entre une abondance de taches solaires et des périodes de fortes pluies en Afrique de l'Est. Cette étude vient contredire de nombreuses autres qui affirment qu'il n'existe pas de telles connexions.

La Presse, **le mercredi 26 septembre 2007**

Somalie, Irak et Myanmar en tête des pays les plus corrompus

[...] L'indice de perception de la corruption (IPC) va de 10 pour un État considéré comme « propre » à zéro pour un État où la corruption est perçue comme « rampante ». [...] Le Myanmar « est un très bon exemple de la corrélation entre la pauvreté et la corruption », a souligné Huguette Labelle.

Pays	Revenu par habitant ($/année)	IPC
Canada	26 000	8,7
Chine	3 500	3,5
Espagne	18 000	6,7
États-Unis	32 000	7,2
Inde	2 500	3,5
Iran	5 500	2,5
Nouvelle-Zélande	17 500	10
Pérou	4 500	3,5
Royaume-Uni	22 500	8,4
Uruguay	9 000	6,7

Agence Science-Presse, **le jeudi 2 août 2007**

Plus de guerres par temps froids

La guerre semble survenir plus souvent... quand il fait froid. [...] Et la corrélation est surprenante, écrit David Zhang, de l'Université de Hong Kong, dans la revue *Human Ecology.*

Dans Internet, à l'aide du moteur de recherche d'un quotidien que vous connaissez, vous pourriez aussi trouver des articles où le mot « corrélation » est utilisé.

Dans les exemples ci-dessus, ou dans les articles que vous avez trouvés, quel type de lien existe-t-il entre les variables concernées ? Est-ce que l'une des variables dépend de l'autre ? Si oui, proposez une explication. Sinon, trouvez ce qui pourrait expliquer la corrélation observée.

ACTIVITÉ 1 L'obésité, un problème de société

Un phénomène relativement nouveau touche les populations d'un nombre grandissant de pays dans le monde : l'obésité. Plusieurs études mettent au jour des liens entre l'obésité et différents facteurs, parmi lesquels on trouve le revenu annuel. Voici des données obtenues dans divers pays du monde ainsi qu'au Canada :

Données mondiales

Pays	Revenu par personne ($/année)	Obésité (%)
Afrique du Sud	9 000	21,6
Brésil	7 500	11,1
Canada	26 000	15,3
Chili	8 000	21,9
Chine	3 500	2,9
Espagne	18 000	13,3
États-Unis	32 000	32,2
France	23 500	11,3
Inde	2 500	0,7
Iran	5 500	14,2
Maroc	3 500	16,0
Mexique	8 500	23,6
Norvège	28 500	6,2
Nouvelle-Zélande	17 500	22,5
Pérou	4 500	16,3
Philippines	4 000	4,6
Pologne	8 500	18,0
Royaume-Uni	22 500	24,2
Turquie	7 800	22,3
Uruguay	9 000	17,0

Données canadiennes

Revenu par famille ($/année)	Obésité (%)
Moins de 15 000	19
[15 000, 30 000[	18
[30 000, 50 000[	18
[50 000, 80 000[	17
80 000 et plus	15

Illustration de l'artiste new-yorkaise Janet Atkinson

a. Complétez le tableau à double entrée ci-contre à l'aide des données du premier tableau.

b. D'après ces deux études, existe-t-il une corrélation entre le revenu et l'obésité ? Justifiez votre réponse.

c. Les variables considérées dans les deux études varient-elles dans le même sens ?

d. Qu'est-ce qui pourrait expliquer le lien observé dans le cadre de chacune de ces études ?

Revenu et obésité dans le monde

Pourcentage d'obésité / Revenu par personne ($/année)	Moins de 10 %	De 10 % inclus à 20 % exclus	De 20 % inclus à 30 % exclus	30 % et plus
[0, 5000[				
[5000, 10 000[				
[10 000, 15 000[				
[15 000, 20 000[				
[20 000, 25 000[				
[25 000, 30 000[				
[30 000, 35 000[				

ACTIVITÉ 2 — Une visite chez le médecin

Lorsqu'on se présente à un rendez-vous médical, un rituel nous y attend. On mesure notre taille, notre masse, on prend notre pouls, etc. Pour détendre ses patients, le Dr Langevin mesure même la hauteur de leur nombril, à leur grande surprise! Voici les données recueillies chez 15 de ses patients:

Patients du Dr Langevin

Nom	Taille (cm)	Masse (kg)	Indice de masse corporelle (kg/m²)	Rythme cardiaque au repos (pulsations/min)	Nombre d'activités physiques par mois	Hauteur du nombril (cm)
1. Alary	175	67	22	55	12	108
2. Bégin	178	72	23	70	10	111
3. Coderre	185	85	25	72	6	123
4. Drouin	172	85	29	88	4	104
5. Éthier	162	76	29	85	3	101
6. Francoeur	162	70	27	87	5	95
7. Goa	154	54	23	71	8	96
8. Hy	162	50	19	60	9	105
9. Isaï	165	51	19	58	8	100
10. Jobin	179	63	20	64	8	110
11. Khang	157	81	33	102	2	92
12. Landry	167	52	19	74	10	98
13. Morin	167	47	17	62	8	97
14. Nguyen	182	93	28	94	4	112
15. Otis	184	85	25	78	7	123

Faites les exercices suivants en accompagnant vos solutions de nuages de points.

a. À l'aide des informations du tableau, trouvez un exemple de corrélation positive et un exemple de corrélation négative entre des variables.

b. Identifiez deux variables de ce tableau qui ont une faible corrélation linéaire entre elles et expliquez-la.

c. Identifiez deux variables de ce tableau qui ont une forte corrélation linéaire entre elles et interprétez-la.

L'indice de masse corporelle (IMC), utilisé pour les adultes âgés de 20 à 65 ans, se calcule ainsi:

$$IMC = \frac{masse}{taille^2}$$

En Espagne, depuis 2005, une mannequin dont l'IMC est inférieur à 18 n'est plus autorisée à participer aux défilés.

Techno math

Une calculatrice graphique permet d'afficher certains types de graphiques. Voici comment il est possible d'afficher le nuage de points d'une distribution à deux caractères et de décrire la corrélation :

X	23	25	25	30	30	32	33	34	35	35	36	39	40	44	44
Y	40	55	64	35	53	66	55	41	66	77	47	61	78	62	84

Écran 1

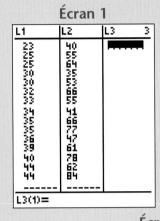

Cet écran permet d'éditer chacun des couples de la table de valeurs.

Cet écran permet de définir l'affichage d'un nuage de points.

Écran 2

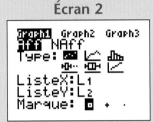

Afin de décrire correctement la corrélation représentée par un nuage de points, l'affichage de l'écran graphique doit être adéquat.

Exploration 1

Écran 3

```
FENETRE
 Xmin=0
 Xmax=100
 Xgrad=10
 Ymin=0
 Ymax=100
 Ygrad=10
 Xres=1
```

⇨

Écran 4

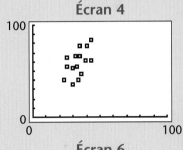

Exploration 2

Écran 5

```
FENETRE
 Xmin=20
 Xmax=50
 Xgrad=5
 Ymin=30
 Ymax=90
 Ygrad=10
 Xres=1
```

⇨

Écran 6

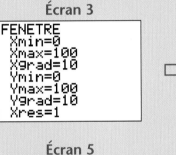

a. Décrivez le changement observé sur le graphique entre l'écran **4** et l'écran **6**.

b. Qu'arrive-t-il au graphique lorsqu'on choisit les paramètres suivants pour définir la fenêtre d'affichage ?

1)
```
FENETRE
 Xmin=0
 Xmax=100
 Xgrad=5
 Ymin=30
 Ymax=90
 Ygrad=10
 Xres=1
```

2)
```
FENETRE
 Xmin=20
 Xmax=50
 Xgrad=5
 Ymin=0
 Ymax=100
 Ygrad=10
 Xres=1
```

3)
```
FENETRE
 Xmin=0
 Xmax=50
 Xgrad=10
 Ymin=30
 Ymax=70
 Ygrad=10
 Xres=1
```

c. À l'aide d'une calculatrice graphique, affichez le nuage de points ci-dessous et décrivez la corrélation observée.

X	1	2	3	4	5	6	7	8	9	10
Y	4	3	5	6	4	5	5	6	5	6

APPRÉCIATION QUALITATIVE D'UNE CORRÉLATION

Dans une étude statistique, on s'intéresse parfois à plus d'un caractère d'une population. Les données recueillies forment alors une **distribution** à deux ou à plusieurs caractères.

Ex.: Voici des données concernant le revenu et le bonheur dans différents pays:

Pays	Revenu par personne ($/année)	Indice de bonheur (sur 100)
Canada	26 000	93
Chine	3 500	74
Corée du Sud	16 000	75
Espagne	18 000	79
États-Unis	32 000	90
France	23 500	85
Inde	2 500	63
Japon	25 500	80
Maroc	3 500	66

Pays	Revenu par personne ($/année)	Indice de bonheur (sur 100)
Nouvelle-Zélande	17 500	90
Pakistan	2 000	53
Pérou	4 500	64
Roumanie	6 000	47
Royaume-Uni	22 500	88
Russie	7 500	40
Turquie	7 800	60
Ukraine	4 000	38
Uruguay	9 000	78

Représentation des données et concept de corrélation

La **corrélation** caractérise le lien qui peut exister entre différents **caractères quantitatifs** d'une population. Ces caractères sont aussi appelés **variables statistiques**. Le recours à un mode de représentation tel qu'un **tableau à double entrée** ou un **nuage de points** facilite l'étude de la corrélation entre deux variables de ce type.

Ex.:   **Le tableau à double entrée**

Revenu par personne ($/année) \ Indice de bonheur	[20, 40[	[40, 60[	[60, 80[	[80, 100[
[0, 5000[	1	1	4	
[5000, 10 000[		2	2	
[10 000, 15 000[				
[15 000, 20 000[			2	1
[20 000, 25 000[				2
[25 000, 30 000[				2
[30 000, 35 000[				1

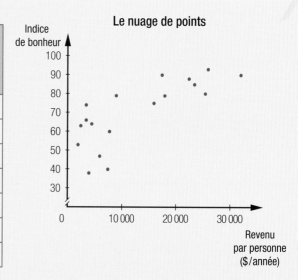

Le nuage de points

Il semble y avoir une corrélation entre les deux variables. En effet, l'indice de bonheur est généralement plus grand dans les pays où les personnes ont un revenu plus élevé.

Corrélation linéaire

- La corrélation entre deux variables est linéaire si le nuage de points se rapproche d'une droite. La corrélation linéaire est positive ou négative selon l'orientation de cette droite.

- La forme du nuage de points permet de caractériser la corrélation linéaire entre les variables : parfaite, forte ou faible. Plus les points sont alignés, plus la corrélation est forte.

- Cependant, pour bien caractériser la corrélation linéaire, il est essentiel que la graduation des axes tienne compte de la dispersion de chacun des caractères étudiés. En général, il suffit de choisir les échelles de graduation de sorte que l'étendue de chaque caractère soit approximativement représentée par une même longueur sur le graphique.

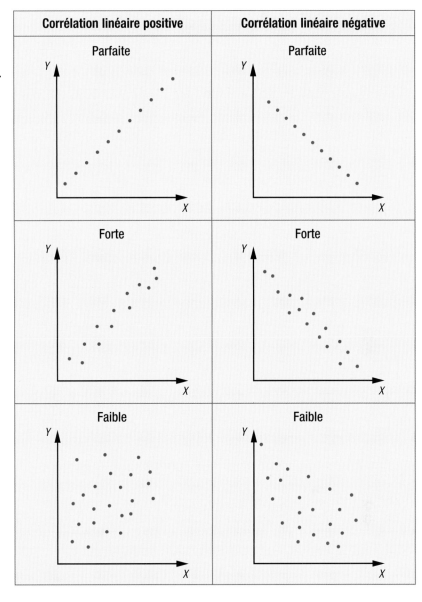

- Si le nuage de points n'est pas orienté ou si les points n'ont pas tendance à s'aligner, alors il n'y a pas de corrélation linéaire. On dit également que la corrélation linéaire est nulle.

Interprétation de la corrélation

Une forte corrélation n'indique pas nécessairement une relation de cause à effet entre les deux caractères. Il est possible que ce soit effectivement le cas, mais l'étude de la corrélation ne fournit pas cette information. Certaines corrélations peuvent s'expliquer par le simple hasard ou par l'influence d'une troisième variable.

Ex. : Un vendeur qui travaille dans une station balnéaire observe que le nombre de coups de soleil attrapés par les touristes est fortement corrélé avec le nombre de lunettes de soleil vendues. On ne peut pas déduire de cette corrélation que les lunettes de soleil provoquent des coups de soleil.

1 Qualifiez la corrélation associée à chacun des nuages de points suivants.

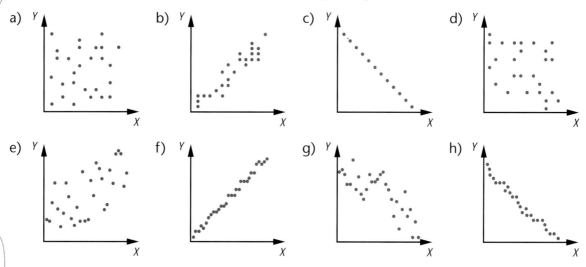

a) b) c) d)

e) f) g) h)

2 Il existe une corrélation entre les variables décrites ci-dessous. Quel est le signe de cette corrélation ? Proposez une explication de ce lien.

a) La taille d'une mère et celle de sa fille à l'âge adulte.

b) La vitesse d'un véhicule lors d'un accident et le taux de décès des suites de cet accident.

c) La quantité de sang transfusé lors d'une opération et la probabilité de survie du patient ou de la patiente.

d) La consommation quotidienne de crème glacée et le pourcentage de cette population ayant la grippe.

e) Le revenu annuel d'un adulte canadien et la probabilité qu'il a de mourir d'un cancer du poumon.

3 Le tableau à double entrée ci-contre montre le lien entre deux variables.

a) Indiquez s'il existe une corrélation positive, négative ou nulle entre ces variables.

b) En tenant compte de la dispersion des données, construisez un nuage de points qui pourrait être associé à ce tableau.

X \ Y	[0, 10[	[10, 20[	[20, 30[	[30, 40[
[0, 5[	0	0	2	2
[5, 10[	0	0	3	2
[10, 15[	0	2	1	0
[15, 20[	2	2	0	0
[20, 25[	1	3	0	0

4 Présentez les données suivantes dans un tableau à double entrée et qualifiez le lien observé entre les deux variables.

La pomme de terre est un tubercule originaire de l'Amérique, alors que la patate est originaire de l'Inde. Ces plantes appartiennent à des familles totalement différentes. Pour des raisons de climat, la patate n'est pas cultivée au Canada.

a) Une agricultrice s'intéresse au nombre de pommes de terre produites par plant selon l'acidité du sol.

pH du sol	5,5	5,1	8,0	8,4	7,0	6,2	5,8	5,7	6,6	6,3	7,9	6,2	7,2	8,2	5,8
Nombre de pommes de terre par plant	29	24	10	6	13	18	17	21	19	22	8	13	13	9	22

pH du sol	5,1	5,5	6,2	7,8	8,4	6,4	7,2	8,1	8,1	7,2	5,5	6,1	7,0	6,2	6,9
Nombre de pommes de terre par plant	27	28	24	13	13	27	19	8	10	14	23	21	15	19	14

b) Au hockey, on dit que la foule est le « septième joueur ». Un entraîneur s'intéresse à l'importance de la foule à domicile et au nombre de buts marqués par son équipe.

Assistance (en milliers)	11,2	14,5	10,5	19,7	20,8	18,2	17,1	13,4	16,2	21,0	20,1	14,3
Nombre de buts marqués	3	2	0	1	4	0	1	2	4	2	2	1

Assistance (en milliers)	21,0	17,7	11,4	12,9	15,8	15,1	21,0	21,0	18,9	20,5	16,0	16,5
Nombre de buts marqués	0	0	1	5	3	4	4	3	2	0	0	2

5 Classez chacune des deux suites de nuages de points ci-dessous selon l'intensité des corrélations représentées, de la plus faible à la plus forte.

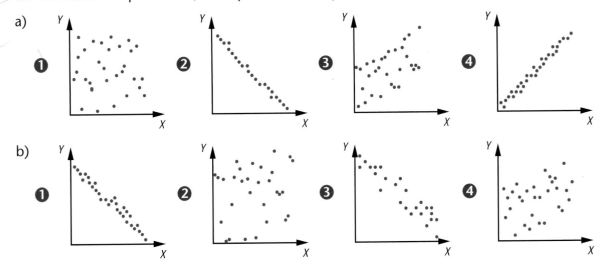

6 Ismaël observe dix cubes dont il ignore la composition. Afin de les identifier, il en mesure le volume et la masse. Voici le tableau des résultats obtenus :

Cubes

Volume (cm³)	3	4	5	10	12	15	16	20	24	25
Masse (g)	8,0	11,0	13,5	27,0	32,5	40,5	43,0	54,0	64,5	67,5

a) Qualifiez la corrélation qui existe entre ces deux variables.

b) Ismaël a-t-il raison de croire que tous les cubes sont composés de la même substance ? Justifiez votre réponse.

7 **MÉTÉO** Un enseignant a fourni à ses élèves des statistiques météorologiques de la région de Montréal. Ces statistiques sont constituées de 12 moyennes mensuelles établies à l'aide des données météorologiques des années 1961 à 1991. Voici les graphiques produits par trois élèves :

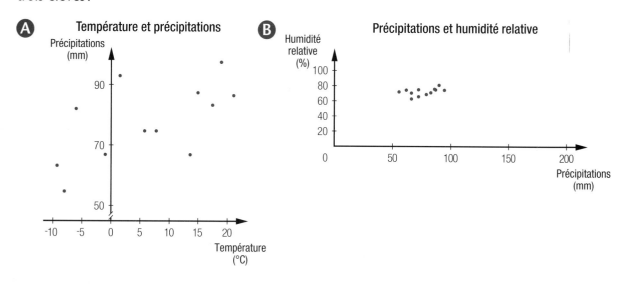

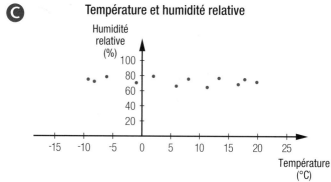

Lequel de ces trois graphiques permet le mieux d'évaluer le lien existant entre les variables présentées ? Expliquez votre réponse et indiquez les modifications à apporter aux deux autres graphiques.

8 Pour jouer au backgammon, Lucie utilise un programme d'ordinateur qui génère des lancers de dés. Cependant, elle a cru remarquer que le dé blanc a tendance à donner un grand nombre lorsque le dé rouge en donne un petit, et vice versa. Analysez les résultats qu'elle a obtenus pour vérifier si son intuition est juste.

Le backgammon se joue avec une paire de dés et un dé doubleur. Les nombres 2, 4, 8, 16, 32 et 64 sont inscrits sur les faces de ce dé.

Résultats

Dé rouge	1	3	2	2	4	2	4	5	2	5	1	3	3	5	1	4	5	3	3	4
Dé blanc	6	4	5	4	4	6	1	3	5	5	5	4	5	1	6	2	5	3	1	3

Dé rouge	5	1	2	5	6	2	2	3	6	2	3	5	6	1	3	6	3	4	1	1
Dé blanc	1	6	6	2	3	2	6	2	2	6	3	6	1	5	2	5	4	3	4	4

Dé rouge	4	4	5	4	2	1	4	5	2	2	6	5	1	4	5	2	4	2	5	5
Dé blanc	1	3	3	1	5	5	1	5	6	6	2	3	6	4	1	4	6	3	2	2

9 a) En vous basant uniquement sur le contexte, caractérisez la corrélation que l'on pourrait observer entre les variables suivantes. Expliquez votre prédiction.

1) Le nombre de lits d'un hôpital et le temps de séjour moyen des patients.

2) La performance des joueurs français au tournoi de tennis Roland-Garros au mois de juin et le taux de réussite des élèves aux examens du baccalauréat.

3) Le nombre de personnes détenues en prison et l'espérance de vie des hommes dans différents pays du monde.

b) Représentez les données fournies par des nuages de points pour confirmer ou infirmer vos prédictions. Interprétez chaque lien observé.

Hôpital

Nombre de lits	Temps de séjour moyen (jours)
68	1
1230	14
1000	10
750	6
650	9
200	2
138	1
180	1
600	4
500	8

Tennis

Performance des joueurs français (points)	Taux de réussite aux examens (%)
115	80
87	63
88	63
90	66
100	74
102	76
109	79
104	80

Prison

Nombre de personnes détenues (par 100 000 habitants)	Espérance de vie des hommes (années)
96,6	75,5
55,3	74,6
37,6	77,7
36,1	68,6
114,7	60,5
41,8	78,1
92,2	75,5
389,0	66,0
227,3	64,5
678,2	59,0

10 La bosse des mathématiques existe-t-elle vraiment? Dans une école primaire, on a mesuré la circonférence de la tête de 28 élèves choisis aléatoirement et on les a soumis à un même test d'aptitudes mathématiques. Les couples ci-dessous représentent la mesure de la tête de chaque élève (en cm) et son résultat au test d'aptitude (en pourcentage).

(46, 10)	(77, 14)	(48, 82)	(48, 17)	(49, 14)	(49, 55)
(50, 30)	(50, 31)	(50, 65)	(52, 90)	(52, 45)	(53, 76)
(53, 95)	(54, 66)	(54, 87)	(54, 89)	(54, 40)	(55, 15)
(55, 70)	(55, 82)	(56, 92)	(56, 48)	(56, 52)	(56, 79)
(57, 86)	(57, 61)	(57, 73)	(58, 81)		

a) Tracez le nuage de points de cette distribution.

b) Décrivez qualitativement la corrélation entre le tour de tête et les résultats au test d'aptitude en mathématiques.

c) Donnez une explication possible aux résultats observés.

11 Vit-on plus heureux si l'on pense vivre vieux? Voici les statistiques concernant l'espérance de vie dans quelques pays du monde et l'indice de bonheur moyen de ses habitants:

Pays	Espérance de vie (années)	Indice de bonheur (sur 10)	Pays	Espérance de vie (années)	Indice de bonheur (sur 10)
Australie	79,0	7,8	Papouasie-Nouvelle-Guinée	55,3	6,3
Burundi	43,6	3,0	Pays-Bas	78,4	7,5
Grèce	78,3	6,3	République de Vanuatu	68,6	7,4
Guyane	63,1	7,2	São Tomé et Principe	63,0	6,7
Kirghizistan	66,8	6,6	Singapour	78,7	6,9
Liban	72,0	5,6	Sri Lanka	74,0	6,1
Maurice	72,2	6,5	Tadjikistan	63,6	6,6
Moldavie	67,7	3,5	Tchad	43,6	4,5
Nicaragua	69,7	6,3	Thaïlande	70,0	6,5
Nigeria	43,4	5,5	Tunisie	73,3	6,4

Déterminez s'il existe un lien entre ces deux variables et la nature de ce lien le cas échéant. Utilisez le mode de représentation de votre choix pour y parvenir.

12 Huit équipes d'élèves ont mené une expérience dans le but de déterminer la relation qui existe entre la masse d'un objet en chute libre et sa vitesse d'arrivée au sol. Pour ce faire, ils ont laissé tomber d'une même hauteur des boules de même volume, mais de masses différentes, et ont noté leur vitesse finale. Voici les résultats obtenus :

Chute d'une hauteur de 1,5 m d'une boule de 15 cm de diamètre

Équipe	1	2	3	4	5	6	7	8
Masse (kg)	Vitesse finale (m/s)	Vitesse finale (m/s)	Vitesse finale (m/s)	Vitesse finale (m/s)	Vitesse finale (m/s)	Vitesse finale (m/s)	Vitesse finale (m/s)	Vitesse finale (m/s)
0,1	55	55	49	47	49	51	55	49
0,2	54	50	48	49	53	50	49	49
0,3	48	46	47	51	55	55	51	52
0,4	53	50	48	51	55	49	50	48
0,5	48	52	53	49	52	47	48	51
0,6	47	49	50	48	52	50	47	48
0,7	53	54	49	48	46	55	55	53
0,8	48	53	53	54	47	48	48	49
0,9	51	46	55	47	53	50	47	53
1,0	54	49	53	51	49	46	55	50

a) Analysez les résultats obtenus par l'équipe **3** et commentez-les.

b) Ajoutez-y les résultats des autres équipes et analysez de nouveau la situation.

c) Quelle est la relation entre la masse de la boule et sa vitesse d'arrivée au sol ? Justifiez votre réponse.

Galileo Galilei
(1554-1642)

Galilée est reconnu pour avoir introduit la méthode expérimentale en sciences. Par exemple, pour déterminer l'influence de la masse sur la vitesse de chute des corps, il aurait laissé tomber de lourdes balles du haut de la tour de Pise. Par la suite, il a cherché à mesurer plus précisément ce lien à l'aide de pendules.

13 Depuis plus de 20 ans, l'Association des Sceptiques du Québec fait la promotion de la pensée critique et de la rigueur scientifique dans le cadre d'études d'allégation de phénomènes paranormaux. Cette association offre même une récompense de 10 000 $ à quiconque viendrait à prouver expérimentalement un pouvoir de cette nature. Afin de démontrer sa clairvoyance, une personne s'est soumise à une expérience qui consistait à prédire une suite de nombres aléatoires générés par un logiciel. Voici les résultats obtenus à ce test où les nombres variaient de 1 à 20:

Certaines personnes affirment pouvoir tordre des clés ou des cuillères uniquement par la force de leur pensée. Aucune d'elles n'a réussi à en établir la preuve expérimentale.

Résultats de l'expérience

Nombres générés	18	18	14	19	13	4	19	10	3	9	3	9	14	13
Nombres prédits	8	7	8	5	12	11	6	14	9	10	12	6	8	10

Nombres générés	18	18	6	10	14	6	14	14	6	8	8	18	3	13
Nombres prédits	19	5	4	9	16	2	5	2	8	17	10	17	16	8

a) Parfois, l'écart entre la prédiction du clairvoyant et le nombre généré par le logiciel est grand, comme c'est le cas dans la première prédiction, parfois il est petit. Le clairvoyant a-t-il raison de prétendre que les écarts les plus petits sont des erreurs moins importantes que les écarts les plus grands? Expliquez votre point de vue.

b) Comment les membres des Sceptiques du Québec auraient-ils dû interpréter les résultats si le clairvoyant avait toujours prédit un nombre d'une unité de moins que celui généré par le logiciel?

c) Les Sceptiques du Québec devraient-ils récompenser cette personne pour son don de clairvoyance? Justifiez votre réponse.

14 Les données suivantes proviennent de 20 pays où une partie de la population n'a pas suffisamment de ressources pour se nourrir convenablement. Analysez ces données et interprétez le lien existant entre les deux variables.

Situation dans 20 pays

Pays	Taux d'alphabétisation (%)	Sous-alimentation (%)	Pays	Taux d'alphabétisation (%)	Sous-alimentation (%)
Argentine	96	3	Jordanie	82	19
Brésil	82	23	Lesotho	78	37
Chine	78	46	Madagascar	58	17
Chypre	94	3	Nigeria	49	27
Congo	67	47	Panama	89	17
Côte d'Ivoire	39	16	Salvador	72	45
Égypte	47	26	Syrie	65	16
Ghana	59	24	Togo	44	29
Guyane	97	19	Uruguay	97	3
Indonésie	80	47	Yémen	33	54

SECTION 1.2 / Le coefficient de corrélation linéaire

Cette section est en lien avec la SAÉ 2.

PROBLÈME   Une idée de Karl Pearson

Karl Pearson (1857-1936) a beaucoup contribué à l'avancement de la statistique.

Est-il possible de décrire la force d'une corrélation à l'aide d'un seul nombre ? Il faudrait que ce nombre soit significatif et facile à interpréter.

Le problème n'était pas simple, mais Pearson a trouvé une solution.

Le coefficient de corrélation linéaire que je propose permet de mesurer précisément l'intensité de la relation entre deux variables. Son calcul est complexe, mais sa valeur est facile à comprendre. Elle se situe toujours dans l'intervalle de –1 à 1.

Les tableaux ci-dessous mettent en relation différents caractères de 8 jeunes âgés de 16 ans. Le coefficient de corrélation linéaire correspondant, noté *r*, est indiqué sous chacun des tableaux.

Caractères étudiés

Durée du sommeil (h/jour)	Temps d'éveil (h/jour)	Travail (h/semaine)	Temps de loisir (h/semaine)	Nombre de frères	Nombre de sœurs	Taille à 6 ans (cm)	Taille à 16 ans (cm)	Âge de la mère	Âge du père
8,5	15,5	10	9	2	2	118	170	46	44
8,2	15,8	6	15	0	0	102	162	48	53
9	15	0	14	3	1	108	155	40	39
7,4	16,6	4	8	1	0	110	160	49	48
7	17	8	6	0	2	114	173	54	57
8	16	10	11	1	1	117	161	50	52
8,3	15,7	15	6	1	2	105	158	39	38
7,8	16,2	9	14	2	0	110	170	43	45

$r = -1$	$r \approx -0{,}50$	$r = 0$	$r \approx 0{,}50$	$r \approx 0{,}95$

Analysez ces exemples pour mieux comprendre la signification des différentes valeurs de *r* et répondez à la question suivante.

Quel pourrait être le coefficient de corrélation linéaire associé au nuage de points ci-contre ? Estimez-le en expliquant votre raisonnement.

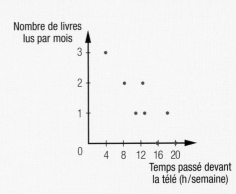

Nombre de livres lus par mois / Temps passé devant la télé (h/semaine)

Voici six nuages de points représentant des corrélations plus ou moins fortes entre deux variables. Un rectangle a été tracé sur le graphique **1** de façon à encadrer les points.

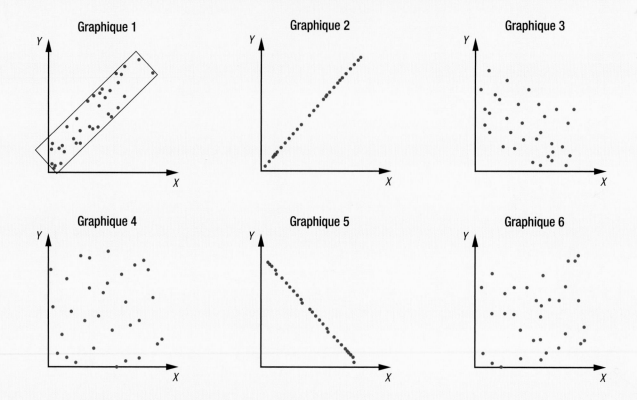

a. Pour chacun de ces graphiques :

1) tracez le plus petit rectangle possible pouvant contenir l'ensemble des points ;

2) mesurez les dimensions de ce rectangle.

Associez chaque graphique à l'un des coefficients de corrélation linéaire *r* du tableau ci-contre et inscrivez-y les mesures du rectangle correspondant.

b. Existe-t-il un lien entre la forme du rectangle ainsi créé et la force de la corrélation entre les deux variables ? Justifiez votre réponse.

c. En vous servant des informations recueillies, trouvez une règle qui permettrait d'estimer la valeur du coefficient de corrélation à partir du rectangle tracé.

Numéro du graphique	*r*	Largeur du rectangle (mm)	Longueur du rectangle (mm)
	1		
	0,8		
	0,2		
	0		
	−0,5		
	−1		

d. Comparez votre règle avec celle d'autres élèves de la classe et décidez ensemble de la meilleure méthode pour estimer un coefficient de corrélation linéaire.

Les nuages de points permettent de déceler rapidement les interactions entre deux variables. Toutefois, il faut rester critique quant à leur interprétation. Dans chacune des situations décrites ci-dessous, la conclusion émise par la personne semble douteuse.

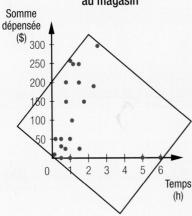

Tu devrais marcher pour aller à l'école. Suis l'exemple de tes camarades : plus ils prennent de temps pour se rendre à l'école, mieux ils réussissent.

La réussite, une question de temps

Somme dépensée au magasin

Vous comprenez, patronne : le coefficient de corrélation associé à ce graphique est négatif. Ça ne ment pas. Plus les gens restent longtemps dans le magasin, moins ils achètent. C'est pour ça qu'on vous demande d'embaucher un commis supplémentaire : afin d'accélérer le service!

Arrête de clavarder. Cela nuit à tes études!

Mais maman, je ne clavarde jamais plus d'une heure par jour.

Les risques du clavardage

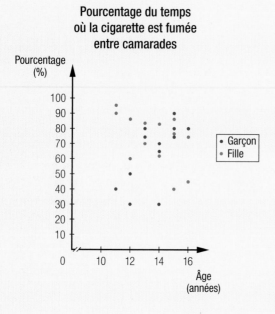

Pourcentage du temps où la cigarette est fumée entre camarades

• Garçon
• Fille

Ce graphique illustre l'habitude qu'ont les jeunes fumeurs de fumer en présence de leurs camarades. En observant ce graphique, on remarque que la corrélation est presque nulle. J'en conclus que l'âge n'a aucune influence sur le pourcentage du temps passé par les élèves à fumer entre camarades.

a. Dans chacune des situations précédentes, expliquez en quoi la conclusion émise est douteuse.

b. Comment procéderiez-vous pour obtenir une estimation valable de chaque coefficient de corrélation?

c. Interprétez correctement chacune de ces situations.

Techno math

Un tableur permet d'effectuer des calculs statistiques sur des nombres entrés dans des cellules et d'en générer une représentation graphique. Par exemple :

Écran 1

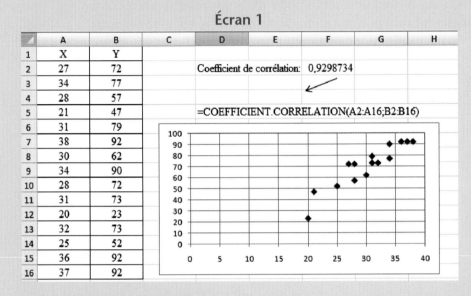

Les données de la distribution sont entrées dans deux colonnes.

Une formule permet de calculer automatiquement le coefficient de corrélation linéaire.

Il est également possible d'afficher le nuage de points correspondant.

On peut observer le changement du coefficient de corrélation linéaire et du graphique à la suite d'une modification des données de la distribution. En changeant les valeurs des cellules B10, B13 et B15, on obtient :

Il est possible de modifier la graduation et la longueur des axes afin d'obtenir une meilleure représentation graphique. Par exemple :

Écran 2   ### Écran 3

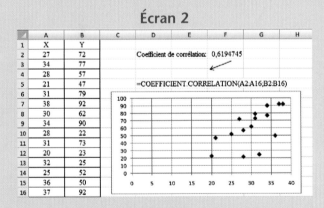

a. À l'écran **1**, que signifie « A2:A16;B2:B16 » dans le calcul du coefficient de corrélation linéaire ?

b. Quel changement le nuage de points a-t-il subi à l'écran **2** ?

c. À l'aide d'un tableur, déterminez le coefficient de corrélation linéaire et tracez le nuage de points de la distribution ci-dessous en coupant les axes du graphique, au besoin.

X	27	34	28	21	31	38	30	34	28	31	20	32	25	36	37	28	22	22	39	49
Y	33	32	27	33	51	22	28	25	29	28	37	22	33	21	23	36	41	41	18	29

COEFFICIENT DE CORRÉLATION LINÉAIRE

Afin de quantifier l'intensité de la relation linéaire entre deux variables, on a recours au coefficient de corrélation linéaire, noté r. La valeur de ce coefficient se situe dans l'intervalle $[-1, 1]$.

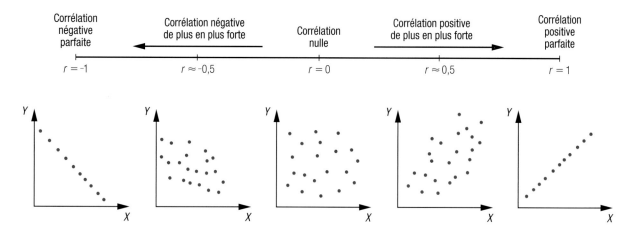

Corrélation négative parfaite	Corrélation négative de plus en plus forte	Corrélation nulle	Corrélation positive de plus en plus forte	Corrélation positive parfaite
$r = -1$	$r \approx -0,5$	$r = 0$	$r \approx 0,5$	$r = 1$

Le calcul du coefficient de corrélation linéaire est complexe. On effectue généralement le calcul à l'aide d'un outil technologique.

Estimation du coefficient de corrélation linéaire

Il est possible d'estimer la valeur de r en employant la méthode graphique dite «du rectangle». Cette méthode consiste à:

1° mesurer la largeur l et la longueur L du rectangle qui délimite le mieux le nuage de points;

2° approximer la valeur de r à l'aide de l'expression suivante:

$$\pm \left(1 - \frac{l}{L} \right)$$

> Cette estimation n'est valable que si le nuage de points est représenté adéquatement. Pour cela, il faut que la graduation des axes tienne compte de la dispersion de chaque caractère.

Le signe devant la parenthèse est choisi selon l'orientation du nuage.

Ex.:

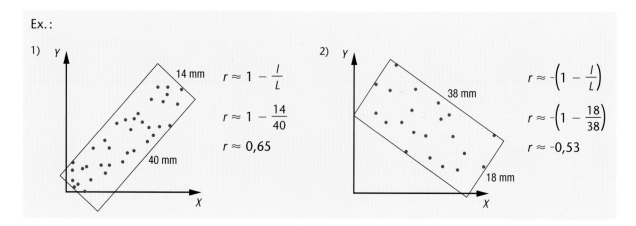

1)

$r \approx 1 - \dfrac{l}{L}$

$r \approx 1 - \dfrac{14}{40}$

$r \approx 0,65$

(14 mm, 40 mm)

2)

$r \approx -\left(1 - \dfrac{l}{L} \right)$

$r \approx -\left(1 - \dfrac{18}{38} \right)$

$r \approx -0,53$

(38 mm, 18 mm)

INTERPRÉTATION DU COEFFICIENT DE CORRÉLATION

Pour apprécier l'intensité d'une corrélation, il faut considérer le domaine d'études. En sciences exactes (chimie, physique, etc.), un coefficient de corrélation linéaire de 0,5 sera associé à une faible corrélation, alors qu'en sciences humaines (psychologie, sociologie, etc.), un même coefficient sera considéré comme l'indice d'une forte corrélation.

Ex.: Si on obtient un coefficient de corrélation de 0,3 en mettant en lien le nombre de décès et la prise d'un médicament, on parlera d'une forte corrélation.

Certaines sources de biais peuvent mener à des conclusions erronées.

Source de biais	Exemple
Échantillon non représentatif Un échantillon non représentatif pourra donner une fausse impression de la corrélation entre deux caractères d'une population.	Un échantillon de très petite taille peut laisser croire que la corrélation est plus forte qu'elle ne l'est en réalité.
Présence de données aberrantes La méthode du rectangle utilisée pour estimer le coefficient de corrélation devient moins efficace lorsqu'on est en présence de données aberrantes. Il est alors préférable d'exclure les points isolés dans le processus d'estimation.	
Présence de deux groupes distincts La présence de deux groupes dans l'échantillon peut laisser croire que la corrélation est plus forte ou plus faible qu'elle ne l'est en réalité.	 La corrélation est positive si l'on considère l'ensemble des points, mais elle est nulle dans chacun des groupes.
Présence de corrélation par intervalles Parfois, on peut observer des corrélations différentes dans des intervalles différents. Il est alors préférable d'en faire la distinction.	 La corrélation est forte pour les petites valeurs de X alors qu'elle est faible pour les grandes.

1 À quel nuage de points est associé chacun des coefficients de corrélation linéaire suivants?

a) -0,98 ; -0,86 ; 0,61 ; 0,94

A	B	C	D
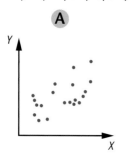	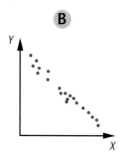	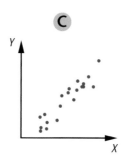	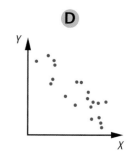

b) 0,05 ; 0,38 ; 0,51 ; 0,78

A	B	C	D
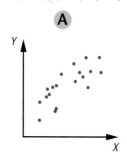	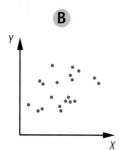	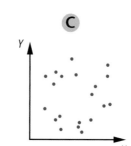	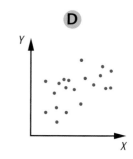

c) -0,58 ; -0,30 ; 0,24 ; 0,57

A	B	C	D
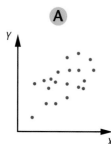	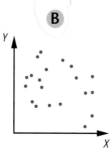	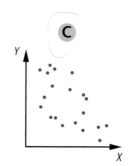	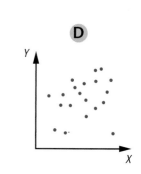

2 Attribuez les nombres de 1 à 5 à la variable *Y* de chacune des tables de valeurs ci-dessous pour faire en sorte que le coefficient de corrélation entre les deux variables soit le plus près possible de la valeur indiquée.

a) $r = -1$

X	Y
1	
2	
3	
4	
5	

b) $r = 0$

X	Y
1	
2	
3	
4	
5	

c) $r = 0,5$

X	Y
1	
2	
3	
4	
5	

3 Par la méthode graphique du rectangle, estimez le coefficient de corrélation linéaire associé à chacun des nuages de points ci-dessous.

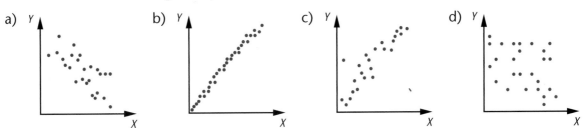

a)   b)   c)   d)

4 À main levée, dessinez un nuage de points correspondant à chacun des coefficients de corrélation linéaire suivants.

a) ⁻0,2   b) 0,4   c) 0,8   d) ⁻0,9

5 La direction de l'École des Trois-Poteaux est soucieuse du bien-être de ses élèves et a effectué un sondage pour connaître leur degré de satisfaction à l'égard des services offerts. Les résultats sont présentés dans le tableau ci-dessous. Un 0 indique une insatisfaction totale et un 10, une grande satisfaction.

École des Trois-Poteaux

	Satisfaction des garçons (de 0 à 10)	Satisfaction des filles (de 0 à 10)
Activités sportives	9	8
Installations sportives	8	9
Programme sport-études	7	8
Activités culturelles	7	3
Outils technologiques	8	9
Personnel enseignant	7	7
Clientèle d'élèves	6	7
Personnel de direction	6	6
Personnel de soutien	5	5
Emplacement de l'école	3	4
Qualité de l'air	4	5
Propreté des lieux	4	4
Cafétéria	3	2
Agora de l'école	3	8
Bibliothèque	2	3

a) Estimez le coefficient de corrélation linéaire entre le degré de satisfaction des garçons et celui des filles.

b) Peut-on conclure qu'il n'y a pas une grande différence entre le degré de satisfaction des garçons et celui des filles? Pourquoi?

c) Peut-on conclure que tout va bien dans cette école? Présentez votre vision de la situation.

6 INDICATEURS DE SANTÉ

Voici des données tirées d'une étude sur la santé de la population dans les différentes provinces canadiennes:

En 2007, près de 9000 personnes ont participé à l'une ou l'autre des courses du Marathon de Montréal.

Indicateurs de santé

	Personnes âgées de 12 ans ou plus qui pratiquent une activité physique comme loisir (%)	Personnes qui consomment 5 portions et plus de fruits et de légumes par jour (%)	Adultes qui fument régulièrement ou à l'occasion (%)	Adultes qui boivent plus de 5 verres d'alcool par jour plus de 12 fois par année (%)	Adultes obèses (%)
Colombie-Britannique	59	40	19	24	13
Alberta	55	36	24	24	16
Saskatchewan	52	33	26	28	21
Manitoba	50	32	23	25	18
Ontario	53	40	23	24	15
Québec	49	50	26	22	14
Nouveau-Brunswick	48	34	25	29	24
Nouvelle-Écosse	52	34	25	29	22
Île-du-Prince-Édouard	47	30	24	29	24
Terre-Neuve	47	22	25	35	25

a) Parmi les quatre premières variables présentées (activité physique, consommation de fruits et de légumes, tabagisme et consommation d'alcool), laquelle a la plus forte corrélation avec l'obésité? Justifiez votre réponse.

b) Comment peut-on expliquer cette forte corrélation entre les deux variables?

c) À la vue de ces données, que diriez-vous à une personne qui se préoccupe de son poids?

7 Une spécialiste en médecine sportive a étudié la relation entre la masse musculaire de ses patients et leur force physique. Ses résultats sont représentés par le nuage de points ci-dessous qu'elle a affiché dans son bureau de consultation.

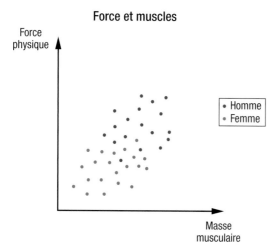

Force et muscles

Force physique

• Homme
• Femme

Masse musculaire

a) Estimez le coefficient de corrélation linéaire existant entre les variables:

1) pour les hommes;

2) pour les femmes;

3) pour l'ensemble des patients.

b) Sur la base de ce graphique, portez un jugement sur la relation qui existe entre la masse musculaire et la force physique, et justifiez-le.

8 Des sociologues québécois ont étudié la relation entre le revenu annuel familial et le taux de fécondité dans cinq communautés culturelles différentes. Voici les coefficients de corrélation linéaire obtenus :

Communauté	A	B	C	D	E
r	0,6	-0,3	0	-0,8	0,1

a) Classez ces communautés selon l'intensité de la corrélation observée, de la plus faible à la plus forte.

b) Indiquez la communauté décrite par chacun des énoncés suivants.

1) Les familles les plus riches de cette communauté ont nettement moins d'enfants que les familles les plus pauvres.

2) En général, plus on est riche dans cette communauté, plus on a d'enfants, mais il y a des exceptions.

3) Dans cette communauté, toutes les familles ont beaucoup d'enfants, que celles-ci soient riches ou pauvres n'a pas d'importance.

9 Dans le cadre d'un essai clinique qui précède la mise en marché d'un nouvel analgésique, on s'intéresse au lien pouvant exister entre la dose quotidienne prise par des sujets souffrant d'arthrite et la fréquence des problèmes psychologiques (humeur dépressive, pensées suicidaires, etc.) rencontrés durant la période d'essai. Les données recueillies sont représentées par le nuage de points ci-contre.

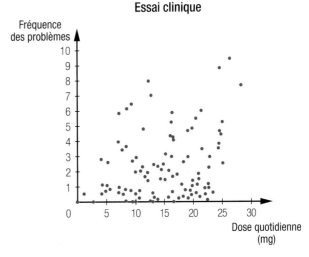

a) Estimez le coefficient de corrélation linéaire entre ces deux variables.

b) Devrait-on commercialiser ce médicament sachant qu'il est très efficace contre la douleur ? Exposez votre point de vue.

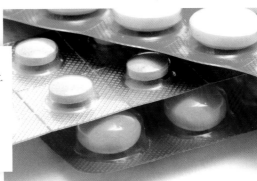

Les essais cliniques ne se terminent pas avec la mise en marché d'un médicament. Des essais, dits de phase IV, continuent d'être menés afin de déceler d'éventuels effets indésirables rares que les essais précédents n'auraient pas permis de détecter.

10 Louis a analysé le lien entre la moyenne de buts accordés par partie et le temps de jeu pour 35 gardiens de la Ligue nationale de hockey. Il a tracé le nuage de points ci-dessous et estimé le coefficient de corrélation à -0,86.

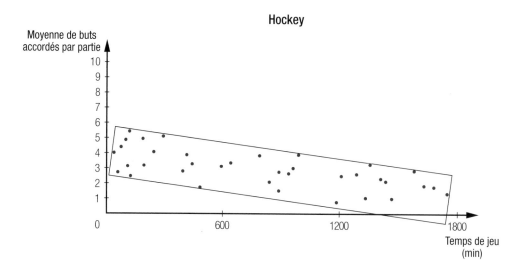

Son amie Caroline a fait la même analyse, mais elle arrive à des conclusions légèrement différentes. Selon elle, Louis surestime la force de la corrélation, car le coefficient se situerait plutôt autour de -0,6.

a) Qui a raison? Présentez vos arguments.

b) Quelle pourrait être l'explication du lien observé entre ces deux variables?

c) Si vous deviez représenter la relation entre ces deux variables, en quoi votre graphique serait-il différent de celui de Louis?

11 On a interrogé 30 élèves âgés de 15 à 16 ans sur le temps qu'ils consacrent par semaine à un travail rémunéré à l'extérieur de l'école, puis on a évalué sur 10 leur rendement scolaire. Voici les données obtenues:

Travail des jeunes

Temps de travail (h)	0	0	0	0	0	0	3	3	3	3	4	5	6	6	8
Rendement scolaire	9	8	6	5	4	3	10	8	7	4	6	8	10	9	10

Temps de travail (h)	8	9	10	10	12	12	12	12	15	15	15	16	16	20	20
Rendement scolaire	8	6	9	6	8	7	6	5	8	6	4	6	4	4	3

a) Analysez la corrélation entre ces deux variables.

b) Selon ces données, peut-on dire que le travail des jeunes nuit à leur rendement scolaire? Expliquez votre réponse.

On estime que près de la moitié des élèves des deux dernières années du secondaire ont un travail rémunéré durant l'année scolaire.

12 Dans le tableau ci-dessous, $\bar{X}$ et $\bar{Y}$ représentent respectivement la moyenne des valeurs de X et celle des valeurs de Y. Les expressions $X - \bar{X}$ et $Y - \bar{Y}$ correspondent aux écarts à la moyenne.

a) Complétez ce tableau.

b) Dans un plan cartésien, représentez la distribution des écarts à la moyenne par un nuage de points.

c) Dans quels quadrants se situent principalement les points?

d) Estimez le coefficient de corrélation linéaire de cette distribution.

e) Y a-t-il un lien entre la réponse en c) et celle en d)? Expliquez-le.

X	Y	$X - \bar{X}$	$Y - \bar{Y}$
1	3		
1	4		
1	2		
2	5		
3	1		
3	2		
4	2		
4	0		
5	1		
6	0		
Somme			
Moyenne			

 13 Différentes méthodes permettent de calculer précisément un coefficient de corrélation linéaire. On peut le calculer, entre autres, en utilisant les écarts à la moyenne. Voici le tableau du numéro précédent auquel on a ajouté trois autres colonnes:

X	Y	$X - \bar{X}$	$Y - \bar{Y}$	$(X - \bar{X})(Y - \bar{Y})$	$(X - \bar{X})^2$	$(Y - \bar{Y})^2$
1	3					
1	4					
1	2					
2	5					
3	1					
3	2					
4	2					
4	0					
5	1					
6	0					
		Somme				
				$\downarrow$	$\downarrow$	$\downarrow$
				A	B	C

a) Complétez ce tableau.

b) Si A représente la somme du produit des écarts à la moyenne, et B et C représentent respectivement la somme des carrés des écarts à la moyenne pour les variables X et Y, alors la valeur de r est donnée par l'expression $\dfrac{A}{\sqrt{B \times C}}$. Calculez le coefficient de corrélation r et vérifiez ensuite la réponse obtenue à l'aide d'un outil technologique.

Cette section est en lien avec la SAÉ 3.

 PROBLÈME Faut-il vendre aujourd'hui?

Une nouvelle entreprise de télécommunication a fait son introduction en Bourse au début de l'année, le 3 janvier. La progression de son action durant le premier trimestre semble très prometteuse. Un investisseur, Richard Lafortune, prévoit que cette tendance se maintiendra au cours des prochains mois.

Progression de l'action

Valeur de l'action ($)

Nombre de vendredis depuis le début de l'année

Valeur de l'action à la fermeture, chaque vendredi

Date	Valeur de l'action ($)
7 janvier	14,75
14 janvier	17,50
21 janvier	13,25
28 janvier	15,00
4 février	13,75
11 février	14,50
18 février	21,25
25 février	18,00
4 mars	17,75
11 mars	22,50
18 mars	24,25
25 mars	19,00
1 avril	22,50
8 avril	20,25
15 avril	23,00
22 avril	22,75

Rendement au premier trimestre

Mois du premier trimestre	Valeur moyenne de l'action le vendredi à la fermeture ($)	Valeur de l'action le dernier vendredi du mois ($)
Janvier	15,13	15,00
Février	16,88	18,00
Mars	20,88	19,00

 Si Richard Lafortune a raison, autour de quelle date la valeur de l'action aura-t-elle doublé sa valeur initiale? Assurez-vous que votre façon de procéder permettrait à d'autres personnes qui l'utiliseraient de trouver la même date que vous.

Yassim aimerait pouvoir définir rapidement une droite qui représente bien un nuage de points. Pour mieux comprendre ce problème, il examine d'abord un cas simple comportant trois points.

a. Parmi les trois points A, B et C du graphique ci-contre, lesquels vous semblent le mieux définir la direction de la droite?

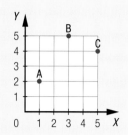

Yassim se dit que la droite ne doit pas passer par ces deux points, car le troisième point ne servirait alors à rien. Il pense que la droite devrait passer par un point représentatif de l'ensemble.

b. Quelles sont les coordonnées de ce point représentatif? Justifiez votre réponse.

c. Tracez la droite définie par vos réponses aux questions **a** et **b**, puis déterminez son équation.

Après avoir trouvé une méthode pour trois points, Yassim examine une situation où il y a un véritable nuage de points.

X	Y
1	54
1	45
2	40
3	46
5	42
5	14
6	45
7	22
7	38
8	33
9	26
10	46
10	14

X	Y
11	30
11	15
13	19
14	22
14	13
15	38
15	4
17	13
18	3
18	25
19	4
20	8

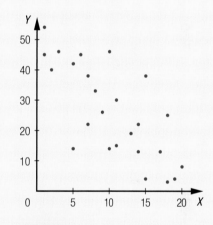

Si je pouvais représenter toutes ces données par seulement trois points, je pourrais utiliser la même méthode que j'ai trouvée précédemment.

d. Proposez une mesure statistique appropriée pour déterminer rapidement trois points représentatifs de cette distribution. Partagez votre proposition avec vos camarades.

e. À l'aide de ces trois points, tracez la droite représentative du nuage de points et déterminez son équation.

ACTIVITÉ 2 Que la meilleure droite gagne !

Au cours d'une expérience, Camille obtient les valeurs inscrites dans le tableau ci-contre. Elle veut modéliser la situation à l'aide d'une droite, mais elle se pose une question : «Parmi toutes les droites possibles, y en a-t-il une qui est meilleure que les autres ? Il faudrait un critère de décision.» Ce critère existe. Il a été proposé par le mathématicien allemand Karl Friedrich Gauss au début du XIXᵉ siècle.

Valeur de X	Valeur observée de Y
0	2
2	6
4	4
6	8
8	7
10	9

« On constate qu'il y a toujours des écarts entre les observations et les valeurs que prévoit un modèle. Il est souhaitable que ces écarts soient les plus petits possible. C'est un bon critère pour juger d'un modèle. Mais, si l'on ne fait qu'additionner les différences entre les valeurs observées et les valeurs prévues, les résultats positifs et les résultats négatifs s'annuleront. C'est pourquoi je propose plutôt de chercher le modèle qui *minimise la somme des carrés de ces différences*. »

Carl Friedrich Gauss
(1777-1855)

Observez le graphique ci-contre. Le nuage de points issu de l'expérience a permis à Camille de modéliser le lien entre les variables à l'aide d'une droite dont l'équation est $y = 0,8x + 2$. Les segments rouges représentent les écarts entre les valeurs observées et les valeurs théoriques de Y.

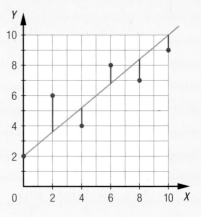

a. En utilisant l'équation $y = 0,8x + 2$ pour déterminer les valeurs théoriques de Y, complétez le tableau ci-contre, puis calculez la somme des carrés des différences.

b. Proposez une droite qui s'ajuste mieux au nuage de points que celle de Camille. Justifiez votre réponse à l'aide du critère de Gauss.

Valeur de X	Valeur observée de Y	Valeur théorique de Y	$Y_{obs} - Y_{th}$	$(Y_{obs} - Y_{th})^2$
0	2			
2	6			
4	4			
6	8			
8	7			
10	9			
			Somme :	

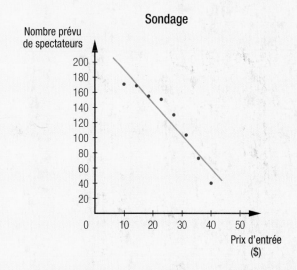 ACTIVITÉ 3 Une nouvelle salle

La propriétaire d'une nouvelle salle de spectacles située dans les Laurentides doit décider du prix d'entrée qui sera exigé des spectateurs. Elle ne veut pas demander un prix trop élevé qui aurait pour effet d'éloigner les clients éventuels. Elle fait donc appel à un analyste de marché qui procède à un sondage auprès de la clientèle cible. Le nuage de points ci-dessous permet de visualiser les résultats obtenus. La droite de régression d'équation $y = -4,74x + 247,89$ est tracée en orange.

a. Estimez le coefficient de corrélation linéaire entre les deux variables.

b. À l'aide de la droite tracée, estimez le nombre de spectateurs pour un prix d'entrée de :
1) 5 $
2) 25 $
3) 50 $

c. Cette droite de régression représente-t-elle bien le nuage de points ? Justifiez votre réponse.

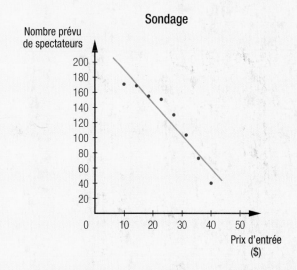

Afin de suggérer un prix d'entrée à la propriétaire, l'analyste calcule le revenu prévu par spectacle pour chaque prix d'entrée.

Revenu prévu par spectacle selon le prix d'entrée

Prix d'entrée ($)	12	16	20	24	28	32	36	40
Revenu ($)	2064	2720	3120	3648	3668	3328	2628	1560

Le logiciel qu'il utilise fournit également l'équation de la droite de régression et le coefficient de corrélation linéaire entre ces deux variables.

d. Étant donné la faible valeur de r, peut-on conclure que le prix d'entrée a peu d'effet sur le revenu prévu ? Justifiez votre réponse.

e. Quelle devrait être la recommandation de l'analyste ?

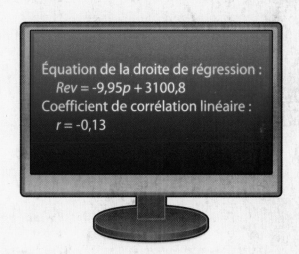

Équation de la droite de régression :
$Rev = -9,95p + 3100,8$
Coefficient de corrélation linéaire :
$r = -0,13$

Techno math

Une calculatrice graphique permet d'afficher un nuage de points et de déterminer l'équation de la droite de régression à l'aide de la méthode des moindres carrés.

Cette table de valeurs contient les données recueillies lors d'une expérience mettant en relation deux variables.

X	0	1	2	3	4	5	6	7
Y	6,90	7,00	7,20	7,30	7,45	7,60	7,75	8,00

Cet écran permet d'éditer chacun des couples de la table de valeurs.

Écran 1
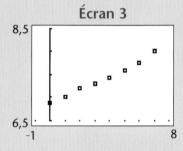

Cet écran permet de définir l'affichage d'un nuage de points.

Écran 2

Écran 3

Cet écran permet d'utiliser la méthode des moindres carrés pour déterminer l'équation de la droite de régression.

Écran 4
```
EDIT CALC TESTS
1:Stats 1-Var
2:Stats 2-Var
3:Med-Med
4:RegLin(ax+b)
5:RegQuad
6:RegCubique
7↓RegQuatre
```

Cet écran permet de placer l'équation de la droite de régression dans l'éditeur d'équations et d'afficher l'équation de la droite des moindres carrés ainsi que le coefficient de corrélation r.

Écran 5
```
RegLin(ax+b) L1,
L2,Y1

RegLin
  y=ax+b
  a=.1523809524
  b=6.866666667
  r²=.9900894368
  r=.9950323798
```

a. À l'aide d'une calculatrice graphique, représentez les données ci-dessous par un nuage de points et tracez la droite de régression à l'aide de la méthode des moindres carrés.

X	10	15	20	25	30	35	40
Y	65,2	71,1	73,1	76,7	77,4	78,8	80,5

Le déplacement du curseur sur l'écran permet d'afficher les coordonnées des points de la droite de régression.

Écran 6
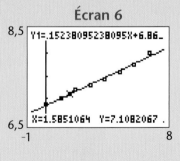

b. Quelle est l'équation de cette droite de régression ?

c. Estimez la valeur de Y pour X = 0 et pour X = 50.

d. La droite est-elle le meilleur modèle pour représenter ces données ? Justifiez votre réponse.

MODÉLISATION À L'AIDE D'UNE FONCTION POLYNOMIALE DE DEGRÉ 1

Si la corrélation linéaire entre deux caractères d'une distribution est suffisamment forte pour qu'un lien de dépendance soit mis en évidence, il devient alors pertinent de modéliser la situation à l'aide d'une fonction polynomiale de degré 1. Ce modèle permet, entre autres, de prédire par interpolation ou extrapolation la valeur des variables concernées. En général, plus la corrélation linéaire est forte, plus la prédiction est fiable. Plusieurs méthodes permettent de définir la règle d'une telle fonction, chacune d'elles détermine une droite de régression différente.

Droite de régression des moindres carrés

C'est la droite qui s'ajuste le mieux au nuage de points. Cependant, les calculs à effectuer pour déterminer sa position sont laborieux. On utilise habituellement un outil technologique pour tracer cette droite et établir son équation.

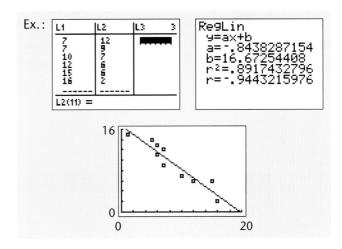

Droite de Mayer

Il s'agit d'une droite qui passe par deux points représentatifs de la distribution. Pour la définir:

1° ordonner la distribution selon la première variable, puis la partager en deux groupes, si possible égaux;

2° calculer la moyenne des données de chaque groupe pour obtenir les coordonnées des points P_1 et P_2;

Ex.:

	Moyenne des abscisses: 5					Moyenne des abscisses: 12				
X	1	5	6	6	7	7	10	12	15	16
Y	15	14	13	11	12	9	7	6	6	2

Moyenne des ordonnées: 13   Moyenne des ordonnées: 6

$P_1(5, 13)$ $P_2(12, 6)$

3° établir l'équation de la droite de Mayer passant par ces deux points.

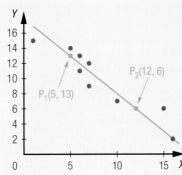

Taux de variation de P_1 à P_2: $\dfrac{6-13}{12-5} = -1$

Valeur de b: $y = -x + b$

$13 = -5 + b$

$b = 18$

L'équation de la droite de Mayer est:

$$y = -x + 18$$

Droite médiane-médiane

Cette droite a l'avantage d'exiger moins de calculs pour déterminer sa position lorsqu'il y a de nombreuses données dans la distribution. Pour la définir :

1° ordonner la distribution selon la première variable, puis la partager en trois groupes approximativement égaux en s'assurant que le premier et le dernier groupe contiennent le même nombre de données ;

2° déterminer la médiane des données de chaque groupe pour obtenir les coordonnées des points M_1, M_2 et M_3 ;

3° calculer la moyenne des coordonnées de ces trois points pour obtenir les coordonnées du point P ;

4° établir l'équation de la droite médiane-médiane, qui passe par le point P et qui est parallèle à la droite M_1M_3.

Ex. :

	Médiane des abscisses : 5			Médiane des abscisses : 7			Médiane des abscisses : 15		
X	1	**5**	6	6	**7**	7	10	12	**15**	16
Y	15	**14**	13	**11**	12	9	7	6	**6**	2

Médiane des ordonnées : 14   Médiane des ordonnées : 10   Médiane des ordonnées : 6

$M_1(5, 14)$ $M_2(7, 10)$ $M_3(15, 6)$

La moyenne des médianes est :

abscisses : $(5 + 7 + 15) \div 3 = 9$

ordonnées : $(14 + 10 + 6) \div 3 = 10$

Le point P est : P(9, 10).

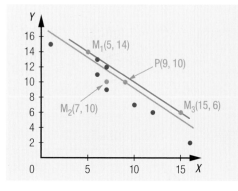

La droite doit passer par P(9, 10).

Taux de variation de M_1 à M_3 : $\dfrac{6 - 14}{15 - 5} = {^-}0{,}8$

La droite parallèle passant par P est associée au même taux de variation.

Valeur de b : $y = {^-}0{,}8x + b$
$10 = {^-}0{,}8(9) + b$
$b = 17{,}2$

L'équation de la droite médiane-médiane est :

$$y = {^-}0{,}8x + 17{,}2$$

MODÉLISATION À L'AIDE D'AUTRES MODÈLES FONCTIONNELS

Une corrélation linéaire faible ou nulle ne signifie pas qu'il n'y a aucun lien entre les variables. En effet, une **corrélation** peut être **non linéaire**. Dans ce cas, on modélise graphiquement la situation à l'aide d'une courbe qui s'ajuste au nuage de points.

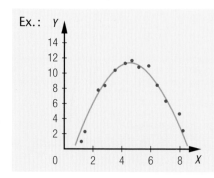

La corrélation linéaire est presque nulle. Par contre, il y a une forte corrélation non linéaire comme le montre la courbe orange.

1 Chaque nuage de points ci-dessous est modélisé à l'aide de la droite de Mayer.

1)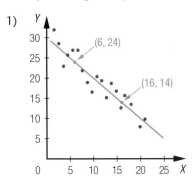

2)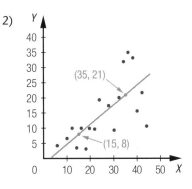

3)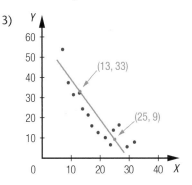

a) Déterminez l'équation de ces droites.

b) Dans chaque cas, indiquez si la droite est un modèle adéquat compte tenu de la forme du nuage de points. Justifiez votre réponse.

2 Les trois points médians d'une distribution sont $M_1(4, 2)$, $M_2(8, 8)$ et $M_3(12, 20)$.

a) Donnez un exemple de distribution à deux caractères ayant cette caractéristique et comportant au moins neuf données. Construisez le nuage de points qui la représente.

b) Tracez la droite médiane-médiane associée à ce nuage de points et déterminez son équation.

c) La droite que vous avez tracée est-elle représentative du nuage de points? Pourquoi?

3 On a sondé les Français d'âge adulte durant les six dernières années pour savoir s'ils ont l'intention de se lancer en affaires. Une journaliste a comparé les réponses des sondages au nombre d'entreprises réellement créées annuellement.

a) Déterminez l'équation d'une droite qui représente bien ces données.

b) Si 50 % des Français voulaient se lancer en affaires, combien d'entreprises seraient effectivement créées?

c) Croyez-vous que ce modèle est adéquat pour décrire la réalité? Expliquez votre point de vue.

Sondage

Nombre d'adultes ayant l'intention de se lancer en affaires (%)	Nombre d'entreprises créées (en milliers)
29	262
31	269
27	269
23	292
25	319
20	342

4 Pour chacune des distributions suivantes :

a) construisez le nuage de points ;

b) tracez la droite de Mayer et déterminez son équation ;

c) tracez la droite médiane-médiane et déterminez son équation ;

d) selon chacune de ces droites, estimez la valeur de Y si $X = 25$.

méthode Mayer

Distribution 1

X	11	14	19	20	21	23	24	26	27	30
Y	8	5	9	10	18	17	15	20	22	21

Distribution 2

X	1	2	3	4	5	6	7	8	9	10	11	12
Y	20	29	29	27	34	35	35	45	47	59	49	47

Distribution 3

X	2	2	4	4	4	6	6	7	8	9	9	11	12	12	13	13	13	13	15	17
Y	30	23	26	21	28	22	24	20	16	18	14	12	28	11	14	9	8	4	6	4

5 Victoria adore les sciences, surtout lorsqu'elles sont amusantes. Durant l'été, elle s'est exercée avec des enfants à faire ricocher des galets sur la surface de l'eau. Plus tard, pour étudier ce phénomène, elle a mesuré précisément la vitesse de 12 lancers effectués dans des conditions optimales, et elle a noté le nombre de ricochets obtenu.

a) Selon ces données, y a-t-il un lien entre la vitesse initiale du galet et le nombre de ricochets ? Justifiez votre réponse.

b) Modélisez cette situation à l'aide d'une fonction polynomiale de degré 1.

c) Estimez la vitesse à laquelle on devrait lancer le galet pour qu'il fasse 52 ricochets.

Résultats de l'expérience

Vitesse initiale du galet (m/s)	Nombre de ricochets
7,6	8
7,4	5
7,2	8
9,8	16
5,5	4
9,0	11
6,0	5
8,2	8
8,7	9
7,9	11
9,5	15
6,5	4

En 2007, le record mondial de ricochets sur l'eau était détenu par l'Américain Russell Byars avec un lancer de 51 ricochets.

6 CONSOMMATION D'ESSENCE Le prix de l'essence a beaucoup augmenté au Canada depuis quelques années. Pourtant, la consommation d'essence n'a pas cessé de croître. Observez les données présentées ci-dessous.

Évolution de la consommation et du prix de l'essence au Canada

Année	Consommation totale (millions de kL)	Indice du prix à la pompe (pourcentage du prix de 1990)
1990	33,9	100
1991	32,8	98
1992	33,3	95
1993	34,0	94
1994	35,0	92
1995	35,1	97
1996	35,5	101
1997	36,3	103
1998	37,4	94
1999	38,3	103
2000	38,3	125
2001	38,8	122
2002	39,6	121
2003	40,2	129
2004	41,0	142

Les fourgonnettes et les camions sont énergivores. Malgré cela, près de 37 % des ménages canadiens possédaient ce genre de véhicule en 2005.

a) Construisez le nuage de points associé à chacune des relations suivantes :
   1) la consommation d'essence et le nombre d'années écoulées depuis 1990 ;
   2) l'indice du prix de l'essence et le nombre d'années écoulées depuis 1990 ;
   3) la consommation d'essence et l'indice du prix de l'essence.

b) Tracez la droite associée à chaque nuage de points et déterminez son équation.

c) Dans chaque cas, la droite est-elle un bon modèle pour représenter les données ? Expliquez votre point de vue.

d) En tant qu'économiste, on vous demande de prévoir la consommation et l'indice du prix de l'essence en 2025. Quelles sont vos prévisions ? Justifiez-les.

7 **ENVERGURE DES AILES** Une ornithologue a mesuré la masse d'oiseaux de différentes espèces et l'envergure de leurs ailes. Voici les données qu'elle a obtenues et le nuage de points correspondant :

L'envergure est la distance entre les extrémités des ailes déployées d'un oiseau.

Oiseaux

Masse (g)	Envergure (cm)	Masse (g)	Envergure (cm)
18	24	220	42
21	26	270	73
23	31	360	80
30	32	450	54
40	18	750	145
50	52	800	135
50	34	1030	79
61	33	1300	115
155	73	2250	160
210	76	3500	182

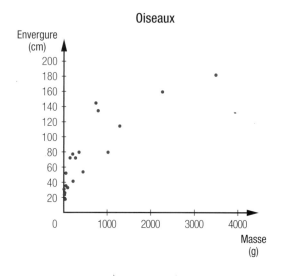

a) Déterminez l'équation de la droite de régression.

b) Tracez la courbe qui selon vous s'ajuste le mieux au nuage de points.

c) Estimez de deux façons l'envergure des ailes d'un cygne qui pèse 11 kg :

1) à l'aide de l'équation de la droite ;

2) à l'aide de la courbe tracée.

d) Quelle réponse est la plus réaliste ?

Avant de formuler un avis scientifique, les biologistes sont appelés à exécuter différentes tâches d'échantillonnage et de mesure sur le terrain.

8 **NIVEAU DE LA MER** L'un des effets du réchauffement climatique observés depuis quelques décennies est la hausse du niveau de la mer. À l'aide des données recueillies sur ce phénomène, estimez la hausse totale du niveau de la mer en 2050.

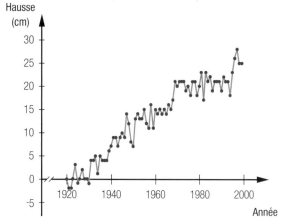

Hausse moyenne par décennie

Décennie	Variation (cm)
1920 à 1929	0,0
1930 à 1939	3,6
1940 à 1949	9,4
1950 à 1959	12,5
1960 à 1969	15,6
1970 à 1979	20,0
1980 à 1989	20,8
1990 à 1999	22,8

9 Dans une école privée, on fait passer un test de mathématiques à tous les élèves qui entrent au secondaire. Un enseignant du 1er cycle décide de comparer la note du test d'entrée avec le résultat d'une importante évaluation qu'il a donnée à ses élèves au mois d'octobre. L'un de ceux-ci était absent la journée de cette évaluation.

Note du test d'entrée	Résultat de l'évaluation d'octobre	Note du test d'entrée	Résultat de l'évaluation d'octobre	Note du test d'entrée	Résultat de l'évaluation d'octobre	Note du test d'entrée	Résultat de l'évaluation d'octobre
75	68	79	74	82	65	88	88
75	65	79	66	83	74	88	78
76	72	79	62	84	77	90	90
76	55	80	68	84	82	90	82
77	50	80	75	85	75	92	80
77	68	80	85	85	85	94	84
77	75	81	Absent	85	82	96	95
78	72	82	84	87	80	100	92

Estimez le résultat que l'élève aurait pu avoir s'il avait été présent.

10 Les données ci-contre mettent en relation le nombre d'années d'expérience des employés d'une entreprise et leur salaire hebdomadaire.

a) Représentez ces données par un nuage de points, puis décrivez la corrélation entre ces deux variables.

b) Est-il approprié de modéliser l'ensemble de ces données par une droite ? Justifiez votre réponse.

c) La réponse à la question b) serait-elle différente si on limitait l'étude aux employés ayant 10 ans ou moins d'expérience ? Pourquoi ?

d) Décrivez le modèle qui vous semble le plus approprié pour rendre compte de la relation entre ces variables.

e) À l'aide de ce modèle, estimez le salaire hebdomadaire des employés ayant 5 ans, 10 ans et 15 ans d'expérience.

Nombre d'années d'expérience	Salaire hebdomadaire ($)
1	560
1	550
2	580
2	560
3	1100
4	700
4	610
5	670
6	760
7	700
8	710
8	770
9	820
10	850
12	830
12	850
15	830
16	830
18	850
20	850

11 VIH Voici des données concernant le nombre de tests s'étant révélés positifs au VIH chez les adultes au Canada de 1996 à 2005.

a) Pour chacune des années, calculez le pourcentage de femmes parmi le nombre total de cas décelés. Arrondissez ces pourcentages au dixième près.

b) Construisez un nuage de points mettant en relation ces pourcentages et le nombre d'années écoulées depuis 1995. Décrivez la corrélation observée.

c) Selon ces données, si la tendance se maintient, quel sera le pourcentage de femmes parmi l'ensemble des cas décelés en 2025 ?

Tests positifs

Année	Nombre de femmes	Nombre d'hommes
1996	535	2054
1997	483	1861
1998	470	1697
1999	515	1596
2000	486	1538
2001	526	1580
2002	620	1809
2003	627	1822
2004	655	1825
2005	628	1830

Le ruban rouge symbolise la lutte contre le sida : le rouge représente le sang et sa forme en boucle, l'infini qui est coupé. Il se porte comme un « V » inversé, mais le jour où le remède contre le VIH sera trouvé, on le portera dans l'autre sens, en signe de victoire.

12 À l'aide d'une calculatrice à affichage graphique, on a déterminé l'équation de la droite de régression associée à un nuage de points.

a) Montrez que cette droite passe par le point moyen de la distribution, c'est-à-dire le point dont les coordonnées correspondent à la moyenne des données de chaque caractère.

b) Créez une autre distribution à deux caractères et, à l'aide d'un outil technologique, déterminez l'équation de la droite de régression. Vérifiez que cette droite passe par le point moyen.

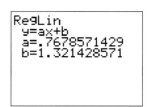

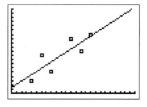

13 Le tableau ci-dessous montre les calculs à effectuer pour déterminer la valeur exacte du coefficient de corrélation linéaire des variables X et Y en utilisant les écarts à la moyenne $X - \overline{X}$ et $Y - \overline{Y}$.

X	Y	$X - \overline{X}$	$Y - \overline{Y}$	$(X - \overline{X})(Y - \overline{Y})$	$(X - \overline{X})^2$	$(Y - \overline{Y})^2$
1	3	-2	1	-2	4	1
1	4	-2	2	-4	4	4
1	2	-2	0	0	4	0
2	5	-1	3	-3	1	9
3	1	0	-1	0	0	1
3	2	0	0	0	0	0
4	2	1	0	0	1	0
4	0	1	-2	-2	1	4
5	1	2	-1	-2	4	1
6	0	3	-2	-6	9	4
Somme 30	20		Somme	-19	28	24
Moyenne 3	2			$\downarrow$	$\downarrow$	$\downarrow$
				A	B	C

> Le coefficient de corrélation linéaire est donné par : $r = \dfrac{A}{\sqrt{B \times C}}$

Ce tableau permet aussi de déterminer l'équation de la droite de régression $y = ax + b$ en procédant de la façon suivante :

- déterminer la valeur de a sachant que $a = \dfrac{A}{B}$;
- trouver la valeur de b en utilisant le fait que la droite de régression passe toujours par le point moyen $(\overline{X}, \overline{Y})$.

> En d'autres termes, le taux de variation de la droite de régression est la somme des produits des écarts à la moyenne des X et des Y divisée par la somme des carrés des écarts à la moyenne des X.

a) Déterminez la droite de régression de cette distribution. Vérifiez ensuite la réponse obtenue à l'aide d'un outil technologique.

b) Voici une autre distribution :

X	1	3	5	7	9	11	13	15	17	19
Y	3	5	9	12	12	16	15	18	21	29

Calculez le coefficient de corrélation et déterminez l'équation de la droite de régression. Comme en a), vérifiez vos réponses à l'aide d'un outil technologique.

Chronique du passé

Francis Galton

Sa vie

Francis Galton est né le 16 février 1822 à Sparkbrook en Angleterre. Il est reconnu comme un génie multidisciplinaire. Anthropologue, explorateur, géographe, météorologue et statisticien, on lui doit notamment l'invention des concepts de corrélation et de régression. Inventeur de la carte météorologique, Galton est le premier à avoir postulé l'existence d'anticyclones. Il a aussi fondé la psychométrie et travaillé sur la classification des empreintes digitales. On lui prête même l'invention du sac de couchage ! Galton est décédé le 17 janvier 1911 à Haslemere en Angleterre.

Au cours de sa vie, Galton a publié plus de 340 ouvrages. Il est le cousin de Charles Darwin qui a formulé la théorie de l'évolution.

L'héritabilité des caractères

Galton s'intéressait beaucoup à l'héritabilité, c'est-à-dire la probabilité qu'ont les descendants d'un individu d'hériter de certains de ses caractères. En 1886, il publie une étude dans laquelle il compare la taille à l'âge adulte de 928 enfants à celle de leurs parents, soit 205 couples. Dans cette étude, Galton constate qu'en général :

- des parents plus grands que la moyenne de la population donnent naissance à des enfants qui sont aussi plus grands que la moyenne de la population, mais plus petits que leurs parents ;

- des parents plus petits que la moyenne de la population donnent naissance à des enfants qui sont aussi plus petits que la moyenne de la population, mais plus grands que leurs parents.

Dans cette étude, Galton constate aussi que la taille moyenne des hommes est supérieure de 8 % à celle des femmes. Voilà pourquoi, dans sa compilation de données, il multiplie la taille de chacune des femmes par 1,08.

Tableau à double entrée décrivant les résultats de cette étude.

TABLE 1.

Number of Adult Children of Various Statures Born of 205 Mid-parents of Various Statures.
(All Female heights have been multiplied by 1·08).

Heights of the Mid-parents in inches.	Heights of the Adult Children.													Total Number of		Medians.
	Below	62·2	63·2	64·2	65·2	66·2	67·2	68·2	69·2	70·2	71·2	72·2	73·2	Above	Adult Children.	Mid-parents.	
Above ..	..	..	..	..	..	..	..	..	1	..	1	3	..	4	5	..
72·5	..	..	..	..	..	..	1	2	1	2	7	2	4	19	6	72·2
71·5	..	..	..	..	1	3	4	3	5	10	4	9	2	2	43	11	69·9
70·5	1	..	1	..	1	1	3	12	18	14	7	4	3	3	68	22	69·5
69·5	..	..	1	16	4	17	27	20	33	25	20	11	4	5	183	41	68·9
68·5	1	..	7	11	16	25	31	34	48	21	18	4	3	..	219	49	68·2
67·5	..	3	5	14	15	36	38	28	38	19	11	4	..	..	211	33	67·6
66·5	..	3	3	5	2	17	17	14	13	4	..	..	..	..	78	20	67·2
65·5	1	..	9	5	7	11	11	7	7	5	2	1	..	..	66	12	66·7
64·5	1	1	4	4	1	5	5	..	2	..	..	..	..	..	23	5	65·8
Below ..	1	..	2	4	1	2	2	1	1	..	..	..	..	..	14	1	..
Totals ..	5	7	32	59	48	117	138	120	167	99	64	41	17	14	928	205	..
Medians ..	..	..	66·3	67·8	67·9	67·7	67·9	68·3	68·5	69·0	69·0	70·0	..	..	..	..	..

Source : GALTON, F. *Regression towards Mediocrity in Hereditary Stature*, 1886.

La planche de Galton

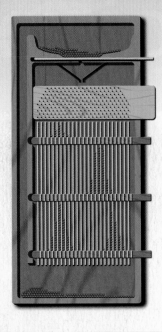

Afin de simuler le hasard, Galton a fabriqué le dispositif illustré ci-contre. Sur une planche inclinée, un certain nombre de clous sont disposés en quinconce. Des billes, logées dans un réservoir en forme d'entonnoir, tombent une à une et glissent sur la planche. Chaque fois qu'une bille rencontre un clou, elle a une probabilité égale d'aller à droite ou à gauche. Des réservoirs, installés sous chaque espace de la dernière rangée de clous, récupèrent les billes, ce qui permet de compiler les résultats.

La psychométrie

La psychométrie est une science visant à évaluer les capacités de l'esprit humain. C'est parce que Galton cherchait une façon de mesurer et de comparer l'intelligence des gens qu'il a créé cette discipline. Le test de quotient intellectuel (Q.I.) est probablement l'outil le mieux connu de la psychométrie. Aujourd'hui, on utilise des tests pour évaluer divers éléments, dont la capacité d'apprentissage, les connaissances, la personnalité et l'intelligence émotionnelle. Avant d'utiliser ces tests cependant, il est essentiel de s'assurer de leur validité, c'est-à-dire leur capacité à évaluer adéquatement ce qu'ils cherchent à mesurer.

Résultats à un test de Q.I. reconnu qui a déjà été validé	Nombre de réponses correctes aux nouveaux tests	
	Test A	Test B
90	10	37
95	10	39
98	12	44
98	9	34
100	12	55
100	11	35
104	14	46
105	11	41
108	14	53
114	15	42
120	16	48
125	14	52

1. À l'aide des données extraites du tableau de l'étude de Galton et reportées ci-dessous, déterminez la règle de la fonction polynomiale de degré 1 qui représente le mieux le lien entre la taille des parents et celle de leurs enfants. Sachant que 1 po est égal à 2,54 cm environ et considérant la taille de vos parents, vérifiez si cette fonction s'applique bien à votre situation personnelle.

Taille des parents (en pouces)	Taille médiane des enfants à l'âge adulte (en pouces)
72,5	72,2
71,5	69,9
70,5	69,5
69,5	68,9
68,5	68,2
67,5	67,6
66,5	67,2
65,5	66,7
64,5	65,8

2. Une expérience consiste à laisser tomber 100 billes à partir du point **A** de la planche de Galton ci-dessous, puis à observer le nombre de billes accumulées dans chaque réservoir. On répète l'expérience à plusieurs reprises en vidant les réservoirs chaque fois. Combien de billes, en moyenne, devrait-on observer dans chaque réservoir ?

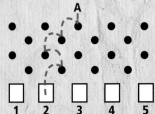

3. Lorsqu'un nouveau test est créé, on le valide parfois en le comparant à un test déjà reconnu. Observez les données ci-contre. Lequel des deux nouveaux tests semble le plus valide ? Justifiez votre réponse.

Le monde du travail

Les épidémiologistes

La médecine des populations

L'épidémiologiste est un ou une médecin spécialiste qui effectue des recherches pour mieux comprendre l'apparition et l'évolution des maladies dans les populations humaines. Ses recommandations permettent d'instaurer des mesures sanitaires et médicales afin de prévenir, de contrôler ou d'enrayer la propagation de ces maladies. Puisque ses recherches se basent habituellement sur des données concernant un grand nombre de personnes, la statistique est l'un de ses principaux outils de travail.

Un peu d'histoire

En 1854, une épidémie de choléra faisait des ravages dans la ville de Londres, en Angleterre. En observant la fréquence des cas sur une carte de la ville, le Dr John Snow s'est rendu compte que le centre de la distribution des malades se trouvait à côté d'une pompe à eau. Après avoir éliminé différentes causes possibles, il a pu montrer que le problème provenait de cette pompe contaminée et ainsi, enrayer l'épidémie. Cette réussite a valu au Dr Snow d'être reconnu comme le fondateur de l'épidémiologie.

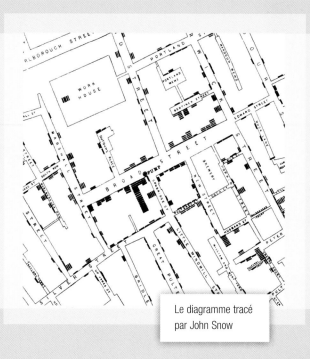

Le diagramme tracé par John Snow

Les statistiques en médecine

Sir Richard Doll
(1912-2005)

Au début du XXe siècle, les médecins qui utilisaient les statistiques dans leur domaine de recherche voyaient souvent leurs résultats contestés. C'est le Dr Richard Doll qui a obtenu les premiers succès avec cette méthode. En 1956, avec d'autres chercheurs, il a étudié les premières données d'une immense recherche entreprise auprès de 40 000 médecins qui devait s'étaler sur près de 50 ans. Il en est venu à la conclusion qu'il existait une corrélation très forte entre le tabagisme et le cancer du poumon. À l'époque, personne ne soupçonnait que la cigarette pouvait causer des problèmes de santé.

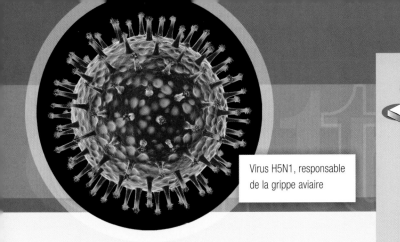

Virus H5N1, responsable de la grippe aviaire

Les défis pour le XXIᵉ siècle

Depuis la disparition progressive des frontières, l'augmentation du transport des marchandises et des personnes, les risques de pandémie se sont énormément accrus. Voilà pourquoi des organismes, telle l'Organisation mondiale de la santé (OMS), interviennent rapidement lorsque de nouvelles maladies émergent (comme la grippe aviaire) ou lorsque d'anciennes maladies refont surface (comme la tuberculose). Le travail de l'épidémiologiste est d'une importance capitale puisqu'il permet de sauver des milliers, voire des millions de vies !

Incidence de la grippe espagnole dans la marine américaine de septembre à décembre 1918

Groupe d'âge	Âge médian	Nombre de cas de grippe par 1000 personnes
De 20 à 24	22	203
De 25 à 29	27	191
De 30 à 34	32	165
De 35 à 39	37	72
De 40 à 44	42	62
De 45 à 49	47	7
De 50 à 54	52	51
De 55 à 59	57	59
De 60 à 65	62	43

En 1918 et 1919, la grippe espagnole aurait fait jusqu'à 40 millions de morts.

1. Depuis la découverte du Dʳ Doll, plusieurs autres études ont permis de montrer un lien entre le tabagisme et le cancer du poumon. Le nuage de points ci-dessous met en relation l'incidence du cancer du poumon et le nombre de paquets de cigarettes fumées au cours de la vie.

Incidence du cancer du poumon selon le nombre moyen de paquets de cigarettes fumées durant la vie

Données des centres hospitaliers ontariens (1994 à 1998)

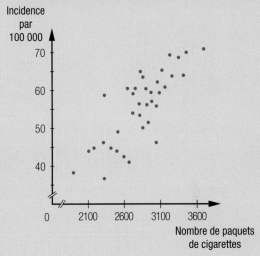

a) Estimez le coefficient de corrélation linéaire associé à ce nuage de points.

b) Certaines personnes disent que la corrélation observée entre le tabagisme et le cancer du poumon ne signifie pas qu'il existe un lien de cause à effet entre ces deux variables. Que pensez-vous de cette interprétation ?

2. La grippe espagnole de 1918 a touché des millions de personnes partout dans le monde. Cette maladie avait la particularité d'affecter surtout les jeunes adultes et c'est dans ce groupe que le nombre de victimes a été le plus élevé. Les statistiques précises à ce propos sont rares, mais la marine américaine avait compilé les données ci-contre chez son personnel touché par l'épidémie.

a) Représentez ces données par un nuage de points en utilisant les âges médians et le nombre de cas de grippe.

b) Tracez la droite qui s'ajuste le mieux à ce nuage de points et déterminez son équation.

c) Cette droite représente-t-elle bien le lien entre les deux variables ? Justifiez votre réponse.

1 Voici une distribution de 25 données :

X	Y	X	Y	X	Y	X	Y	X	Y
1	29	6	32	11	24	16	16	21	17
2	38	7	23	12	34	17	13	22	18
3	36	8	27	13	18	18	19	23	20
4	31	9	30	14	25	19	15	24	18
5	38	10	31	15	15	20	22	25	16

a) Tracez le nuage de points associé à cette distribution et qualifiez la corrélation.

b) Estimez le coefficient de corrélation par la méthode du rectangle.

c) Déterminez l'équation de la droite de régression par la méthode de Mayer et par la méthode médiane-médiane. Tracez ces deux droites sur le graphique.

d) Utilisez un outil technologique pour déterminer l'équation de la droite de régression et tracez cette droite sur le même graphique.

e) Quelles valeurs de Y prédisent les différents modèles lorsque X vaut 50 et lorsque X vaut 100 ?

f) Quel pourcentage d'erreur engendre l'utilisation de la droite de Mayer et de la droite médiane-médiane par rapport à la droite de régression des moindres carrés dans les cas où :

1) la valeur de X est 50 ?   2) la valeur de X est 100 ?

2 **FRÉQUENCE CARDIAQUE** Une recherche menée auprès de 40 athlètes amateurs a mis en évidence des corrélations entre divers paramètres mesurés chez ces athlètes.

> FCR : fréquence cardiaque de l'athlète au repos.
> FCS : fréquence cardiaque avant que l'athlète n'atteigne le mode anaérobie.
> FCM : fréquence maximale atteinte par l'athlète en entraînement.

> Lorsque les muscles produisent de l'énergie à partir de leurs seules ressources internes, sans apport d'oxygène, on dit qu'ils fonctionnent en mode anaérobie. L'énergie fournie est alors maximale, mais de courte durée.

Voici les résultats de cette recherche :

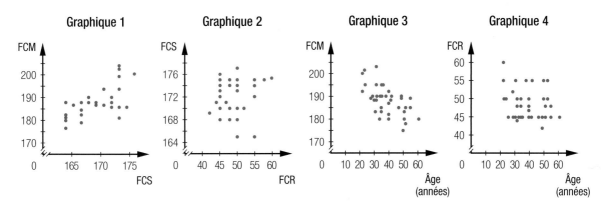

Associez chacun des coefficients de corrélation linéaire suivants à l'un des nuages de points ci-dessus.

a) -0,31   b) 0,16   c) 0,80   d) -0,67

3 Un enseignant a posé les questions ci-dessous à un groupe de 15 élèves. Le tableau suivant présente les réponses obtenues.

> 1. Durant le dernier mois, combien de fois vos parents sont-ils intervenus auprès de vous concernant votre rendement scolaire ?
>
> 2. Évaluez sur 10 la satisfaction que vous retirez de votre travail à l'école.

Réponses

Nombre d'interventions des parents	1	2	5	1	3	0	3	1	0	0	2	5	1	2	0
Satisfaction retirée du travail à l'école	8	5	5	7	6	6	5	6	7	9	7	3	5	6	7

a) Représentez ces données à l'aide d'un nuage de points.

b) Décrivez la corrélation entre ces deux variables.

c) Estimez la valeur de la satisfaction retirée du travail à l'école pour un ou une élève dont les parents interviennent deux fois par semaine à l'égard de son rendement scolaire.

d) Après avoir analysé ces résultats, l'enseignant prend une décision. Pour favoriser un meilleur climat en classe, il demande aux parents de ne plus exercer de pression sur leur adolescent ou adolescente. Que pensez-vous de cette interprétation de l'enseignant ?

PORT DU CASQUE À VÉLO La Suisse mène une vaste campagne auprès de ses citoyens pour démontrer l'importance du port du casque à vélo. Voici les résultats de 20 années d'étude :

Année	Accidents de vélo relativement à l'année de référence 1987 (%)	Traumas crâniens relativement à l'année de référence 1987 (%)	Cyclistes portant le casque (%)
1987	100	100	–
1988	108	98	–
1989	116	79	–
1990	122	70	0,2
1991	141	82	0,4
1992	146	75	1
1993	158	65	2
1994	159	60	3
1995	164	57	6
1996	140	64	7
1997	152	50	7
1998	150	62	14
1999	152	62	18
2000	160	50	20
2001	163	64	20
2002	160	58	24
2003	171	38	17
2004	161	40	33
2005	173	53	35
2006	–	–	39
2007	–	–	38

a) Représentez par un nuage de points chacun des couples de variables suivants.

1) Le pourcentage d'accidents de vélo et le pourcentage de traumas crâniens.

2) Le pourcentage d'accidents de vélo et le pourcentage de cyclistes portant le casque.

b) Dans chaque cas, estimez le coefficient de corrélation linéaire entre ces variables.

c) Tracez une droite qui s'ajuste bien à chacun des nuages de points et déterminez l'équation de ces droites.

d) Dans chaque cas, proposez une explication au lien pouvant exister entre ces variables.

Au Québec, où l'on fait aussi la promotion du port du casque, on estime que 60 % des décès chez les cyclistes sont causés par des blessures à la tête. Lors d'une chute, cette partie du corps est celle qui est la plus exposée aux blessures graves. Au moment de l'accident, le casque permet d'absorber le choc, la force de l'impact se répartit à sa surface plutôt que sur celle de la boîte crânienne.

e) Voici deux autres représentations des données tirées de ce tableau :

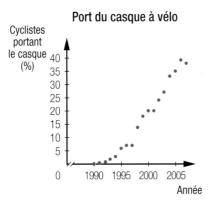

Port du casque à vélo

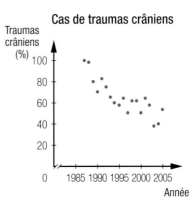

Cas de traumas crâniens

Dans chaque cas, tracez une courbe qui s'ajuste bien au nuage de points.
Selon ces modèles, quels devraient être le pourcentage de cyclistes portant le casque et le pourcentage de traumas crâniens en Suisse, en 2015 ?

5 Simon a rempli les deux premières colonnes d'un tableur à l'aide de nombres aléatoires compris entre 0 et 1. Il a ensuite rempli la colonne C en soustrayant de 1 les valeurs de la colonne A. Les résultats qu'il a obtenus sont présentés dans le tableau ci-contre.

Si chaque élève de la classe faisait cette expérience, quel serait en moyenne le coefficient de corrélation observé entre les valeurs des colonnes :

a) A et B ?

b) A et C ?

c) B et C ?

Justifiez vos réponses.

	A	B	C	D
1	0,492391112	0,792623384	0,507608888	
2	0,429213428	0,560222095	0,570786572	
3	0,071560635	0,944068007	0,928439365	
4	0,853032425	0,523994287	0,146967575	
5	0,251015115	0,817546512	0,748984885	
6	0,650084719	0,911948030	0,349915281	
7	0,300147308	0,030566966	0,699852692	
8	0,314222222	0,421067621	0,685777778	
9	0,083022872	0,584224901	0,916977128	
10	0,704904529	0,510038764	0,295095471	
11	0,542043073	0,025635081	0,457956927	
12	0,041695281	0,129730977	0,958304719	
13	0,086645638	0,978238551	0,913354362	
14	0,606820631	0,770273759	0,393179369	
15	0,265992517	0,201505575	0,734007483	

6 **POLLUTION** La qualité de l'air compte pour beaucoup dans la santé des personnes. La province de l'Ontario a étudié deux facteurs jouant un rôle dans les maladies respiratoires. Les épidémiologistes ont établi la corrélation entre le nombre de personnes admises à l'hôpital le lendemain d'une hausse de polluants dans l'air et la quantité de ces polluants.

Au cours des mois de mai à septembre 2005, l'Ontario a connu un nombre record de journées de smog, soit 38 à Toronto.

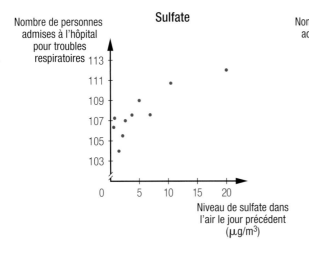

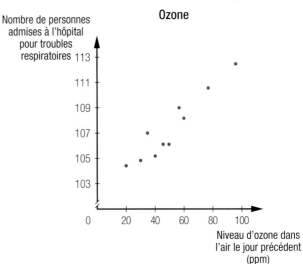

a) D'après les données fournies, lequel de ces deux polluants a la plus forte corrélation linéaire avec les troubles respiratoires ?

b) La radio a annoncé une quantité inquiétante d'ozone dans l'air aujourd'hui : 160 parties par million (ppm). Combien de cas de troubles respiratoires les hôpitaux doivent-ils prévoir traiter demain ?

7 La fusariose est une maladie causée par un champignon qui provoque la moisissure des épis de maïs. Des chercheurs ont isolé une toxine, le déoxynivalénol, ou DON, qui influencerait grandement sa propagation. Cette recherche montre également que l'hybridation du maïs pourrait diminuer l'occurrence de cette maladie.

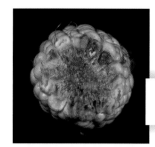

Épi de maïs infecté par la fusariose

Nombre d'hybridations	0	0	0	0	1	1	1	1	2	2	2	3	3	4	5
Quantité de DON (µg/kg)	2000	1800	1350	1200	1230	1200	1110	500	1000	650	320	800	550	750	600
Résistance à la fusariose (%)	5	20	35	50	40	45	50	75	50	75	80	60	75	60	70

a) Laquelle des deux variables, le nombre d'hybridations ou la quantité de DON, est la plus fortement corrélée avec la résistance à la fusariose ? Estimez le coefficient de corrélation linéaire par la méthode du rectangle.

L'hybridation est le croisement naturel ou artificiel entre deux variétés ou entre deux espèces.

b) À la suite de cette étude, quel conseil devrait donner une agronome à un cultivateur de maïs ? Justifiez votre réponse.

8 SENSIBILITÉ DE LA VISION Avec le vieillissement, les sens ont tendance à s'émousser. L'un des facteurs qui influe sur notre vision est la sensibilité à la lumière. Le nuage de points ci-dessous représente des mesures faites auprès d'une vingtaine de sujets. La droite médiane-médiane a été tracée à l'aide des points médians représentés en orange.

a) Estimez le coefficient de corrélation entre l'âge d'une personne et sa sensibilité à la lumière.

b) L'utilisation de la droite médiane-médiane vous semble-t-elle un choix judicieux pour représenter ce nuage de points ? Justifiez votre réponse.

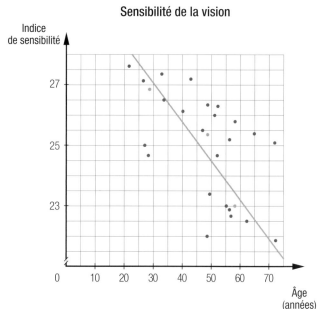

Sensibilité de la vision

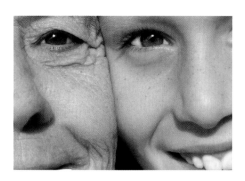

9 **ANTHROPOMÉTRIE** Au XIXe siècle, le statisticien et homme de science polyvalent qu'était Francis Galton a publié une étude montrant la corrélation entre différentes mesures du corps humain. Voici une reproduction de l'un des tableaux qu'il a présentés :

Taille et coudée									
Taille en pouces	Longueur de la coudée gauche en pouces de 348 hommes								Total
	Moins de 16,5	De 16,5 à 17,0 exclus	De 17,0 à 17,5 exclus	De 17,5 à 18,0 exclus	De 18,0 à 18,5 exclus	De 18,5 à 19,0 exclus	De 19,0 à 19,5 exclus	19,5 et plus	
71 et plus				1	3	4	15	7	30
70				1	5	13	11		30
69		1	1	2	25	15	6		50
68		1	3	7	14	7	4	2	38
67		1	7	15	28	8	2		61
66		1	7	18	15	6			47
65		4	10	12	8	2			36
64		5	11	2	3				21
Moins de 64	9	12	10	3	1				35
Total	9	25	49	61	102	55	38	9	348

a) Décrivez le plus précisément possible la corrélation observée. Expliquez la façon dont vous avez procédé.

b) La corrélation serait-elle différente si les mesures avaient été effectuées en centimètres ? Justifiez votre réponse.

c) Les valeurs dans le tableau ci-contre ont été calculées à partir des données recueillies par Galton. Construisez le nuage de points qui correspond à ces valeurs, puis déterminez l'équation de la droite qui les représente.

Taille et médiane des coudées	
Taille en pouces	Valeur médiane des coudées en pouces
70	18,8
69	18,4
68	18,4
67	18,1
66	17,9
65	17,8
64	17,2

10 Isabelle a enregistré, sur son ordinateur, une note jouée à la flûte traversière. Voici le graphique qu'elle a obtenu :

a) Qualifiez la corrélation entre le temps et l'intensité du son produit.

b) Tracez sur le graphique une courbe qui s'ajuste bien aux données.

Son *la* d'une flûte traversière

 11 **CASQUE DE JUPITER** Le casque de Jupiter, ou aconit, est une espèce menacée en France. Cette fleur, dont la pollinisation est assurée par les bourdons, a vu sa densité diminuer de façon importante après l'assèchement de nombreuses zones humides. Des recherches menées par l'Office national des forêts (ONF) ont permis de recueillir les informations suivantes.

La flûte traversière s'appelle ainsi, parce qu'on en joue horizontalement, « en travers ».

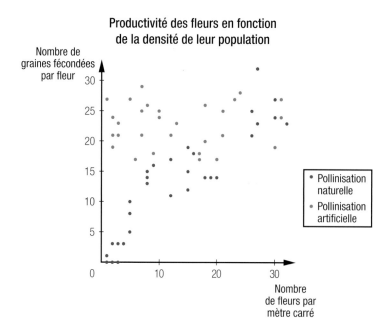

Le casque de Jupiter est une plante vénéneuse d'une grande toxicité. Une dose de 2 g à 4 g de son tubercule est mortelle pour l'être humain et il faut éviter de la cueillir à mains nues, car son poison pénètre à travers la peau. Cette plante vivace a été utilisée en pharmacologie comme analgésique contre les névralgies, les maux de dents et le rhumatisme.

Pollinisation naturelle

Nombre de fleurs par m²	Nombre de graines fécondées par fleur	Nombre de fleurs par m²	Nombre de graines fécondées par fleur
1	0	12	17
1	1	15	12
2	0	15	19
2	3	15	15
3	0	16	18
3	3	18	14
4	3	19	14
5	5	20	14
5	8	26	21
5	10	26	25
8	14	27	32
8	13	27	23
8	15	30	24
9	16	30	27
12	11	32	23

Pollinisation artificielle

Nombre de fleurs par m²	Nombre de graines fécondées par fleur	Nombre de fleurs par m²	Nombre de graines fécondées par fleur
1	27	12	21
2	24	13	23
2	21	17	17
2	19	17	18
3	23	18	26
3	21	18	20
5	27	20	17
6	17	21	25
7	21	21	21
7	25	23	27
7	29	24	28
8	26	27	23
9	18	30	19
10	24	31	27
10	25	31	24

a) Qualifiez la corrélation entre le nombre de graines fécondées par fleur et la densité de fleurs par mètre carré. Justifiez votre réponse.

b) En distinguant le mode de pollinisation, les biologistes ont mis deux sous-groupes en évidence. Qu'est-ce que cette procédure leur a permis de découvrir?

c) Pourrait-on utiliser directement ce graphique pour estimer le coefficient de corrélation de chacun des sous-groupes à l'aide de la méthode du rectangle? Pourquoi?

d) Déterminez l'équation de la droite représentant chacun des sous-groupes et tracez les droites sur le graphique.

e) D'après ces équations, combien de graines ont été fécondées par fleur pour chacun des sous-groupes, si la densité est de 10 fleurs par mètre carré?

f) À partir de quelle densité de fleurs devient-il inutile d'intervenir dans le processus de pollinisation?

12 **ADOPTION** Voici un tableau qui indique le nombre d'enfants adoptés au Québec et dans le reste du Canada selon différents pays d'origine. Le coefficient de corrélation linéaire entre ces deux variables est environ 0,9. Cette forte corrélation a fait dire à un journaliste qu'il n'y a pas de différence fondamentale entre la situation de l'adoption au Québec et celle dans le reste du Canada. Que pensez-vous de cette conclusion ? Justifiez votre réponse.

Adoption

Provenance	Nombre d'enfants adoptés	
	au Québec	dans le reste du Canada
Chine	216	392
Colombie	26	5
Corée du Sud	52	50
États-Unis	5	91
Éthiopie	0	61
Haïti	71	52
Inde	0	36
Philippines	12	41
Russie	5	90
Taiwan	9	3
Thaïlande	9	12
Ukraine	0	23
Vietnam	28	6

13 **ATHÈNES 2004** Voici les résultats de 12 gymnastes masculins qui ont participé au concours individuel des Jeux olympiques d'Athènes en 2004 :

Gymnastique

		Sol	Cheval d'arçons	Anneaux	Table de saut	Barres parallèles	Barre fixe	Total
BONDARENKO Alexei	RUS	9,600	9,150	9,600	9,400	9,450	9,600	56,800
YERIMBETOV Yernar	KAZ	9,312	8,962	9,537	9,625	9,225	9,737	56,398
VARGAS Luis	PUR	8,337	9,612	9,500	9,462	9,562	9,662	56,135
MYEZYENTSEV Ruslan	UKR	9,512	8,975	9,387	9,437	9,637	9,112	56,060
CARANOBE Benoit	FRA	9,112	9,400	9,575	9,187	9,087	9,612	55,973
VIHROVS Igors	LAT	9,687	8,862	9,187	9,700	9,000	9,437	55,873
GOFMAN Pavel	ISR	9,100	9,262	9,425	9,112	9,725	9,062	55,686
LOPEZ RIOS Eric	CUB	9,137	8,600	9,500	9,700	9,675	8,837	55,449
PFEIFER Sergei	GER	9,312	9,025	9,587	9,087	9,162	9,212	55,385
GIORGADZE Ilia	GEO	8,737	9,587	9,487	9,337	9,662	8,462	55,272
HAMBUECHEN Fabian	GER	9,475	8,287	8,512	9,412	9,387	9,750	54,823
SCHWEIZER Andreas	SUI	8,450	9,062	9,675	9,225	9,450	8,750	54,612

Utilisez un outil technologique pour traiter ces données afin de regrouper les six appareils en deux catégories exigeant des habiletés communes. Expliquez mathématiquement votre choix.

14 **TEMPS, FATIGUE ET BONHEUR** Dans le cadre de l'une de ses recherches, un économiste britannique a demandé à de nombreuses personnes de noter, durant une semaine, leur état de fatigue et leur niveau de bonheur chaque heure de la journée sur une échelle de 0 à 4, le nombre 4 signifiant, selon le cas, très fatigué ou très heureux. Voici la moyenne des résultats obtenus:

Évolution de la fatigue et du bonheur dans une journée

Heure	Fatigue	Bonheur	Heure	Fatigue	Bonheur
8 h	1,7	0,5	15 h	2,3	1,2
9 h	1,3	1,3	16 h	2,4	1,1
10 h	1,4	1,0	17 h	2,6	2,2
11 h	0,9	1,2	18 h	2,5	2,3
12 h	0,6	2,9	19 h	2,7	2,5
13 h	0,7	2,5	20 h	3,5	2,9
14 h	1,7	1,1	21 h	3,7	4,0

D'après ces données, quelle variable a le plus fort lien avec le bonheur: le nombre d'heures écoulées dans la journée ou l'état de fatigue? Justifiez votre réponse.

15 **ESPÉRANCE DE VIE** En tant que démographe, Natasha s'intéresse à l'évolution de l'espérance de vie des hommes et de celle des femmes au Canada. Les données bisannuelles lui permettent de constater que l'écart entre les deux a diminué au cours des dernières décennies.

Espérance de vie

Année	Espérance de vie des hommes	Espérance de vie des femmes	Année	Espérance de vie des hommes	Espérance de vie des femmes	Année	Espérance de vie des hommes	Espérance de vie des femmes
1960	68,3	74,2	1976	70,3	77,6	1992	74,8	80,8
1962	68,5	74,4	1978	70,9	78,3	1994	74,9	80,9
1964	68,6	75,1	1980	71,6	78,7	1996	75,5	81,2
1966	68,8	75,4	1982	72,3	79,2	1998	76,0	81,5
1968	69,1	75,8	1984	73,0	79,8	2000	76,6	81,9
1970	69,3	76,3	1986	73,2	79,8	2002	77,2	82,2
1972	69,5	76,6	1988	73,6	80,2	2004	77,8	82,7
1974	69,7	76,9	1990	74,3	80,7			

Si cette tendance se maintient, en quelle année, au Canada, l'espérance de vie des hommes et celle des femmes seront-elles les mêmes?

Au Canada, la moitié de l'augmentation de l'espérance de vie observée avant les années 1980 est attribuable à la diminution de la mortalité infantile, alors que les augmentations les plus récentes sont liées à un recul du taux de mortalité des personnes âgées.

16 **INNOVATION ET DÉVELOPPEMENT HUMAIN** Azhar et Natanéli ont chacune utilisé un échantillon différent de pays pour analyser la corrélation qui existe entre le pouvoir d'innovation d'un pays, mesuré par l'indice d'innovation, et son indice de développement humain (IDH). Voici les résultats de leur recherche :

Échantillon de Azhar		
Pays	Indice d'innovation	IDH
Suède	0,98	0,951
Finlande	0,98	0,947
États-Unis	0,93	0,948
Danemark	0,93	0,943
Norvège	0,92	0,965
Australie	0,92	0,957
Belgique	0,91	0,945
Canada	0,91	0,950
Royaume-Uni	0,91	0,940
Pays-Bas	0,89	0,947
Japon	0,89	0,949
Suisse	0,88	0,947

Échantillon de Natanéli		
Pays	Indice d'innovation	IDH
États-Unis	0,93	0,948
Australie	0,92	0,957
Irlande	0,84	0,956
Italie	0,78	0,940
Bulgarie	0,63	0,816
Koweït	0,48	0,871
Chine	0,35	0,768
Inde	0,29	0,611
Kenya	0,26	0,491
Guatemala	0,14	0,673
Malawi	0,11	0,400
Éthiopie	0,05	0,371

Il y a une faible corrélation positive entre l'indice d'innovation d'un pays et l'indice de développement de ses habitants et habitantes. L'indice d'innovation ne devrait donc pas être l'un des facteurs déterminants pour guider nos politiques.

Au contraire, la corrélation est très forte. Je pense que nos politiques devraient favoriser l'augmentation de cet indice par un soutien supplémentaire à la recherche.

Êtes-vous d'accord avec l'une ou l'autre de ces conclusions ? Expliquez votre réponse.

17 Xavier et Tania analysent les résultats scolaires d'un groupe d'élèves dans différentes matières. Après avoir constaté une corrélation presque nulle entre les résultats en mathématiques et ceux en éducation physique, de même qu'entre les résultats en éducation physique et ceux en français, ils se demandent si la même corrélation existe entre les résultats en mathématiques et ceux en français.

XAVIER. — Puisque les deux premières corrélations sont nulles, c'est sûr que la troisième l'est également.

TANIA. — Vraiment ? Je pense que ce n'est pas nécessairement le cas.

Qui a raison ? Justifiez votre réponse.

18 Pour anesthésier un patient ou une patiente lors d'une opération, on peut lui administrer deux types de médicaments : l'anesthésique **A** ou l'anesthésique **B.** Le premier est plus coûteux que le second, soit environ 17,10 $ de plus par opération. Cependant, on doit aussi considérer le temps de réveil du patient ou de la patiente. Voici des données recueillies auprès d'un échantillon de personnes ayant été opérées :

Anesthésique A

Durée de l'opération (min)	80	90	95	105	105	130	165	170	180	210	250	310	390	420	490
Temps de réveil (min)	44	28	30	24	35	26	19	20	29	28	27	36	21	28	36

Anesthésique B

Durée de l'opération (min)	105	105	110	125	130	150	155	210	270	275	330	350	380	400	420
Temps de réveil (min)	50	28	18	40	50	40	60	90	40	50	85	62	75	101	75

Si le temps que passe une personne opérée dans la salle de réveil engendre des coûts équivalant à 72 $/h, quelle durée d'opération rend l'utilisation de l'anesthésique **A** plus rentable que celle de l'anesthésique **B**?

 19 Les deux nuages de points ci-dessous représentent les mêmes données concernant la taille et la masse de différentes personnes. Dans chaque cas, la droite de régression a été tracée. Le tableur utilisé a également fourni l'équation de cette droite et le carré du coefficient de corrélation linéaire.

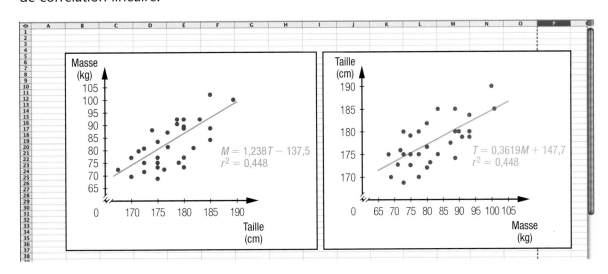

On constate que les deux droites sont différentes, car elles ne passent pas par les mêmes points. Cependant, le coefficient de corrélation linéaire est le même dans les deux cas.

Existe-t-il une relation entre les taux de variation des deux droites et la valeur de r^2?

Étudiez d'autres exemples de distributions à l'aide d'un outil technologique, puis énoncez une conjecture à ce sujet. Présentez au moins un argument pour appuyer votre conjecture.

VISI2N

La modélisation à l'aide de fonctions

Aujourd'hui, la modélisation à l'aide de divers outils mathématiques est au cœur de la recherche scientifique dans tous les domaines. Parmi ces outils, le concept de fonction est fondamental. Décrire la réalité par la règle d'une fonction permet de mieux comprendre un phénomène et de prévoir son évolution. Mais la réalité est parfois difficile à modéliser. La question se pose toujours : Quelle fonction est la plus adéquate pour représenter une situation donnée ?

Dans *Vision 2*, vous analyserez le lien entre des variables. Cette analyse vous permettra de choisir le type de fonction le plus approprié pour représenter une situation, en tenant compte des propriétés des différentes fonctions possibles. Par la suite, deux modèles particuliers seront étudiés : la fonction polynomiale de degré 2 et la fonction en escalier.

Arithmétique et algèbre	Géométrie	Statistique
• Analyse de situations • Modélisation à l'aide de fonctions réelles • Propriétés des fonctions • Fonction polynomiale de degré 2 et fonction en escalier • Représentation • Interprétation des paramètres • Recherche de la règle		• Nuage de points

RÉACTIVATION 1 La force au féminin

Maryse Turcotte est une haltérophile québécoise de calibre international. Dans les compétitions, elle doit soulever les haltères en exécutant des mouvements strictement réglementés. À l'épaulé-jeté, par exemple, le mouvement se déroule en deux phases. Elle doit d'abord amener la barre au niveau des épaules (c'est l'épaulé); après une pause, elle doit ensuite, dans un seul geste, la soulever au bout de ses bras tendus (c'est le jeté).

Voici une illustration de ces deux phases avec l'indication du temps écoulé en secondes. Le personnage dessiné représente Maryse Turcotte qui soulève l'haltère à 1,6 m du sol.

Épaulé

Jeté

a. Représentez graphiquement la distance de l'haltère au sol en fonction du temps écoulé.

b. Dans cette situation, quelles valeurs prend :

1) la variable indépendante ?

2) la variable dépendante ?

c. Dans quels intervalles de temps la distance entre l'haltère et le sol est-elle :

1) croissante ?

2) décroissante ?

3) constante ?

d. Quelle est l'ordonnée à l'origine ?

e. Combien y a-t-il d'abscisses à l'origine ?

Lors des concours d'hommes forts, la brouette est une épreuve très spectaculaire qui permet de voir des masses énormes se faire soulever grâce à l'effet de levier. Cet effet dépend de deux longueurs que l'on appelle des «bras de levier». Ces longueurs sont indiquées dans le schéma ci-dessous.

Hugo Girard, champion canadien des hommes forts de 1999 à 2004 et champion du monde en 2002

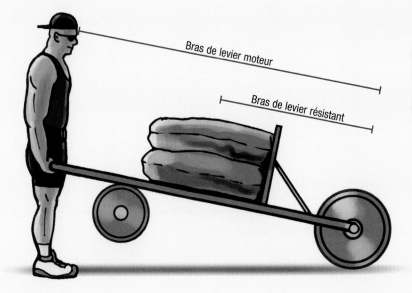

Bras de levier moteur

Bras de levier résistant

La force nécessaire, en newtons, pour maintenir la brouette lorsqu'elle contient une masse de 500 kg dépend de la longueur de ces bras de levier. Voici des données qui décrivent cette situation si l'on néglige la masse de la brouette :

Un *newton* (N) est la force nécessaire pour accélérer de 1 m/s^2 une masse de 1 kg.

Force nécessaire pour différents bras de levier résistants (Bras de levier moteur = 2 m)		Force nécessaire pour différents bras de levier moteurs (Bras de levier résistant = 1 m)	
Bras de levier résistant (m)	Force nécessaire (N)	Bras de levier moteur (m)	Force nécessaire (N)
0,6	1470	1,4	3500
0,8	1960	2,0	2450
1,0	2450	2,5	1960
1,4	3430	2,8	1750

a. Ces données représentent-elles des situations de proportionnalité ? Justifiez votre réponse.

b. Quelle fonction permet de modéliser chacune de ces situations ? En quoi ces fonctions sont-elles différentes l'une de l'autre ?

c. Lors d'une compétition, un homme fort a le choix d'allonger le bras de levier moteur de 25 % ou de réduire le bras de levier résistant de 25 %. Quelle option est la meilleure ? Justifiez votre réponse.

PROPRIÉTÉS D'UNE FONCTION EN CONTEXTE

La représentation graphique d'une fonction permet de décrire facilement ses propriétés.

Ex.: Le graphique ci-contre représente la quantité d'eau dans un réservoir selon le temps écoulé.

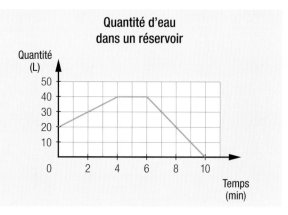

Quantité d'eau dans un réservoir

Le tableau ci-dessous résume la signification de quelques **propriétés d'une fonction** f quelconque. Les exemples se réfèrent au graphique ci-dessus.

Propriété	Exemple
• Le **domaine** est l'ensemble des valeurs que prend la variable indépendante x. • L'**image** (ou le codomaine) est l'ensemble des valeurs que prend la variable dépendante $f(x)$.	Dans cette situation, le domaine est associé au temps écoulé en minutes. Le domaine est [0, 10]. L'image correspond aux quantités d'eau en litres. L'image est [0, 40].
Dans un intervalle du domaine, on reconnaît graphiquement qu'une fonction est: • **constante** si elle est représentée par une droite horizontale, c'est-à-dire parallèle à l'axe des abscisses; • **croissante** si elle est associée à une courbe qui, de gauche à droite, est ascendante ou horizontale; • **décroissante** si elle est associée à une courbe qui, de gauche à droite, est descendante ou horizontale.	La quantité d'eau dans le réservoir est croissante durant les 6 premières minutes. Elle est décroissante à partir de la 4e minute. Entre 4 et 6 min, elle est constante.
Le **minimum** et le **maximum** de la fonction sont respectivement la plus petite et la plus grande valeur de $f(x)$.	La quantité minimale d'eau est de 0 L et la quantité maximale, de 40 L.
• L'**ordonnée à l'origine**, (ou valeur initiale de la fonction) si elle existe, est l'ordonnée du point d'intersection de la courbe et de l'axe des ordonnées. • Une **abscisse à l'origine**, (ou **zéro de la fonction**) s'il en existe, est l'abscisse d'un point d'intersection de la courbe et de l'axe des abscisses.	L'ordonnée à l'origine est 20, car le réservoir contenait initialement 20 L d'eau. Il y a une abscisse à l'origine, soit 10. Le réservoir est vide après 10 min.

SITUATIONS DE PROPORTIONNALITÉ

Deux variables mises en relation sont :

- **directement proportionnelles**, si la multiplication de l'une par un nombre entraîne la multiplication de l'autre par le même nombre ;

- **inversement proportionnelles**, si la multiplication de l'une par un nombre entraîne la division de l'autre par le même nombre.

Les fonctions de **variation directe** et de **variation inverse** permettent de modéliser ces deux types de proportionnalités.

	Variation directe	Variation inverse
Ex. :	On s'intéresse au périmètre d'un triangle équilatéral pour différentes mesures de sa base.	On s'intéresse à la hauteur d'un rectangle de 30 cm² d'aire pour différentes mesures de sa base.
Analyse de la proportionnalité	Un triangle équilatéral qui a une base deux fois plus grande aura un périmètre deux fois plus grand.	Si l'on double la base du rectangle, il faut alors diviser sa hauteur par 2 pour garder la même aire.
Table de valeurs		
Équation	$P = 3b$ où P est le périmètre du triangle et b, la mesure de sa base.	$h = \dfrac{30}{b}$ où h est la hauteur du rectangle et b, la mesure de sa base.
Graphique		

Table de valeurs — Variation directe

Base (cm)	Périmètre (cm)
2	6
4	12
6	18
30	90

$\times 2$, $\times 1{,}5$, $\times 5$ (base) ; $\times 2$, $\times 1{,}5$, $\times 5$ (périmètre)

Table de valeurs — Variation inverse

Base (cm)	Hauteur (cm)
2	15
4	7,5
6	5
30	1

$\times 2$, $\times 1{,}5$, $\times 5$ (base) ; $\div 2$, $\div 1{,}5$, $\div 5$ (hauteur)

mise à jour

1 Deux personnes marchent l'une vers l'autre sur un trottoir. À un certain moment, l'une d'elles s'arrête à un arrêt d'autobus, alors que l'autre continue à marcher. La distance qui sépare ces deux personnes jusqu'à l'arrivée de l'autobus est représentée par le graphique ci-contre.

a) Lequel des points A, B, C ou D est associé à l'instant où l'une des personnes arrête de marcher ? Justifiez votre réponse.

b) Quelles sont les valeurs prises par la variable indépendante ? par la variable dépendante ?

c) À quel moment, les deux personnes se frôlent-elles ?

d) Dans quel intervalle de temps, la distance est-elle croissante ?

e) Que signifie l'ordonnée à l'origine dans ce contexte ?

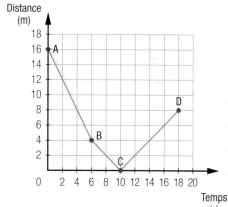

Distance entre deux personnes

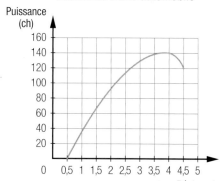

2 La puissance d'une automobile s'exprime habituellement en chevaux-vapeur (ch). Cette puissance n'est pas constante ; elle dépend, entre autres, du régime du moteur, mesuré en révolutions par minute (r/min). Le graphique ci-dessous représente cette fonction pour une certaine voiture.

a) Quelle est la puissance maximale de la voiture ?

b) Quel doit être le régime du moteur pour atteindre cette puissance ?

c) Décrivez le domaine et l'image de cette fonction.

d) Analysez la croissance et la décroissance de cette fonction.

e) Interprétez le zéro de cette fonction.

Puissance d'une automobile

3 Voici la vitesse théorique d'une coureuse selon le temps qu'elle prend pour effectuer une foulée :

Vitesse théorique d'une coureuse

Durée de la foulée (s)	0,18	0,20	0,24	0,30
Vitesse (m/s)	6,0	5,4	4,5	3,6

a) La vitesse est-elle proportionnelle à la durée de la foulée ? Justifiez votre réponse.

b) Calculez le nombre de foulées par seconde pour chacune des durées de la table de valeurs.

c) Le nombre de foulées par seconde est-il proportionnel à la vitesse ? Justifiez votre réponse.

d) Représentez chacune des situations décrites en a) et en c) à l'aide d'une équation.

4 Au cours d'une expérience, on comprime un gaz contenu dans un cylindre en déposant un poids sur un piston. On observe la hauteur de la colonne d'air selon la masse totale du piston et du poids réunis.

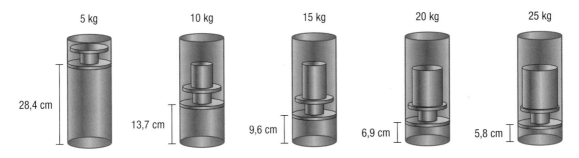

a) Représentez ces données par un nuage de points.

b) Quel type de fonction est le plus approprié pour représenter cette situation ?

c) Calculez le produit de la masse par la hauteur pour chaque couple du nuage de points. Déterminez ensuite la valeur qui semble la plus représentative de ces produits.

d) Estimez la hauteur de la colonne d'air pour une masse totale de 30 kg.

e) Quelle doit être la masse totale pour que la hauteur de la colonne d'air mesure 1 mm ?

f) Est-il possible que le piston touche le fond du cylindre ? Justifiez votre réponse.

5 Pour estimer la valeur de π, Gaby a mesuré le diamètre et la circonférence de différents objets circulaires à l'aide d'un ruban à mesurer. En n'utilisant que les données recueillies, quelle équation représente le mieux la relation entre le diamètre et la circonférence ?

Mesures d'objets circulaires

	Jeton	Verre	Disque	Assiette	Tambour
Diamètre (cm)	2,3	6,2	12,1	26,0	38,2
Circonférence (cm)	7,1	19,5	37,9	81,6	119,7

Cette section est en lien avec la SAÉ 4.

PROBLÈME Pour comprendre le corps humain

Une professeure de physiologie présente différentes situations à ses étudiants.

1 En natation, l'inspiration se fait rapidement pour gonfler complètement les poumons, puis l'expiration se fait sous l'eau de manière progressive.

2 Durant les deux premières années après l'arrêt de la pratique d'activités physiques, on observe une diminution importante du volume cardiaque. Avec les années, on perd petit à petit tout ce qu'on avait acquis.

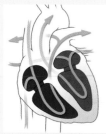

3 On peut connaître sa fréquence cardiaque maximale théorique en soustrayant son âge de 220.

4 Le spiromètre est un appareil qui mesure, entre autres, le volume d'air qu'une personne peut expirer. Lors du test, l'expiration doit se faire le plus rapidement possible.

? Associez chacune des quatre déclarations de la professeure à l'un des modèles graphiques ci-dessous. Prenez soin de justifier chacune de ces associations.

A
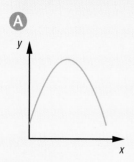

B

C

D

E

F
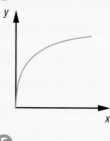

G

H

Pour analyser une situation de la vie quotidienne, il peut être utile de la représenter par un modèle mathématique. Observez chacune des situations suivantes.

On peut convertir toute température enregistrée en degrés Fahrenheit F en degrés Celsius C à l'aide de l'équation suivante :

$$C = \frac{5}{9}(F - 32)$$

Un conducteur parcourt régulièrement 72 km en maintenant une vitesse constante.

On peut représenter ainsi la vitesse V (en km/h) maintenue en fonction de la durée t (en h) du parcours :

$$V(t) = \frac{72}{t}$$

La probabilité d'obtenir face chaque fois qu'on lance une pièce de monnaie plusieurs fois de suite se détermine en fonction du nombre x de lancers :

$$P(x) = \left(\frac{1}{2}\right)^x$$

Léane a régularisé sa vitesse à 90 km/h. Un radar routier fixe se trouve à 360 m de sa voiture. La distance (en m) qui la sépare du radar en fonction du temps t (en s) peut être représentée par :

$$d(t) = 360 - 25t,$$

avant de croiser le radar, et par :

$$d(t) = 25t - 360,$$

après.

On peut représenter l'aire A d'un cube en fonction de la mesure de son arête c :

$$A = 6c^2$$

La vitesse V d'entrée dans l'eau (en m/s) d'un plongeur qui s'élance du haut d'une falaise d'Acapulco peut s'exprimer en fonction de sa hauteur initiale h_0 (en m) :

$$V = \sqrt{19{,}6h_0}$$

a. Représentez chacune des situations à l'aide d'un graphique qui met en relation les deux variables considérées.

b. En comparant leurs propriétés, précisez en quoi diffère chacune des fonctions associées aux situations présentées.

La table de valeurs est aussi une façon de représenter une situation.

La pollution atmosphérique a des effets importants sur l'environnement et sur notre santé. Les émissions polluantes des automobiles et des camions comptent parmi les principales sources de cette pollution. Or, certains véhicules polluent davantage que d'autres.

Lors des Jeux olympiques de Beijing en 2008, les membres du Comité organisateur ont été grandement préoccupés par l'effet de la pollution atmosphérique sur les athlètes.

Les semi-remorques émettent beaucoup de polluants sous forme de fumée noire. Cette quantité de polluants varie selon la vitesse du véhicule comme le montrent les données ci-dessous recueillies dans le cadre d'une étude.

Pollution causée par les semi-remorques

Vitesse (km/h)	40	45	50	55	60	65	70
Quantité de polluants émis par 100 km parcourus (g)	485	463	440	430	420	402	395

a. Représentez cette situation à l'aide d'un nuage de points.

b. Parmi les équations suivantes, laquelle représente le mieux la fonction associée à cette situation? Justifiez votre réponse à l'aide des propriétés de ces fonctions.

Fonction polynomiale de degré 1

$$y = 600 - 3x$$

Fonction de variation inverse

$$y = \frac{23\ 500}{x}$$

Fonction polynomiale de degré 2

$$y = \frac{1}{10}(x - 70)^2 + 400$$

c. Selon le modèle choisi en **b**, quelle quantité de polluants sous forme de fumée noire est rejetée par un semi-remorque qui roule sur une distance de 100 km à une vitesse de:

1) 10 km/h

2) 30 km/h

3) 60 km/h

4) 100 km/h

5) 120 km/h

Le terme *semi-remorque* est féminin lorsqu'il désigne la remorque du camion et il est masculin lorsqu'il désigne l'ensemble formé par le tracteur et la remorque.

Techno math

Une calculatrice graphique permet de tracer des fonctions et de déterminer les propriétés de celles-ci.

Cet écran permet d'éditer la règle d'une ou de plusieurs fonctions où x est la variable associée à l'axe des abscisses et y est la variable associée à l'axe des ordonnées.

Écran 1

Écran 2

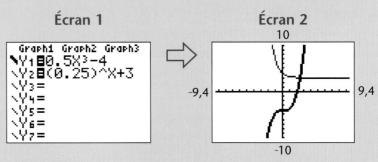

Cet écran montre divers calculs que l'on peut effectuer à l'écran graphique.

Écran 3

Exploration 1: l'ordonnée à l'origine

En fixant la valeur de la variable x à 0, on obtient la valeur de la variable y correspondante.

Écran 4

Écran 5

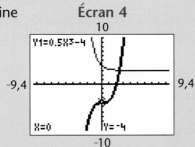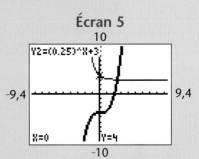

Exploration 2: le ou les zéros

En sélectionnant une borne inférieure et une borne supérieure, et en positionnant ensuite le curseur près du zéro, ses coordonnées seront calculées.

Écran 6

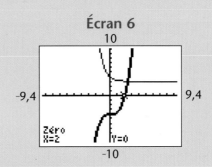

a. Quelle est l'ordonnée à l'origine de la fonction:

1) à l'écran **4**;
2) à l'écran **5**.

b. Quelle est la valeur du zéro de la fonction à l'écran **6**?

c. À l'aide d'une calculatrice graphique où les règles ci-contre sont éditées, déterminez pour chaque fonction:

```
Graph1 Graph2 Graph3
\Y1◘-X³+3X+4
\Y2◘√(X+8)-2
\Y3◘X²+2.5X-4
\Y4=
\Y5=
\Y6=
\Y7=
```

1) l'ordonnée à l'origine;
2) le ou les zéros.

APERÇU DE QUELQUES MODÈLES

Il existe plusieurs types de fonctions permettant de modéliser une situation représentée ou non par un nuage de points.

- Certaines fonctions, comme les fonctions polynomiales de degré 0 et de degré 1, sont représentées graphiquement par des droites.

Ex. :

1) **Fonction polynomiale de degré 0 ou fonction constante**

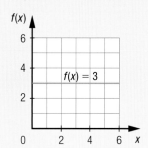

2) **Fonction polynomiale de degré 1 ou fonction affine**

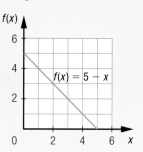

- D'autres fonctions, comme la fonction polynomiale de degré 2 et la fonction de variation inverse, sont représentées graphiquement par des lignes courbes.

Ex. :

1) **Fonction polynomiale de degré 2 ou fonction quadratique**

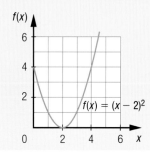

2) **Fonction de variation inverse**

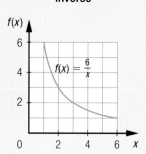

Plusieurs autres fonctions (racine carrée, exponentielle ou polynomiale de degré supérieur à 2, par exemple) peuvent également être utilisées pour modéliser une situation.

- Il est possible de combiner plusieurs modèles pour obtenir une **fonction définie par parties.**

Ex. :

$$f(x) = \begin{cases} 4 - (x - 2)^2 & \text{si } x \in [0, 2[\\ 4 & \text{si } x \in [2, 4[\\ -x + 8 & \text{si } x \in [4, 8] \end{cases}$$

CHOIX DU MODÈLE

Pour déterminer le modèle adéquat dans l'analyse d'une situation, il faut tenir compte de différents éléments tels que la forme du nuage de points et les régularités observées dans la variation des variables (proportionnalité, taux de variation, etc.). L'analyse comparative des **propriétés des fonctions** permet de choisir entre différents modèles possibles.

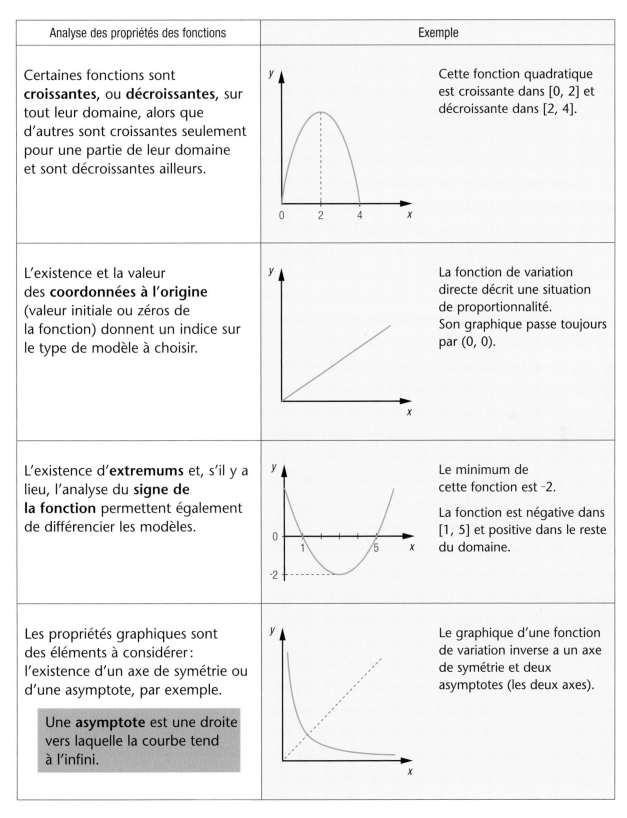

Analyse des propriétés des fonctions	Exemple
Certaines fonctions sont **croissantes**, ou **décroissantes**, sur tout leur domaine, alors que d'autres sont croissantes seulement pour une partie de leur domaine et sont décroissantes ailleurs.	Cette fonction quadratique est croissante dans [0, 2] et décroissante dans [2, 4].
L'existence et la valeur des **coordonnées à l'origine** (valeur initiale ou zéros de la fonction) donnent un indice sur le type de modèle à choisir.	La fonction de variation directe décrit une situation de proportionnalité. Son graphique passe toujours par (0, 0).
L'existence d'**extremums** et, s'il y a lieu, l'analyse du **signe de la fonction** permettent également de différencier les modèles.	Le minimum de cette fonction est -2. La fonction est négative dans [1, 5] et positive dans le reste du domaine.
Les propriétés graphiques sont des éléments à considérer : l'existence d'un axe de symétrie ou d'une asymptote, par exemple. Une **asymptote** est une droite vers laquelle la courbe tend à l'infini.	Le graphique d'une fonction de variation inverse a un axe de symétrie et deux asymptotes (les deux axes).

1 On a représenté trois fonctions polynomiales sur une calculatrice.

$f(x) = -2$ $g(x) = 2x - 3$ $h(x) = (x - 1)^2 - 4$

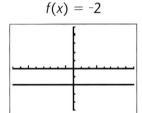 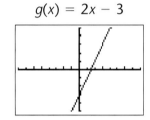 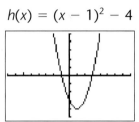

Pour chacune de ces fonctions, déterminez, s'il y a lieu, les propriétés suivantes :

a) le domaine et l'image ;

b) l'intervalle de décroissance ;

c) l'ordonnée à l'origine ;

d) l'ensemble des zéros de la fonction ;

e) le minimum et le maximum ;

f) l'intervalle où la fonction est négative.

2 Voici différentes règles de fonctions :

$$f_1(x) = 2x \qquad f_2(x) = 2 \qquad f_3(x) = x^2 \qquad f_4(x) = 2^x$$

a) Représentez ces fonctions à l'aide d'une table de valeurs pour x égale 0, 1, 2, 3 et 4.

b) Dans un même plan cartésien, représentez graphiquement ces fonctions.

c) Déterminez l'image de ces fonctions si leur domaine est restreint à [0, 10].

d) Lesquelles de ces fonctions sont strictement croissantes ?

e) Lesquelles de ces fonctions possèdent un zéro ?

f) Pour chacune de ces fonctions, déterminez l'ordonnée à l'origine.

> Une fonction est strictement croissante si elle est croissante sur tout son domaine sans être constante.

g) Dans chacun des intervalles donnés ci-dessous, laquelle des quatre fonctions a la plus grande valeur ?

1)]0, 1[2)]1, 2[3)]2, 4[4)]4, 10[

3 En supposant que la variable x ne peut prendre que des valeurs positives, tracez le graphique des deux fonctions suivantes, puis comparez leurs propriétés (domaine, image, croissance, décroissance, etc.) en indiquant en quoi elles sont essentiellement différentes.

$$f(x) = \frac{10}{x} \qquad g(x) = \frac{(x - 10)^2}{10}$$

4 PHYSIOLOGIE SPORTIVE Pour devenir un ou une athlète de haut niveau, tout doit être pris en compte, principalement la réaction du corps devant l'effort. Observez le graphique ci-dessous tiré d'études en physiologie de l'exercice et du sport.

Consommation d'oxygène

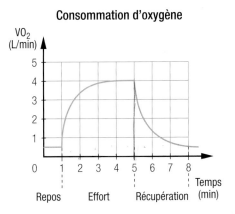

VO$_2$ est l'abréviation utilisée pour désigner le volume d'oxygène absorbé par une personne.

Cette situation est représentée par une fonction définie par parties.

a) En quoi les parties liées à l'effort et à la récupération sont-elles semblables ? En quoi sont-elles différentes ?

b) Que représente le maximum de la fonction dans cette situation ? et le minimum ?

5 En natation, comme dans plusieurs sports de haut niveau, une bonne technique est primordiale au succès de l'athlète. La position de ses mains a un rôle important à jouer, y compris leur hauteur relativement à la surface de l'eau dans les premiers instants de la course. Un analyste sportif a recueilli les données suivantes.

Position des mains d'un nageur dans les premiers instants de la course

a) Décrivez verbalement le modèle qui s'ajusterait bien au nuage de points.

b) Comparez ce modèle avec celui du numéro précédent. Faites ressortir leurs similitudes et leurs différences.

6 Un entraîneur a mesuré la consommation d'oxygène et la fréquence cardiaque d'une femme âgée de 20 ans durant des activités physiques avant et après un entraînement aérobique de 10 semaines. Chaque nuage de points a été modélisé à l'aide d'une fonction polynomiale de degré 1.

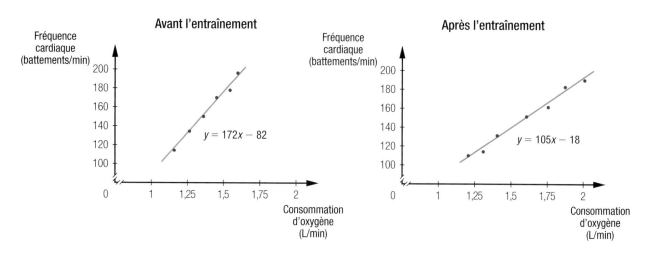

a) Sachant que la fréquence cardiaque de cette femme ne peut pas dépasser 200 battements par minute et que sa consommation d'oxygène minimale au repos est de 1 L/min, déterminez le domaine et l'image de chacune de ces fonctions.

Durant une activité physique intense, le besoin du corps en oxygène augmente ; et plus la consommation d'oxygène est grande, plus le cœur doit battre rapidement.

b) En vous basant sur cette étude, décrivez dans vos mots l'effet de l'entraînement sur la fréquence cardiaque et sur la consommation d'oxygène.

7 Pour la fête d'anniversaire de sa copine, Maxime gonfle des ballons en guise de décoration. En gonflant un des ballons en une seule expiration et en laissant ensuite le ballon se dégonfler, il note les observations suivantes concernant le volume d'air qu'il contient.

• Le volume d'air dans le ballon croît pendant les 6 premières secondes.

• Durant les 2 premières secondes, la croissance du volume d'air est de plus en plus rapide, tandis que cette croissance est de moins en moins rapide durant les 4 secondes suivantes.

• Le volume d'air dans le ballon décroît dans l'intervalle de temps de 6 à 10 s.

• Le volume d'air maximal dans le ballon est de 4 L.

Déterminez le modèle graphique qui représente le mieux la fonction associée à cette situation.

8 Jennifer fait de la raquette au Sentier des Caps, dans la région de Charlevoix. En cette belle journée de 0 °C, elle a pris soin d'apporter du chocolat chaud. Elle dépose sa tasse sur une table, lorsque soudain, le vent emporte l'une de ses mitaines au bas d'un cap.

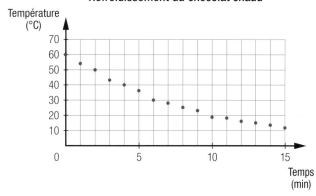

Refroidissement du chocolat chaud

Après l'avoir récupérée, Jennifer revient vers son campement en se demandant si son chocolat chaud est toujours… chaud.

Parmi les équations suivantes, laquelle traduit le mieux la fonction associée à cette situation ? Justifiez votre réponse à l'aide des propriétés de ces fonctions.

A $y = 60(0{,}9)^x$ **B** $y = 60 - 3{,}5x$

9 Considérez les trois situations fonctionnelles suivantes.

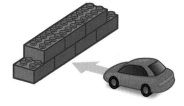

Situation 1

Une bille, au départ propulsée par un élastique, roule sur une table. On observe la distance parcourue par la bille sur la table en fonction du temps.

Situation 2

Une bille placée en haut d'un plan incliné roule vers le bas. On observe la distance parcourue par la bille sur le plan incliné en fonction du temps.

Situation 3

Un mobile roule à une vitesse constante en direction d'un mur. On observe la distance qui le sépare du mur en fonction du temps.

Pour chacune de ces situations, dessinez à main levée un modèle graphique qui représente bien la relation entre les variables étudiées. Motivez votre choix de graphique par quelques propriétés pertinentes de la fonction concernée.

10 Le nuage de points ci-dessous représente le rayon de différentes sphères en fonction de leur aire. Une courbe a été tracée pour modéliser la situation.

Mesure du rayon de différentes sphères

a) Déterminez les propriétés de la fonction représentée par cette courbe.

b) Exprimez dans vos mots ce que représente chacune des propriétés dans ce contexte.

c) Croyez-vous que la courbe finira par atteindre un plateau? Expliquez votre réponse.

11 Chaque minute, Étienne observe la température de l'eau dans un récipient d'eau qu'il a placé dans un congélateur. Il constate que la température peut descendre au-dessous de 0 °C sans que l'eau gèle. Ce phénomène s'appelle la «surfusion».

Données recueillies par Étienne

Temps écoulé (min)	0	1	2	3	4	5	6	7	8	9	10	11	12
Température (°C)	15,0	11,0	8,0	5,5	3,0	1,0	-0,5	-2,0	-3,0	-4,0	0,0	0,0	0,0

a) Représentez les données recueillies par Étienne par un nuage de points.

b) Tracez la courbe qui semble le mieux s'ajuster au nuage de points. Assurez-vous que cette courbe représente bien une fonction.

c) En supposant que le domaine de cette fonction est l'intervalle [0, 12], déterminez:

1) l'image de la fonction;

2) les intervalles de croissance et de décroissance;

3) les zéros de la fonction;

4) l'intervalle où la fonction est négative.

Une matière est en état de surfusion si elle reste sous sa forme liquide même si elle a atteint une température plus basse que son point de solidification. À la moindre perturbation cependant, le liquide peut alors se solidifier presque instantanément.

12 **ANALYSE DU MOUVEMENT** Les données ci-contre décrivent l'accélération du poignet d'un sujet pendant le premier dixième de seconde suivant le moment où il décide de saisir un objet.

Analyse du mouvement

Temps (ms)	Accélération (mm/s²)
5	16
10	24
15	27
20	24
25	20
30	14
35	4
40	-5
45	-10
50	-11
55	-11
60	-12
65	-12
70	-13
75	-13
80	-12
85	-10
90	-10
95	-10
100	-11

a) Décrivez dans vos mots ce que représentent les accélérations négatives de ce tableau.

b) Représentez ces données par un nuage de points.

c) Cette situation peut être modélisée par une fonction définie par parties. Quel type de fonction semble adéquat pour modéliser chacune de ces parties ? Représentez graphiquement ces fonctions sur le nuage de points.

d) Que signifie le zéro de la fonction dans ce contexte ?

13 **LA FORCE DE L'ANGLE** La force que le biceps peut dégager dépend de l'angle que forme l'avant-bras avec le bras. L'illustration ci-dessous montre le pourcentage de la force maximale dégagée par le biceps pour différents angles.

a) Représentez ces données par un nuage de points.

b) Tracez la courbe qui semble la mieux ajustée au nuage de points.

c) En tenant compte du contexte, déterminez le domaine et l'image de la fonction représentée par la courbe que vous avez tracée.

d) Estimez le pourcentage de la force maximale dégagée par le biceps lorsque l'angle formé par l'avant-bras est de :

1) 90°   2) 45°

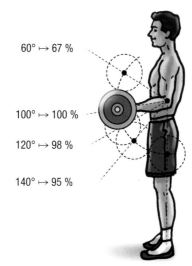

$60° \mapsto 67\%$

$100° \mapsto 100\%$

$120° \mapsto 98\%$

$140° \mapsto 95\%$

$180° \mapsto 71\%$

Cette section est en lien avec la SAÉ 5.

PROBLÈME Fendre l'air à toute vitesse

Le ski de vitesse est le sport, avec le parachutisme, où l'on atteint les plus hautes vitesses sans avoir recours à des engins motorisés.

La position aérodynamique que prend le skieur ou la skieuse de vitesse pour minimiser sa résistance à l'air est à la base de ce sport. Les tests en soufflerie ont permis d'améliorer l'aérodynamisme de l'athlète et de son équipement.

En 2006, la skieuse suédoise Sanna Tidstrand était la femme la plus rapide du monde. Son record de 242,59 km/h a été établi à la piste des Arcs, en France. Chez les hommes, le skieur de vitesse italien Simone Origone avait alors atteint 251,40 km/h.

Les 300 premiers mètres de la descente correspondent à la zone de lancement. Pour déterminer la vitesse d'un skieur, on mesure son temps à 300 m et à 400 m, et on calcule sa vitesse moyenne entre ces deux points.

Modélisation du début de la descente d'un skieur

Temps écoulé (s)	0,5	1,0	1,5	2,0	2,5	3,0
Distance parcourue (m)	0,7	2,8	6,3	11,2	17,5	25,2

Selon le modèle décrit par la table de valeurs, quelle sera la vitesse enregistrée pour ce skieur ?

Le lancer du marteau est un sport qui exige beaucoup de force et de technique. La vitesse à laquelle on lâche le marteau à la fin de l'élan est un des facteurs déterminants de la distance qui sera franchie. Durant l'élan, au cours duquel plusieurs rotations sont effectuées, l'athlète augmente graduellement la vitesse du marteau et, au fur et à mesure que la vitesse augmente, une force de plus en plus grande est requise pour le retenir. À l'aide de capteurs, on a mesuré la vitesse de la tête du marteau et la force correspondante, en newtons, exercée par une lanceuse de marteau à différents moments au cours de son élan.

Mesures prises lors du lancer du marteau

Vitesse du marteau (m/s)	Force exercée pour retenir le marteau (N)
2	70
4	50
9	280
9	500
17	980
19	1150
25	2000
26	2300
29	3200
30	3000

a. Tracez les nuages de points associés aux relations suivantes :

1) la force en fonction de la vitesse ;

2) la force en fonction du carré de la vitesse.

b. La relation qui existe entre la vitesse de la tête du marteau et la force exercée correspond-elle à une situation de proportionnalité ? Expliquez votre point de vue.

c. Quelle est la règle de la fonction qui modélise cette relation entre la vitesse et la force ?

d. Les meilleures lanceuses de marteau font atteindre des vitesses de 115 km/h à la tête de leur marteau. Estimez la force qu'elles doivent alors exercer pour le retenir.

Marco a représenté les fonctions $f(x) = x^2$ et $g(x) = \frac{1}{4}x^2 - 1$ sur sa calculatrice. Il constate que les deux courbes possèdent un axe de symétrie, soit l'axe des ordonnées.

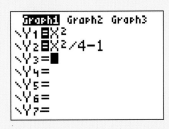 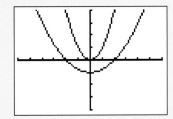

a. Quelles sont les coordonnées du sommet de chacune des courbes affichées?

> On appelle «sommet», le point de la courbe qui se trouve sur l'axe de symétrie.

b. En quoi les graphiques de ces deux fonctions sont-ils différents? En quoi sont-ils semblables?

La fonction g fait partie d'une famille de fonctions qu'on peut représenter sous la forme $y = ax^2 + k$, où les paramètres a et k sont des nombres réels positifs ou négatifs. Chacun de ces paramètres a un effet sur le graphique de la fonction.

c. Énoncez une conjecture sur le rôle des paramètres a et k dans la représentation graphique d'une fonction quadratique.

d. Trouvez au moins un argument qui rend votre conjecture plausible.

Après avoir analysé quelques exemples, Marco en arrive à la conclusion que l'on peut déterminer graphiquement la valeur du paramètre a simplement en observant la position du sommet et celle du point du graphique dont l'abscisse est 1.

e. Croyez-vous qu'il a raison? Si oui, énoncez une conjecture à ce sujet. Sinon, expliquez pourquoi vous n'êtes pas d'accord avec lui et proposez une autre façon de déterminer graphiquement la valeur du paramètre a.

f. À l'aide de tout ce que vous avez découvert, déterminez la règle de la fonction représentée ci-dessous, où chaque graduation vaut une unité. Expliquez votre raisonnement.

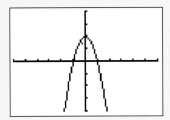

On a modélisé les premiers instants de la phase d'accélération d'un coureur à l'aide de la fonction $d(t) = 3,5t^2$, où $d(t)$ est la distance parcourue (en m) et t est le temps écoulé (en s). Le graphique ci-dessous représente cette fonction.

Accélération d'un coureur

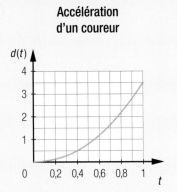

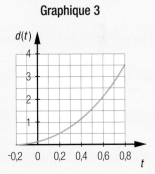

Le temps moyen de réaction à un signal sonore est de 235 ms. Les meilleurs athlètes réussissent à réduire ce temps jusqu'à 145 ms. En athlétisme, un faux départ est appelé si un athlète part en moins de 100 ms après le coup de pistolet. On juge alors que l'athlète a volé le départ, car personne ne peut réagir plus rapidement qu'en 100 ms.

On suppose ici que le coureur commence à accélérer exactement au coup de pistolet. Cependant, dans la réalité, on ne part jamais exactement au coup de pistolet. Il y a, tout au moins, un temps de réaction entre le coup de pistolet et le début de l'accélération. Les graphiques ci-dessous décrivent la phase d'accélération pour le même coureur en tenant compte du moment exact de son départ.

Graphique 1   **Graphique 2**   **Graphique 3**

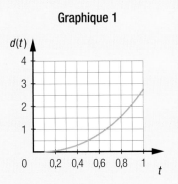   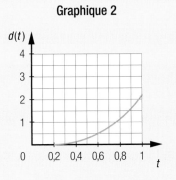   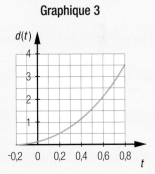

a. Donnez une explication à la valeur négative du temps dans le graphique **3**.

b. Chacun de ces trois graphiques peut être obtenu en appliquant une transformation géométrique au graphique initial de la fonction *d*. Décrivez ces transformations géométriques.

c. Pour chacun des graphiques, déterminez l'équation qui permet de connaître la distance parcourue en fonction du temps écoulé depuis le coup de pistolet.

d. Le temps de réaction du coureur est normalement de 0,15 s. Quelle distance supplémentaire parcourra-t-il durant la première seconde s'il améliore son temps de réaction de 0,05 s ?

Une calculatrice graphique permet d'afficher simultanément dans un même plan cartésien les courbes de plusieurs fonctions polynomiales de degré 2. Voici une exploration qui permet d'observer les effets des paramètres a, h et k dans la représentation graphique d'une fonction dont la règle s'écrit sous la forme canonique $f(x) = a(x - h)^2 + k$.

Écran 1

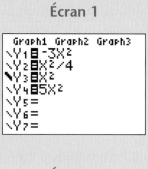

Écran 2

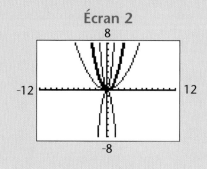

Écran 3

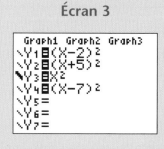

Écran 4

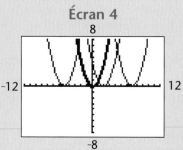

Écran 5

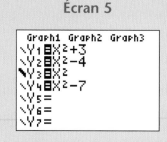

Écran 6

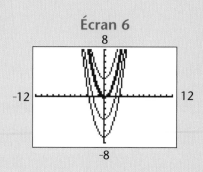

a. Quel paramètre est modifié :

1) à l'écran **1** ?
2) à l'écran **3** ?
3) à l'écran **5** ?

b. Qu'est-ce qui distingue les fonctions polynomiales de degré 2 :

1) à l'écran **2** ?
2) à l'écran **4** ?
3) à l'écran **6** ?

c. Quel est l'effet produit dans la représentation graphique d'une fonction polynomiale de degré 2 écrite sous la forme canonique lorsque :

1) la valeur de a s'éloigne de plus en plus de zéro ?
2) la valeur de h s'éloigne de plus en plus de zéro ?
3) la valeur de k s'éloigne de plus en plus de zéro ?

d. Considérez les équations ci-contre.

1) Affichez la représentation graphique associée à chacune d'elles et décrivez les changements observés en comparant les deux fonctions polynomiales de degré 2.
2) Déterminez l'ordonnée à l'origine et les zéros de la fonction Y_2.

MODÉLISATION À L'AIDE D'UNE FONCTION QUADRATIQUE

La fonction quadratique de base est définie par la règle $f(x) = x^2$.

Description verbale	Table de valeurs	Graphique

Description verbale

La variable indépendante peut prendre n'importe quelle valeur réelle, alors que la variable dépendante, un nombre au carré, prend nécessairement une valeur positive. Le graphique de cette fonction est une courbe, appelée **parabole**, qui possède un **axe de symétrie** (l'axe des ordonnées) et un **sommet** au point (0, 0).

Table de valeurs

x	$f(x)$
-3	9
-2	4
-1	1
0	0
1	1
2	4
3	9

Graphique

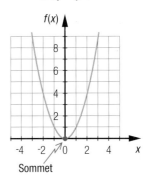

Sommet

Fonction quadratique transformée

La règle de cette fonction peut s'écrire sous la **forme canonique** $f(x) = a(x - h)^2 + k$, où $a \neq 0$.

Les paramètres a, h et k sont des nombres réels. Chacun de ces paramètres joue un rôle dans la représentation graphique de la fonction. Dans chacun des graphiques ci-dessous, la courbe en orange correspond à la fonction de base $f(x) = x^2$.

- Une augmentation (une diminution) du paramètre a provoque un étirement (une contraction) vertical du graphique.

- Un changement de signe du paramètre a provoque une réflexion par rapport à l'axe des abscisses.

- Les paramètres h et k sont associés à une translation horizontale de h unités et à une translation verticale de k unités.

Ex.:
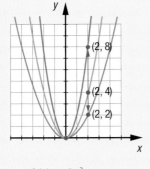

$f_1(x) = 2x^2$
$f_2(x) = \dfrac{x^2}{2}$

Ex.:
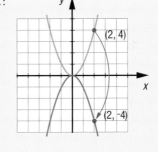

$f_3(x) = -x^2$

Ex.:
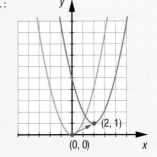

$f_4(x) = (x - 2)^2 + 1$

On constate que le point de coordonnées (h, k) est le sommet de la parabole.

Propriétés d'une fonction quadratique

Hors contexte, les propriétés de la fonction dépendent seulement de la valeur des paramètres a, h et k. Une représentation graphique de la fonction permet de déterminer ces propriétés.

Ex.: Étude des propriétés de la fonction $f(x) = -\frac{5}{4}(x + 1)^2 + 5$

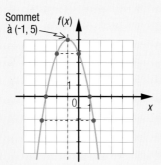

Sommet à (-1, 5)

L'axe de symétrie vertical coupe l'axe des x à -1. Cet axe permet de situer certains points du graphique par réflexion.

- Domaine de f: $\mathbb{R}$.
- Image de f: $]-\infty, 5]$.
- La fonction est croissante dans l'intervalle $]-\infty, -1]$ et décroissante dans l'intervalle $[-1, +\infty[$.
- L'ordonnée à l'origine est 3,75, car $f(0) = -\frac{5}{4}(0 + 1)^2 + 5 = 3,75$.
- Les zéros de la fonction sont -3 et 1.
- La fonction est positive dans l'intervalle $[-3, 1]$ et négative dans l'ensemble $]-\infty, -3] \cup [1, +\infty[$.

Situation de proportionnalité directe au carré

Une variable y est **directement proportionnelle au carré** de x, si $y = ax^2$. En sciences, plusieurs situations peuvent être modélisées par ce type de fonction.

Ex.: On a mesuré la puissance d'une ampoule (en watts) pour différentes intensités de courant (en ampères), puis on a tracé le nuage de points correspondant.

Intensité (A)	Puissance (W)
0,1	3
0,2	9
0,3	27
0,4	44
0,5	70
0,6	90

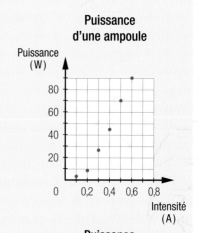

Puissance d'une ampoule

1° La forme du nuage de points suggère d'utiliser une fonction quadratique. De plus, on sait que si l'intensité est de 0, alors la puissance sera de 0. Le modèle $P = aI^2$, où P est la puissance et I, l'intensité, semble donc approprié à cette situation.

2° Pour déterminer la valeur du paramètre a, on peut calculer la moyenne des rapports $\frac{P}{I^2}$ pour chaque donnée. Dans ce cas, on obtient environ 272, soit $(300 + 225 + 300 + 275 + 280 + 250) \div 6$.

L'équation est donc $P = 272I^2$.

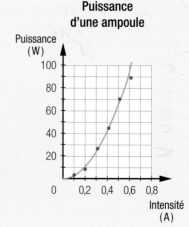

Puissance d'une ampoule

1 Voici trois fonctions quadratiques :

1 $f(x) = -4(x + 5)^2$ **2** $g(x) = -0,5x^2 + 8$ **3** $h(x) = 3(x - 5)^2 - 12$

Tracez le graphique de ces fonctions et déterminez pour chacune les propriétés suivantes :

a) le domaine ;

b) l'image ;

c) les coordonnées du sommet ;

d) l'ordonnée à l'origine ;

e) les extremums ;

f) les zéros ;

g) l'intervalle de croissance ;

h) l'intervalle de décroissance ;

i) les intervalles où la fonction est positive ;

j) les intervalles où la fonction est négative.

2 Quatre fonctions quadratiques de la forme $f(x) = a(x - h)^2 + k$ sont représentées dans le même plan cartésien.

a) Quelles fonctions ont un paramètre k négatif ?

b) Quelles fonctions ont un paramètre h positif ?

c) Pour quelles fonctions les paramètres suivants ont-ils la même valeur ?

  1) Le paramètre a.

  2) Le paramètre h.

  3) Le paramètre k.

d) Quelle fonction est définie par la règle $y = \frac{5}{9}(x - 1)^2 - 2$?

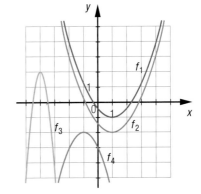

3 On a représenté graphiquement la relation existant entre l'aire d'un polygone (un carré, un hexagone régulier et un octogone régulier) et la mesure de ses côtés.

a) Associez chacune des courbes au polygone qu'elle représente.

b) À l'aide du graphique, estimez l'aire de ces trois polygones si la mesure de leurs côtés est de 1 cm.

c) Exprimez l'aire de ces polygones en fonction de la mesure de leurs côtés.

Aire de polygones réguliers

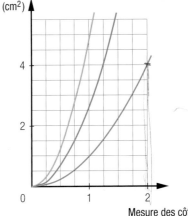

4 L'aire d'un disque peut s'exprimer comme une fonction de son rayon : $A(r) = \pi r^2$.

a) Calculez les différences entre les valeurs d'aires successives de la table de valeurs ci-contre. Calculez ensuite les différences entre chacune de ces différences successives. Que constatez-vous ?

Aire d'un disque

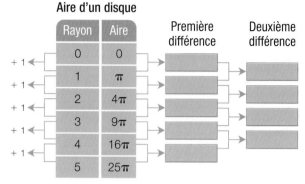

Rayon	Aire	Première différence	Deuxième différence
0	0		
1	π		
2	4π		
3	9π		
4	16π		
5	25π		

(+ 1 entre chaque valeur de rayon)

b) Quelle relation y a-t-il entre la valeur de la deuxième différence et le paramètre a de la fonction ?

c) Cette relation est-elle valable pour toutes les fonctions quadratiques ? Vérifiez si c'est le cas pour les fonctions suivantes en construisant leur table de valeurs.

1) $f(x) = (x + 2)^2$ 2) $g(x) = 2x^2 + 5$ 3) $h(x) = -3x^2$

d) Déterminez la valeur du paramètre a des fonctions dont la table de valeurs est :

1)

x	y
0	-6
1	6
2	10
3	6
4	-6

2)

x	y
1	1
2	10
3	25
4	46
5	73

3)

x	y
2	2
3	4,5
4	8
5	12,5
6	18

e) Dans toutes les tables de valeurs en d), la variable indépendante x varie toujours de une unité. Cette condition est-elle essentielle pour déterminer la valeur du paramètre a de la fonction ? Justifiez votre réponse.

5 Albertine lance une balle verticalement dans les airs et la rattrape 2 s plus tard. La balle s'est élevée d'une hauteur de 4,9 m.

a) Représentez la situation graphiquement. Expliquez votre choix de modèle.

b) Déterminez l'équation associée à votre modèle.

c) De quelle hauteur la balle s'est-elle élevée en 0,25 s ?

Élévation de la balle de 4,9 m

6 Le guide d'utilisation d'un extenseur fournit les informations suivantes.

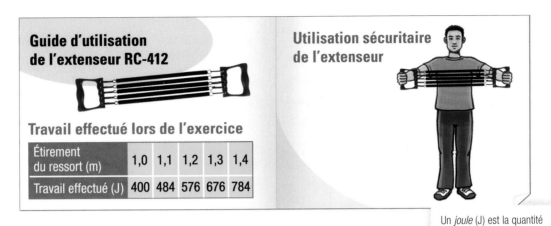

Guide d'utilisation de l'extenseur RC-412

Utilisation sécuritaire de l'extenseur

Travail effectué lors de l'exercice

Étirement du ressort (m)	1,0	1,1	1,2	1,3	1,4
Travail effectué (J)	400	484	576	676	784

Un *joule* (J) est la quantité d'énergie nécessaire pour déplacer un objet sur une distance de 1 m en exerçant une force de 1 N.

a) Tracez le graphique représentant le travail effectué (en joules) en fonction de l'étirement (en mètres).

b) Déterminez l'équation associée à ce graphique.

c) En pratique, il est plus facile de mesurer la longueur finale de l'extenseur plutôt que son étirement. Trouvez une nouvelle équation qui représenterait le travail en fonction de la longueur finale de l'extenseur si sa longueur initiale est de 30 cm.

7 Construisez le nuage de points associé à la table de valeurs ci-dessous, puis modélisez-le à l'aide d'une fonction quadratique en supposant que Y est directement proportionnel au carré de X. Tracez ensuite la courbe associée à ce modèle.

X	2	3	4	5	6	7	8	9	10	11
Y	10	30	45	80	90	140	175	205	270	350

8 Au cours d'un feu d'artifice, on mesure l'élévation d'une fusée après son lancement jusqu'à son explosion dans le ciel 5 s plus tard. Le nuage de points ci-dessous représente les données recueillies. On peut modéliser ce nuage de points par une fonction quadratique dont la règle est $h(t) = {-5}(t - 4{,}3)^2 + 93$.

a) Tracez le graphique de cette fonction.

À l'aide de ce modèle, répondez aux questions suivantes.

b) À quelle hauteur la fusée a-t-elle explosé?

c) Quelle a été la hauteur maximale atteinte par la fusée? À quel moment cette hauteur maximale a-t-elle été atteinte?

d) Que représente l'ordonnée à l'origine de cette fonction?

e) Si la fusée n'avait pas explosé, à quel moment serait-elle tombée sur le sol? Estimez-le à l'aide du graphique tracé en a).

Élévation d'une fusée

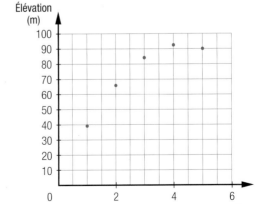

9 **PLUS VITE ET PLUS LOIN** Dans chacune des situations suivantes, déterminez le modèle qui représente le mieux les données en justifiant votre réponse. Répondez ensuite à la question posée dans chaque cas.

Situation 1 Amélioration du temps de course après l'augmentation du volume sanguin de deux unités.

Distance parcourue (km)	0,4	3,0	5,0	6,5	8,5	9,0	10,5	11,0
Amélioration du temps de course (s)	1	12	22	27	50	52	65	75

a) Quelle serait l'amélioration de la performance (en s) qu'apporterait une augmentation du volume sanguin de deux unités pour un marathonien, sachant que la distance du marathon est de 42,195 km ?

> Le dopage sanguin est l'usage prohibé de certaines méthodes ou substances visant à augmenter la quantité de globules rouges dans le sang. Il met en péril la santé des athlètes qui courent alors un risque accru de souffrir d'affections graves, y compris l'embolie cérébrale ou pulmonaire et la crise cardiaque.

Situation 2 Distance franchie par une balle de golf en fonction de la vitesse de la tête du bâton.

Vitesse de la tête du bâton (m/s)	20,2	34,7	36,1	44,4	50,0	58,3	63,9	66,7
Distance parcourue par la balle (m)	80	140	170	220	210	300	300	340

b) Jack Hamm détient le record de la plus longue distance parcourue par une balle de golf, soit 418,78 m. À quelle vitesse devait se déplacer la tête du bâton de Jack Hamm lorsqu'il a établi son record ?

> On appelle « quantité de mouvement » le produit de la masse d'un objet par sa vitesse. La quantité de mouvement est conservée lors des collisions entre deux corps. Puisque le bâton est plus lourd que la balle, celle-ci s'envolera à une vitesse supérieure à celle que possédait le bâton.

10 Une entreprise fabrique des petits parachutes de traction pour l'entraînement. Dans le guide d'instructions, elle fournit la règle suivante qui permet de calculer la force de résistance (en newtons) en fonction de la vitesse de course (en mètres par seconde): $F = 55v^2$.

a) Adaptez la règle de la fonction à la situation d'un coureur ou une coureuse faisant face à un vent de 27 km/h.

b) Adaptez la règle de la fonction à la situation d'une personne courant dos à un vent de 18 km/h.

c) Parmi les propriétés de la fonction, lesquelles sont modifiées lorsqu'on considère la vitesse du vent ?

11 Une goutte d'eau tombe au milieu d'un aquarium circulaire de 20 cm de diamètre. Une onde circulaire commence alors à se propager à la surface de celui-ci.

a) Déterminez l'équation de l'aire de la surface perturbée en fonction de la distance parcourue par l'onde.

b) Trouvez le domaine et l'image de cette fonction.

c) Déterminez l'équation qui représente la surface de l'eau non perturbée en fonction de la distance parcourue par l'onde.

d) Trouvez le domaine et l'image de cette nouvelle fonction.

12 La distance d'arrêt d'une voiture dépend de sa vitesse. Pour un temps de réaction moyen, on peut modéliser cette situation par l'équation $d = 0{,}005(v + 36)^2 - 6{,}48$, où v est la vitesse au début du freinage (en km/h) et d, la distance d'arrêt (en m).

a) Représentez cette fonction par une table de valeurs et un graphique.

b) Décrivez verbalement l'évolution de la distance d'arrêt selon la vitesse.

c) Déterminez le domaine et l'image de cette fonction.

d) Le sommet de la parabole représentant cette fonction est-il situé à (0, 0)? Justifiez votre réponse.

13 Une boule de 8 kg est lancée sur une surface plane horizontale à une vitesse initiale de 5 m/s. S'il n'y avait pas de frottement, la boule roulerait à la même vitesse sans jamais s'arrêter, mais le contact avec l'air et la surface la ralentit. Graduellement, elle perd son énergie cinétique. À tout moment, connaissant la vitesse de la boule, on peut déduire l'énergie qu'elle a perdue en raison du frottement. Il suffit d'utiliser la relation suivante:

> L'énergie cinétique est l'énergie que possède un corps en mouvement. Cette énergie ne dépend que de la masse du corps et de sa vitesse.

$E = 100 - 4v^2$, où v est la vitesse de la boule (en m/s) et E, l'énergie perdue (en J).

a) Selon le contexte, quelles valeurs peuvent prendre les variables v et E?

b) Tracez le graphique de cette fonction.

c) Dans ce contexte, que représente:

1) le zéro de cette fonction?   2) l'ordonnée à l'origine?

d) Qu'est-ce qui requiert le moins d'énergie: réduire la vitesse de la boule de 5 m/s à 4 m/s ou la réduire de 4 m/s à 3 m/s? Justifiez votre réponse.

14 Océane a assemblé des cubes en plastique. On constate que ces assemblages ne sont pas construits au hasard, mais forment une suite avec une régularité.

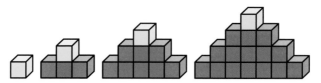

a) Déterminez la règle de la fonction qui permet de calculer:

1) le nombre de cubes dans le n^e assemblage;

2) le nombre de cubes bleus dans le n^e assemblage;

3) le nombre de cubes qui ne sont pas rouges dans le n^e assemblage.

b) Dans le même plan cartésien, représentez graphiquement ces trois fonctions.

c) Quelle transformation géométrique permet de passer:

1) du graphique de la première fonction à celui de la deuxième?

2) du graphique de la deuxième fonction à celui de la troisième?

3) du graphique de la première fonction à celui de la troisième?

d) Dessinez les quatre premiers assemblages d'une suite qui pourrait être associée à la fonction $f(n) = (n + 1)^2 + 3$.

15 Au badminton, ce n'est pas la vitesse ou la force maximale qui produit un rendement optimal. On cherche plutôt à maximiser la puissance de frappe. À la suite d'un exercice fait à différentes vitesses, un entraîneur a recueilli des données sur la puissance dégagée par un athlète. Il les a modelisées à l'aide d'une fonction quadratique.

Déterminez la règle de cette fonction.

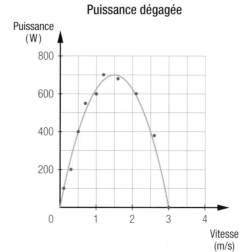

La *puissance* est l'énergie fournie par unité de temps. Un watt (W) correspond à une énergie de 1 joule pendant 1 seconde. On peut montrer que la puissance est aussi égale au produit de la force par la vitesse.

16 Une spécialiste en balistique étudie les impacts provoqués par différentes balles de carabine. Elle s'intéresse au volume de la déformation créée dans un bloc d'argile en fonction de la vitesse de la balle. Voici les données qu'elle a obtenues :

Impacts d'une balle

Vitesse (m/s)	Déformation (cm³)
270	30
310	40
380	60
440	80
510	100
540	120

La plupart des gilets pare-balles portés par les membres des services de police sont fabriqués en fibres aramides, tel le kevlar. Les chercheurs étudient actuellement la possibilité de remplacer ces fibres par une fibre naturelle, beaucoup plus souple et solide : le fil de trame produit par les araignées. Un tissu en fil d'araignée serait plus résistant que l'acier ou le kevlar.

a) Construisez le nuage de points correspondant à ces données.

b) À la limite, si la vitesse de la balle s'approchait de 0 m/s, que pourrait-on dire de la déformation ?

c) Peut-on dire que la déformation est proportionnelle à la vitesse de la balle ? Sinon, est-elle proportionnelle au carré de la vitesse ? Justifiez votre réponse.

d) Pour déterminer l'équation du modèle, la spécialiste décide de construire un nuage de points représentant la déformation en fonction du carré de la vitesse. Construisez ce nuage de points et tracez la droite qui le modélise le mieux compte tenu du contexte.

e) Quelle déformation produirait une balle de carabine se déplaçant à 800 m/s ?

17 Une équipe de quatre jeunes participe à une course à relais sur une distance de 80 m. Chaque coureur, autre que le premier, doit commencer à accélérer seulement lorsque le coureur précédent l'a rejoint. Pour modéliser la situation, on suppose que tous les coureurs maintiennent la même accélération qui est constante tout au long de leur parcours de 20 m. Dans ce cas, on peut modéliser la distance franchie (en m) par l'équipe selon le temps écoulé (en s) depuis le début de la course à l'aide d'une fonction définie par parties. La règle de cette fonction, lorsque le premier coureur est en action est $d(t) = 1,25t^2$.

a) Après combien de temps le deuxième coureur se mettra-t-il à courir ? Qu'en est-il du troisième et du quatrième coureur ?

b) Déterminez la règle donnant la valeur de $d(t)$ lorsque le deuxième coureur est en action.

c) Déterminez la règle donnant la valeur de $d(t)$ pour les deux derniers coureurs.

d) Représentez graphiquement cette fonction.

e) Décrivez les propriétés de cette fonction : domaine, image, croissance, décroissance, etc.

f) Selon ce modèle, quelle est la vitesse moyenne maintenue par cette équipe ?

Cette section est en lien avec la SAÉ 6.

PROBLÈME Deux amies, deux programmes

Annie et Samantha sont deux amies qui s'entraînent régulièrement au même gymnase. Les voilà toutes les deux sur les tapis roulants. Elles ont chacune programmé leur appareil pour un exercice d'une durée de 15 min.

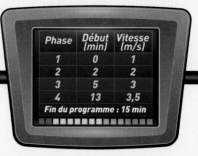

Phase	Début (min)	Vitesse (m/s)
1	0	1
2	2	2
3	5	3
4	13	3,5
Fin du programme : 15 min		

Le programme d'Annie est composé de quatre phases. Durant chacune des phases, la vitesse du tapis reste constante.

Accélération constante

	Vitesse (m/s)
Début	1
Fin	4
Durée : 15 min	

Le programme de Samantha fait augmenter la vitesse du tapis de façon continue, du début à la fin de l'entraînement, selon une accélération constante.

En supposant que les deux amies aient commencé leur programme en même temps, à quels moments Annie a-t-elle couru plus vite que Samantha ?

Huguette prend un taxi. Au cours du trajet, elle demande au chauffeur d'arrêter à la banque et de l'attendre. Le chauffeur l'informe que le compteur continuera à fonctionner durant son absence. Le prix affiché augmentera régulièrement par tranche de 0,10 $ et cela, 5 fois par minute.

Un taximètre est un compteur dit « horokilométrique » qui affiche la somme à payer en fonction du tarif de prise en charge du client, du kilométrage parcouru, du temps passé en attente et de la période de la journée où la voiture est utilisée.

1re partie : la règle

a. Combien l'arrêt à la banque coûtera-t-il à Huguette, si elle revient après :

1) 1,5 min   2) 2,4 min   3) $3\frac{3}{4}$ min   4) 5 min 20 s

Expliquez votre raisonnement.

Si *t* est la durée de l'attente (en min), alors le coût (en $) suit la règle $C(t) = 0,1[5t]$.

Dans cette équation, l'expression $[5t]$ se lit « partie entière de $5t$ ».

b. Selon vous, quelle est la signification de ce nouveau symbole utilisant des crochets ?

Donnez des exemples numériques pour illustrer votre explication. Comparez votre réponse avec celle de vos camarades.

2e partie : le graphique

c. Déterminez les valeurs de $C(t)$ pour :

1) $t = 0$ 2) $t = 0,1$ 3) $t = 0,19$ 4) $t = 0,199$ 5) $t = 0,2$

d. Représentez graphiquement cette fonction pour un temps d'attente variant de 0 à 1 min.

e. Le graphique de cette fonction a la forme d'un escalier. Que pouvez-vous dire de la longueur des marches et des contremarches ?

f. En quoi la situation et le graphique seraient-ils différents si la règle de la fonction était plutôt $C(t) = 0,05[10t]$?

Un thermomètre électronique est programmé de telle sorte qu'il indique toujours la température par un nombre entier. Si *x* est la température extérieure en degrés Celsius, le nombre affiché est donné par la fonction partie entière $f(x) = [x]$. Le graphique ci-dessous représente cette fonction.

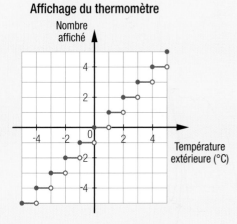

Affichage du thermomètre

a. Déterminez le domaine et l'image de *f*.

b. Quels nombres seront affichés pour indiquer les températures extérieures suivantes?

1) 2,95 °C   2) 12,3 °C

3) -1,27 °C   4) -15,725 °C

Pour obtenir une lecture plus juste de la température, on juge préférable de modifier la programmation du thermomètre pour que le nombre affiché soit donné par la fonction $g(x) = [x + 0,5]$.

c. Avec cette nouvelle fonction, quels nombres seront affichés pour les températures données en **b**?

d. Décrivez verbalement ce que fait la fonction *g*.

e. Représentez graphiquement cette fonction. Décrivez ensuite une transformation géométrique qui permet de passer du graphique de la fonction *f* à celui de la fonction *g*.

En sciences, il est parfois nécessaire de mesurer la température en kelvins. On pourrait afficher une approximation de cette mesure en utilisant la fonction $h(x) = [x + 0,65] + 273$.

f. En quoi le graphique de la fonction *h* est-il différent de celui des fonctions *g* et *f*?

> L'origine de l'échelle thermométrique de Kelvin, le 0 K, équivalant à -273,15 °C, est appelé le zéro absolu. C'est la température la plus basse qui puisse théoriquement exister, et qui serait idéalement atteinte lorsque cesserait toute agitation moléculaire. Rien dans l'univers n'atteint cette température.

ACTIVITÉ 3 — Un problème qui demande réflexion !

Voici quatre fonctions dont les règles ne diffèrent que par les signes des nombres qu'elles contiennent.

1 $f_1(x) = 2\left[\dfrac{1}{3}x\right]$ **2** $f_2(x) = -2\left[\dfrac{1}{3}x\right]$ **3** $f_3(x) = 2\left[-\dfrac{1}{3}x\right]$ **4** $f_4(x) = -2\left[-\dfrac{1}{3}x\right]$

a. Associez chacune de ces fonctions à l'un des graphiques ci-dessous.

A
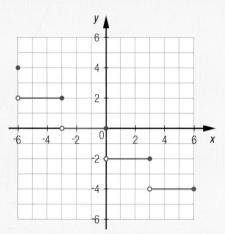

B
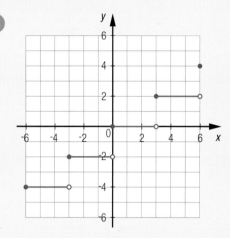

C
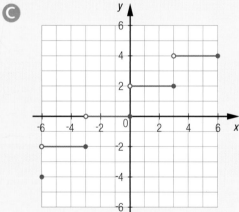

D
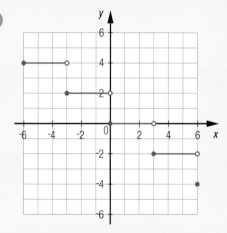

b. Quelle transformation géométrique permet de passer du graphique de f_1 à celui de :

1) f_2 2) f_3 3) f_4

c. Dans la règle d'une fonction de la forme $f(x) = a[bx]$, quels doivent être les signes des paramètres a et b pour que la fonction soit croissante ? Justifiez votre réponse.

d. Voici une autre fonction utilisant le symbole de la partie entière : $g(x) = 3 - \left[2\left(x - \dfrac{1}{2}\right)\right]$. Cette fonction est-elle croissante ou décroissante ? Justifiez votre réponse.

e. Résumez dans vos mots le rôle des paramètres a, b, h et k dans une fonction de la forme $f(x) = a[b(x - h)] + k$.

Une calculatrice graphique permet d'afficher simultanément dans un même plan cartésien les courbes de deux fonctions.

Voici une exploration qui permet d'observer les effets des paramètres a, b, h et k dans la représentation graphique d'une fonction dont la règle s'écrit sous la forme canonique $f(x) = a[b(x - h)] + k$.

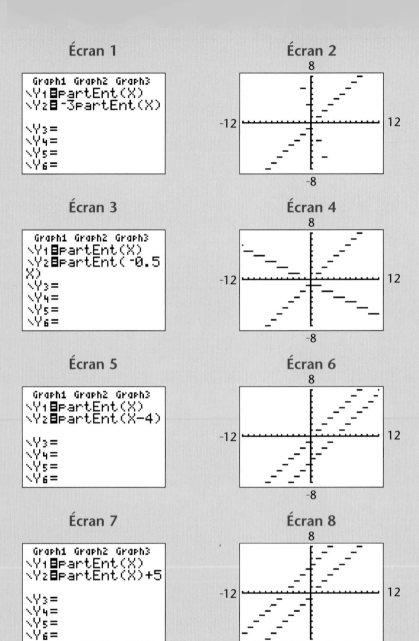

Écran 1

```
Graph1 Graph2 Graph3
\Y1 PartEnt(X)
\Y2 -3PartEnt(X)

\Y3=
\Y4=
\Y5=
\Y6=
```

Écran 2

Écran 3

```
Graph1 Graph2 Graph3
\Y1 PartEnt(X)
\Y2 PartEnt(-0.5
X)
\Y3=
\Y4=
\Y5=
\Y6=
```

Écran 4

Écran 5

```
Graph1 Graph2 Graph3
\Y1 PartEnt(X)
\Y2 PartEnt(X-4)

\Y3=
\Y4=
\Y5=
\Y6=
```

Écran 6

Écran 7

```
Graph1 Graph2 Graph3
\Y1 PartEnt(X)
\Y2 PartEnt(X)+5

\Y3=
\Y4=
\Y5=
\Y6=
```

Écran 8

a. Quel paramètre est modifié :

1) à l'écran **1** ?

2) à l'écran **3** ?

3) à l'écran **5** ?

4) à l'écran **7** ?

b. Qu'est-ce qui distingue les fonctions partie entière :

1) à l'écran **2** ?

2) à l'écran **4** ?

3) à l'écran **6** ?

4) à l'écran **8** ?

c. Quel est l'effet produit dans la représentation graphique d'une fonction partie entière écrite sous forme canonique lorsque :

1) la valeur de a s'éloigne de plus en plus de zéro ?

2) la valeur de b s'éloigne de plus en plus de zéro ?

3) la valeur de h s'éloigne de plus en plus de zéro ?

4) la valeur de k s'éloigne de plus en plus de zéro ?

d. Affichez la représentation graphique associée aux expressions ci-contre et décrivez les changements observés en comparant les deux fonctions partie entière.

```
Graph1 Graph2 Graph3
\Y1 PartEnt(X)
\Y2 -2PartEnt(0.
2X-4)-5
\Y3=
\Y4=
\Y5=
\Y6=
```

savoirs 2.3

MODÉLISATION À L'AIDE D'UNE FONCTION EN ESCALIER

Une **fonction en escalier** est une fonction qui est constante sur des intervalles et qui varie brusquement à certaines **valeurs critiques** de la variable indépendante.

Le graphique de cette fonction est constitué de segments horizontaux. Dans cette représentation, il importe de bien déterminer l'image des valeurs critiques en indiquant si les extrémités des segments appartiennent ou non au graphique.

Ex.:

Un technicien travaille à un taux horaire de 20 $. Après 8 h de travail dans une journée, il reçoit 30 $/h pour les heures supplémentaires. S'il travaille plus de 12 h, il est alors payé 40 $/h. Il peut travailler au maximum 16 h par jour.

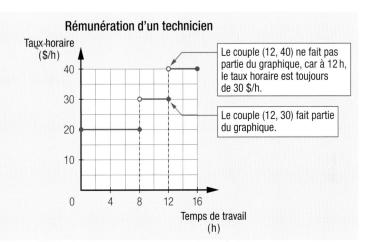

Rémunération d'un technicien

Le couple (12, 40) ne fait pas partie du graphique, car à 12 h, le taux horaire est toujours de 30 $/h.

Le couple (12, 30) fait partie du graphique.

Fonction partie entière ou fonction du plus grand entier

C'est une fonction en escalier dont la règle est $f(x) = [x]$.

L'expression $[x]$ signifie « le plus grand entier inférieur ou égal à x ».

Ex.: 1) $[\pi] = 3$ 2) $\left[\dfrac{7}{4}\right] = \left[1\dfrac{3}{4}\right] = 1$ 3) $[-2,1] = -3$ 4) $[-2] = -2$

Voici différentes descriptions de cette fonction:

Description verbale

C'est une fonction en escalier, définie pour tous les nombres réels. Les valeurs critiques sont les nombres entiers, qui sont identiques à leur propre image. Dans l'intervalle entre deux nombres entiers successifs, la fonction prend la valeur de la borne inférieure.

Table de valeurs

x	$f(x)$
[-3, -2[	-3
[-2, -1[	-2
[-1, 0[	-1
[0, 1[	0
[1, 2[	1
[2, 3[	2

Graphique

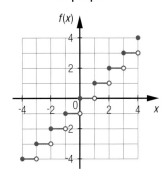

Fonction partie entière transformée

La règle de cette fonction peut s'exprimer sous la **forme canonique** $f(x) = a[b(x - h)] + k$, où $a \neq 0$ et $b \neq 0$.

Les paramètres a, b, h et k sont des nombres réels. Chacun de ces paramètres joue un rôle dans la représentation graphique de la fonction.

- La fonction de base ($a = b = 1$; $h = k = 0$)

- Une augmentation (une diminution) de a provoque un étirement (une contraction) vertical du graphique.

- Une augmentation (une diminution) de b provoque une contraction (un étirement) horizontale du graphique.

Ex. :
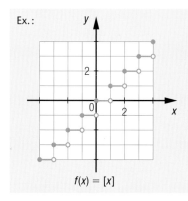
$f(x) = [x]$

Ex. :
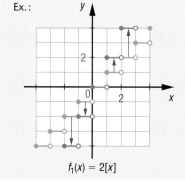
$f_1(x) = 2[x]$

Ex. :
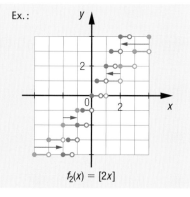
$f_2(x) = [2x]$

- Un changement de signe de a provoque une réflexion par rapport à l'axe des abscisses.

- Un changement de signe de b provoque une réflexion par rapport à l'axe des ordonnées.

- Les paramètres h et k sont associés à une translation horizontale de h unités et verticale de k unités.

Ex. :
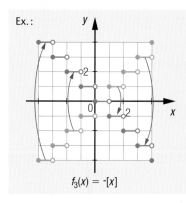
$f_3(x) = \text{-}[x]$

Ex. :
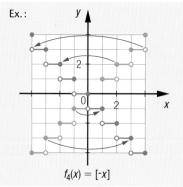
$f_4(x) = [\text{-}x]$

Ex. :
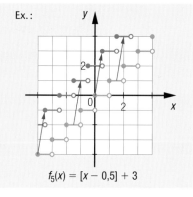
$f_5(x) = [x - 0,5] + 3$

Propriétés d'une fonction en escalier

Les fonctions en escalier ont ceci de particulier que leur image est toujours un ensemble discret.

Ex. : Voici quelques propriétés de la fonction $f(x) = 2[x] - 2$:

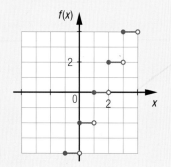

- Domaine de f : $\mathbb{R}$.
  Image de f : $\{..., \text{-}4, \text{-}2, 0, 2, 4, ...\}$.

- La fonction est croissante.

- L'ordonnée à l'origine est -2.

- Les zéros de f sont tous les nombres dans l'intervalle $[1, 2[$.

- La fonction est positive dans l'intervalle $[1, +\infty[$ et négative dans l'intervalle $]\text{-}\infty, 2[$.

1 Le graphique ci-dessous indique le nombre de coureurs qui précèdent Alex durant une course de 100 m selon la distance qu'il a parcourue.

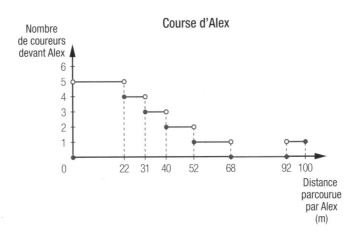

Course d'Alex

Nombre de coureurs devant Alex (axe vertical : 1, 2, 3, 4, 5, 6)

Distance parcourue par Alex (m) (axe horizontal : 0, 22, 31, 40, 52, 68, 92, 100)

a) Dans ce contexte, que représentent les valeurs critiques du graphique?

b) Quelle est la position d'Alex à la mi-course? à la fin de la course?

c) Quel est l'intervalle de décroissance de cette fonction?

d) Quels sont les zéros de cette fonction? Interprétez ces zéros selon le contexte.

e) Pensez-vous qu'Alex a eu un bon départ dans cette course? Expliquez votre point de vue.

2 Gabriel est en retard à son cours. Il s'élance dans l'escalier et grimpe les marches deux à deux à une vitesse constante. Il lui faut exactement 2,4 s pour passer du pied de l'escalier (marche 0) au palier du haut de l'escalier, la 16ᵉ marche. Soit *f*, la fonction qui permet de déterminer le rang de la dernière marche atteinte selon le temps écoulé en secondes.

a) Déterminez le domaine et l'image de *f*.

b) Quelles sont les valeurs critiques de cette fonction?

c) Représentez cette fonction de trois façons:

   1) par une table de valeurs;

   2) par un graphique;

   3) par une équation.

d) Quelle était la dernière marche atteinte après 1 s? après 2 s?

3 Les taux d'imposition des différents gouvernements varient généralement par paliers. Plus le revenu imposable est important, plus le taux d'imposition est élevé. À titre d'exemple, voici à quoi ressemble la structure de ces taux au Québec.

Structure des taux

Revenu imposable		Taux d'imposition
supérieur à...	sans excéder...	
0 $	30 000 $	16 %
30 000 $	60 000 $	20 %
60 000 $	–	24 %

Le revenu imposable est le revenu obtenu après avoir soustrait toutes les déductions admissibles.

Pour bien interpréter ce tableau, il faut comprendre qu'une personne ayant un revenu imposable de 80 000 $ paiera 16 % d'impôt sur les premiers 30 000 $ de revenu imposable, 20 % sur les 30 000 $ suivants et enfin, 24 % sur les 20 000 $ restants.

a) Représentez graphiquement le taux d'imposition en fonction du revenu imposable.

b) Calculez l'impôt que l'on doit payer au Québec sur un revenu imposable de 80 000 $. À quel concept géométrique correspond cette valeur dans le graphique tracé en a)?

c) Calculez l'impôt à payer sur un revenu imposable de 10 000 $, de 20 000 $, de 30 000 $, etc., jusqu'à un revenu imposable de 70 000 $.

d) Utilisez les valeurs trouvées en c) pour représenter graphiquement l'impôt à payer en fonction du revenu imposable.

e) Quel est le taux de variation associé à chacun des segments du graphique tracé en d)?

4 Mathias participe à un triathlon. Le graphique ci-contre représente les vitesses qu'il voudrait maintenir durant les trois épreuves de la course, dans l'ordre: la natation, le cyclisme sur route et la course à pied.

a) D'après ce graphique, quelle distance parcourra-t-il à la nage, en vélo et à la course à pied?

b) Durant la course, après 1 h, il a parcouru au total 29,5 km. Est-il en avance ou en retard sur son objectif?

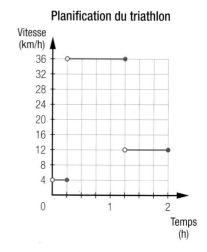

Planification du triathlon

5 Déterminez la valeur des expressions suivantes.

a) $[\sqrt{3}]$
b) $[-\sqrt{3}]$
c) $[\sqrt{3} + 0,5]$
d) $[10\sqrt{3}]$
e) $0,1[10\sqrt{3} + 0,5]$

6 Les fonctions ci-dessous sont toutes de la forme $f(x) = a[bx]$.

a) $f_1(x) = 2\left[\dfrac{x}{4}\right]$ b) $f_2(x) = -[0{,}5x]$ c) $f_3(x) = -3[-x]$ d) $f_4(x) = \left[-\dfrac{x}{2}\right]$

Pour chacune d'elles, effectuez les tâches suivantes.

1) En tenant compte des paramètres a et b, déterminez la longueur que devraient avoir les marches et les contremarches.

2) Indiquez si la fonction est croissante ou décroissante.

3) Indiquez si les segments sont ouverts à droite (•———○) ou à gauche (○———•).

4) Tracez le graphique de la fonction dans l'intervalle [-4, 4].

7 Le domaine de la fonction $f(x) = -2\left[\dfrac{x}{4}\right] + 6$ est restreint à l'intervalle [0, 20].

a) Représentez cette fonction à l'aide d'une table de valeurs et d'un graphique.

b) Déterminez les propriétés suivantes de cette fonction :

    1) l'image ;   2) le minimum ;   3) le maximum ;   4) l'ensemble des zéros.

c) Cette fonction est-elle croissante ou décroissante ?

d) Analysez le signe de cette fonction.

8 En tenant compte de la variation des paramètres des fonctions ci-dessous, indiquez les transformations géométriques qui permettent d'associer le graphique de la première fonction à celui de la deuxième. Utilisez ensuite cette information pour tracer le graphique de la deuxième fonction.

a) De $f_1(x) = [x]$ à $f_2(x) = 3[x]$

b) De $f_2(x) = 3[x]$ à $f_3(x) = -3[x]$

c) De $f_3(x) = -3[x]$ à $f_4(x) = -3[0{,}5x]$

d) De $f_4(x) = -3[0{,}5x]$ à $f_5(x) = -3[0{,}5x] + 4$

9 Déterminez la règle de chacune des fonctions représentées par les graphiques suivants.

a) 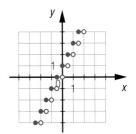   b) 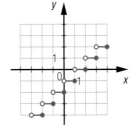   c)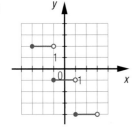

10 À l'épreuve du 1500 m nage libre, on doit compléter 30 longueurs de piscine. Un nageur voudrait réaliser cette épreuve en 18 min. En supposant que sa vitesse est constante, le nombre de longueurs qu'il devra avoir complétées après t min est donné par la fonction $L(t) = \left[\dfrac{5t}{3}\right]$.

a) Déterminez le domaine et l'image de cette fonction.

b) Représentez graphiquement cette fonction pour les 3 premières minutes de nage.

c) Combien de longueurs le nageur aura-t-il complétées après :

  1) 2 min   2) 10 min   3) 12 min

d) Dans quel intervalle de temps, le nombre de longueurs complétées sera-t-il de 25 ?

e) Si la course se déroulait dans un petit bassin de 25 m de longueur, quelle serait alors la règle de la fonction L ? En quoi le graphique tracé en b) serait-il modifié ?

11 Catherine est née un 29 février.
Quelle fonction représente le nombre d'anniversaires qu'elle a célébrés selon le nombre de jours écoulés depuis sa naissance ?

> Le premier 29 février de l'histoire est celui de 1584, première année bissextile du calendrier grégorien adopté en 1582. L'ancien calendrier, le calendrier julien, ajoutait un jour « bis » tous les 4 ans, entre le 24 et le 25 février.

12 Répondez aux questions suivantes en utilisant au besoin le symbole « [ ] » de partie entière.

a) Parmi les nombres naturels non nuls, combien y a-t-il de multiples de 7 inférieurs ou égaux à :

  1) 50   2) 100   3) 1000   4) n

b) Quel est le reste de la division par 7 de :

  1) 50   2) 100   3) 1000   4) n

13 Il existe différentes façons de trouver l'approximation d'un nombre à l'unité près. Par exemple :

Nombre	Troncature	Approximation par défaut	Approximation par excès	Arrondissement
2,1	2	2	3	2
2,9	2	2	3	3
-2,1	-2	-3	-2	-2
-2,9	-2	-3	-2	-3

a) Quel type d'approximation correspond à la fonction partie entière ?

b) Représentez graphiquement le résultat de chacun des autres types d'approximations pour des nombres allant de -3 à 3.

c) Deux des trois graphiques tracés en b) correspondent à des fonctions partie entière transformées. Déterminez l'équation associée à chacun de ces deux graphiques.

14 Observez la suite d'opérations ci-dessous.

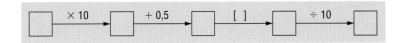

a) Quels résultats obtient-on en débutant la suite avec les nombres -2,36 et 4,83 ?

b) Déterminez la règle de la fonction qui associe le premier nombre de cette suite au dernier.

c) Déterminez la règle de la fonction qui permet d'arrondir un nombre :

   1) au centième près ;   2) à la dizaine près ;   3) à la position de valeur 10^n.

15 Dans une rue commerciale, le tarif des parcomètres est de 0,25 $ par 20 min de stationnement. On peut y mettre de l'argent pour un maximum de 2 h.

a) Combien d'argent doit-on y introduire, si l'on prévoit s'absenter 45 min ?

b) La somme qu'on doit mettre dans le parcomètre est fonction du temps d'absence. Représentez graphiquement cette fonction.

c) Déterminez le domaine et l'image de cette fonction.

d) Quelle est la règle de cette fonction ?

En 2007, on recensait plus de 16 000 places de stationnement tarifées dans les rues de Montréal.

16 Une entreprise de téléphonie cellulaire offre le service d'appel vidéo à 0,20 $ la minute, facturé à la seconde. Leur publicité indique qu'un appel de moins de 3 s ne coûte rien, car le coût de l'appel est alors inférieur à 0,01 $.

a) Sachant que toute fraction de cent (¢) n'a pas à être payée, combien coûte un appel de :

1) 30 s   2) 40 s   3) 2 min   4) 3 min 10 s

Pour modéliser le coût d'un appel en fonction de sa durée (en s),
Léonie utilise la fonction affine $C(t) = 0,2\left(\dfrac{t}{60}\right)$.

b) Que pensez-vous de la fonction utilisée par Léonie ? Cette fonction représente-t-elle adéquatement la situation ? Expliquez votre point de vue.

c) Représentez graphiquement le coût réellement payé pour des durées d'appel inférieures ou égales à 15 s. En utilisant une couleur différente, tracez également la droite associée à la fonction établie par Léonie. Que remarquez-vous ?

d) Quelle est la règle de la fonction qui permet de déterminer précisément le coût d'un appel (en $) selon sa durée (en s) ?

17 On sait qu'un nombre décimal contient deux parties : une partie entière et une partie fractionnaire. Par exemple :

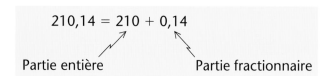

On peut constater que la partie fractionnaire correspond à $210,14 - [210,14]$.

En généralisant ce concept à tous les nombres, on peut définir la fonction suivante :

Partie fractionnaire de $x = x - [x]$

a) Quelle est la partie fractionnaire des nombres suivants ?

1) 3,14   2) π 3) 5   4) $\dfrac{16}{7}$ 5) $-\dfrac{16}{7}$

b) La partie fractionnaire d'un nombre est-elle toujours un nombre rationnel ? Justifiez votre réponse.

c) Représentez graphiquement cette fonction.

d) Analysez le signe de cette fonction.

e) Quels sont les zéros de cette fonction ?

18 **GAUSS** Le symbole «[ ]» utilisé pour représenter la partie entière d'un nombre a été introduit au XIXe siècle par le mathématicien Carl Friedrich Gauss pour démontrer certaines propriétés arithmétiques.

Porro existente x quantitate quacunque non integra. per signum $[x]$ exprimemus integrum ipsa x proxime minorem, ita ut $x - [x]$ semper fiat quantitas positiva intra limites 0 et 1 sita. Levi iam negotio relationes sequentes evolventur :

I. $[x] + [^-x] = ^-1$.

II. $[x] + h = [x + h]$, quoties h est integer.

III. $[x] + [h - x] = h - 1$.

IV. Si $x - [x]$ est fractio minor quam $\frac{1}{2}$, erit $[2x] - 2[x] = 0$:

si vero $x - [x]$ est major quam $\frac{1}{2}$, erit $[2x] - 2[x] = 1$.

> Ce texte est écrit en latin, langue qui a été longtemps utilisée, entre autres, par les scientifiques pour communiquer entre eux.

Voici une traduction libre du passage où Gauss utilise ce symbole pour la première fois :

Pour toute quantité quelconque x non entière, par le symbole $[x]$ nous désignons l'entier qui est le plus près sous la valeur de x, de sorte que $x - [x]$ est toujours une quantité positive entre les limites 0 et 1. Nous pouvons alors déduire la suite de relations suivantes :

I. $[x] + [^-x] = ^-1$;

II. $[x] + h = [x + h]$, toutes les fois que h est un entier ;

III. $[x] + [h - x] = h - 1$;

IV. Si $x - [x]$ est une fraction inférieure à $\frac{1}{2}$, on aura $[2x] - 2[x] = 0$;

si au contraire $x - [x]$ est supérieur à $\frac{1}{2}$, on aura $[2x] - 2[x] = 1$.

a) Donnez des exemples pertinents illustrant chacune de ces propriétés.

b) Gauss a défini ce symbole pour des valeurs non entières de x. Lesquelles de ces quatre propriétés ne sont plus vraies si l'on accepte que x soit un nombre entier ?

19 À la manière d'une mathématicienne, Judith a énoncé une conjecture concernant la partie entière. Elle l'a vérifiée avec plusieurs nombres et elle est convaincue que sa conjecture est vraie.

La conjecture de Judith :

Quelles que soient les valeurs de a et b, si [a] = [b] alors [a − b] = 0.

a) Malheureusement, telle que formulée, sa conjecture est fausse. Prouvez-le.

b) Modifiez la conjecture de Judith pour qu'elle devienne vraie.

Chronique du
passé

Isaac Newton

Son enfance

Isaac Newton
(1642-1727)

Isaac Newton est né à Woolsthorpe (Angleterre), le 25 décembre 1642 selon le calendrier julien alors en vigueur dans ce pays. Orphelin de père, il a été élevé par ses grands-parents, chez lesquels il dira plus tard avoir passé une enfance plutôt malheureuse. À l'école, il ne démontre aucun talent particulier, mais un oncle insiste pour qu'il aille à l'université. Il entre donc à l'Université de Cambridge à l'âge de 18 ans. C'est là qu'il découvrira sa passion pour la physique et les mathématiques.

> En Angleterre, le calendrier grégorien, notre calendrier actuel, n'a été instauré qu'en 1752.

Ses premières découvertes

En 1665, une épidémie de peste sévit à Londres et l'université doit fermer temporairement. Newton retourne à Woolsthorpe, où il entreprend des recherches sur la lumière. Il découvre que la lumière blanche est un mélange de différentes couleurs. En mathématiques, il invente la *méthode des fluxions*. Cette méthode est à l'origine de ce que nous appelons aujourd'hui le calcul différentiel, une branche des mathématiques qui permet d'analyser la variation des fonctions. C'est aussi durant cette période, selon la légende, que Newton, assis sous un pommier et observant la lune dans le ciel, voit une pomme tomber. Il comprend alors soudainement que la force qui unit les corps célestes entre eux est la même que celle qui attire la pomme vers la Terre.

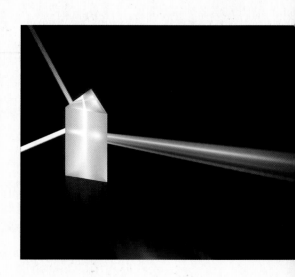

1. Selon la terminologie employée par Newton, la *fluxion* d'une variable quelconque y, notée $\dot{y}$, est le taux de changement de cette variable par rapport au temps écoulé. À l'aide de la *méthode des fluxions,* il est possible de démontrer la propriété suivante.

> Si la distance parcourue par un objet est proportionnelle au carré du temps, soit $d = at^2$, alors la fluxion de d, qui est la vitesse de cet objet, sera donnée par l'équation $\dot{d} = 2at$.

a) Une boule qu'on laisse tomber du haut d'une tour aura parcouru environ 4,9 m à la fin de la première seconde de sa chute. Quelle sera sa vitesse à ce moment précis ?

b) Déterminez la distance parcourue par la boule et sa vitesse à 2 s et à 3 s. Tracez ensuite les graphiques de ces deux variables en fonction du temps.

c) Le symbole $\ddot{d}$ représente la fluxion de la fluxion de d. À quoi cela correspond-il dans cette situation ?

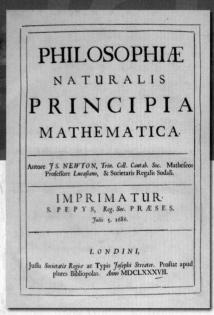

Son œuvre maîtresse

En 1669, Newton devient professeur à Cambridge. Il le restera pendant plus de 25 ans. En 1687, il publie en latin son œuvre maîtresse, *Philosophiæ naturalis principia mathematica,* dans laquelle il explique et démontre plusieurs lois de la nature. On y trouve, entre autres, le lien existant entre la force et l'accélération exercée sur un corps, le comportement des corps en mouvement, l'explication des marées, ainsi que la fameuse loi universelle de la gravitation qui peut s'énoncer ainsi : « Deux corps s'attirent avec une force qui est directement proportionnelle à leur masse et inversement proportionnelle au carré de la distance qui les sépare. »

La fin de sa vie

Newton continue ses recherches sur une multitude de sujets jusqu'au début du XVIIIe siècle. Anobli par la royauté, célèbre à travers le monde, considéré par plusieurs à l'égal d'Archimède comme l'un des plus grands génies de l'histoire de l'humanité, il meurt le 20 mars 1727. Son corps est inhumé à l'abbaye de Westminster aux côtés des rois d'Angleterre.

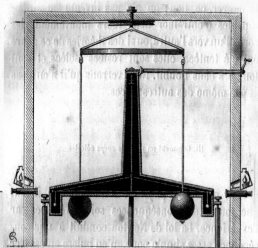

2. La loi universelle de gravitation peut s'exprimer à l'aide d'une équation.

$$F = G \frac{m_1 m_2}{d^2}$$

où F est la force de gravitation (en N) ; m_1 et m_2 sont les masses des corps (en kg) ; d est la distance entre le centre de gravité de ces deux corps (en m) ; G est une constante (en Nm²/kg²).

Illustration de l'appareil de lord Cavendish

Newton avait découvert que F est proportionnelle à $\frac{m_1 m_2}{d^2}$, mais il n'avait aucun moyen de déterminer précisément la valeur du coefficient de proportionnalité G. En 1798, lord Henry Cavendish réussit à mesurer ce coefficient en laboratoire à l'aide d'un appareil très sophistiqué.

Le tableau ci-contre présente des données que l'on pourrait obtenir avec un appareil semblable à celui de Cavendish.

a) Estimez le coefficient G à l'aide de ces données.

b) Sachant qu'un objet de 10 kg à la surface de la Terre subit une force gravitationnelle d'environ 98 N, estimez la masse de la Terre.

Forces obtenues

m_1	m_2	d	F
0,015	1,5	0,046	$7,1 \times 10^{-10}$
0,030	1,5	0,046	$1,4 \times 10^{-9}$
0,030	2,0	0,046	$1,7 \times 10^{-9}$
0,030	2,0	0,034	$3,3 \times 10^{-9}$
0,045	2,5	0,040	$4,7 \times 10^{-9}$

Les astrophysiciens

Un vaste domaine d'étude

L'astrophysique étudie les phénomènes célestes de l'univers pour expliquer leur origine, leurs propriétés et leur évolution. C'est une discipline qui exige une grande maîtrise des mathématiques.

La découverte des galaxies

Henrietta Swan Leavitt
(1868-1921)

Au début du XXᵉ siècle, l'univers connu se limitait à notre galaxie : la Voie lactée. Henrietta Leavitt, astronome américaine, a découvert, répertorié et étudié un groupe d'étoiles à luminosité variable provenant du Petit nuage de Magellan, les céphéides. Ce sont ses travaux qui ont permis à Edwin Hubble de démontrer, en 1925, que la nébuleuse d'Andromède était en fait une galaxie distincte de la nôtre.

> La *luminosité* mesure la quantité totale d'énergie lumineuse émise par un objet chaque seconde. On exprime généralement la luminosité des astres en luminosité solaire, notée $L_\odot$. Par exemple, la luminosité de l'étoile Altaïr est de 13 $L_\odot$, sa luminosité étant 13 fois celle du Soleil.

L'univers en expansion

En 1929, Hubble tente de mesurer la vitesse des galaxies les unes par rapport aux autres. En étudiant un échantillon de 46 galaxies, il découvre que plus celles-ci sont situées loin de nous, plus elles s'éloignent rapidement. C'est la loi de Hubble. Comment expliquer ce phénomène ? L'hypothèse la plus simple est de supposer que l'univers est en expansion comme un immense ballon qui se gonfle. En effet, si on souffle dans un ballon, on peut constater que deux points rapprochés sur sa surface s'écartent moins vite l'un de l'autre que deux autres points plus éloignés.

Petit nuage de Magellan

Le big bang, une explication à l'expansion de l'univers

D'après cette théorie, il y a environ 15 milliards d'années, toute la matière de l'univers était concentrée dans un point, infiniment dense et infiniment petit, qui a pris de l'expansion pour donner lieu à l'univers que nous connaissons aujourd'hui. Cela dit, on s'interroge encore sur le futur de l'univers. Continuera-t-il son expansion indéfiniment ou finira-t-il par s'effondrer sur lui-même sous l'effet de sa propre masse, comme l'affirme la théorie du *big crunch* ?

Les enjeux en astrophysique portent encore sur des questions aussi fondamentales que la densité, l'âge et la grandeur de l'univers. La précision des instruments modernes a aussi ouvert la porte à la recherche de planètes extérieures au système solaire. Elles pourraient, qui sait, abriter la vie...

1. Le tableau ci-dessous présente quelques mesures obtenues par Hubble concernant différentes galaxies.

a) Tracez le nuage de points associé aux données.

b) Modélisez ce nuage de points à l'aide d'une fonction.

c) À partir de ce modèle, estimez la vitesse à laquelle une galaxie se trouvant à 500 Mpc de notre système solaire s'éloigne de nous.

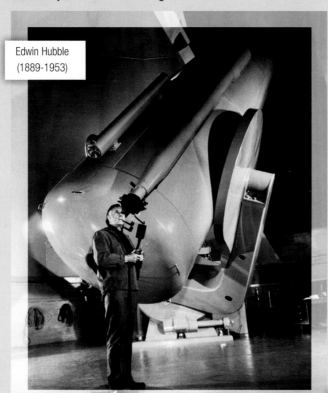

Edwin Hubble
(1889-1953)

Distance (Mpc)	Vitesse d'éloignement (km/s)
1,0	740
1,4	755
1,6	730
1,9	950
3,4	2 120
6,9	4 520
7,4	3 420
9,1	4 800
11,2	5 150
13,8	7 320
21,6	11 710
32,7	19 510

Mpc signifie « mégaparsec », soit 1 million de parsecs.
1 parsec = 3,26 années-lumière.

2. Vues de la Terre, deux étoiles peuvent avoir la même intensité sans nécessairement avoir la même luminosité. Une étoile proche de faible luminosité peut avoir la même intensité qu'une étoile lointaine de forte luminosité. Le tableau ci-dessous présente le rapport luminosité/intensité de 10 étoiles parmi les plus proches de la Terre.

L'*intensité* d'une étoile est une mesure de la lumière qui arrive sur la Terre en provenance de cette étoile. On peut définir l'intensité de tous les astres en pourcentage de l'intensité de Sirius, l'étoile la plus brillante du ciel après le Soleil. Cette unité de mesure est le sirius (sir). L'étoile Bételgeuse, par exemple, a une intensité de 0,18 sir. Vue de la Terre, elle brille donc à une intensité égale à 18 % de celle de Sirius.

a) Tracez le nuage de points associé à ces données.

b) Quelle fonction permet le mieux de les modéliser ? Justifiez votre réponse.

c) Une céphéide a une luminosité de 20 000 $L_\odot$ et une intensité de $7,8 \times 10^{-9}$ sir. Notre galaxie a un rayon de 50 000 années-lumière. Cette céphéide fait-elle partie de notre galaxie, la Voie lactée ?

Étoile	Distance (années-lumière)	Luminosité/Intensité ($L_\odot$/sir)
Alpha du Centaure A	4,3	8,8
Barnard	5,9	19,3
Wolf 359	7,6	28,9
Lalande 21185	8,1	31,9
Sirius A	8,7	38,0
Luyten 726-8 A	8,9	38,0
Ross 154	9,4	43,3
61 du cygne A	11,2	63,6
Epsilon de l'indien	11,2	66,7
Procyon A	11,6	69,2

vue d'ensemble

1 Nicolas et Carla sont assis sur un banc à 2 m l'un de l'autre. Sans que rien n'y paraisse, Nicolas s'approche graduellement de Carla. Voici deux situations qui peuvent se présenter:

1re situation
Chaque minute, Nicolas se déplace vers Carla de la moitié de la distance qui les sépare.

2e situation
Chaque minute, Nicolas se déplace de 20 cm en direction de Carla.

a) Déterminez pour chaque situation, à quelle distance de Carla se trouvera Nicolas après:
   1) 1 min
   2) 2 min
   3) 3 min
   4) 5 min

b) La première situation peut être modélisée à l'aide d'une fonction dont la règle est
   $d(t) = 2\left(\dfrac{1}{2}\right)^t$, où t est le temps écoulé (en min) et $d(t)$, la distance qui les sépare (en m).
   Tracez le graphique de cette fonction.

c) Par quelle fonction peut-on représenter la deuxième situation? Déterminez la règle, puis tracez le graphique.

d) Comparez ces deux fonctions en indiquant en quoi leurs propriétés (domaine, image, croissance ou décroissance, extremums, coordonnées à l'origine, signes) sont semblables ou différentes.

e) Dans chacune des situations, à quel moment Nicolas et Carla se toucheront-ils?

2 **CÉPHÉIDES** Les céphéides sont des étoiles particulières puisque leur magnitude varie périodiquement. Le graphique ci-dessous présente un modèle de la variation de la magnitude d'une céphéide en fonction du temps.

La *magnitude* d'un objet rend compte de sa brillance. L'astronome Hipparque (IIe s. av. J.-C.) a créé cette échelle où plus l'objet est brillant, plus sa magnitude est faible. Par exemple, le Soleil est l'objet le plus brillant et a une magnitude de -26,9, tandis que les objets les moins brillants visibles à l'œil nu ont une magnitude de 6.

a) Décrivez le plus précisément possible cette fonction à l'aide de ses propriétés.

b) Combien de zéros possède cette fonction et que représentent-ils?

c) Combien de temps sépare deux moments de magnitude maximale pour cette étoile?

d) D'après le nuage de points, à quel moment l'étoile est-elle apparue la plus brillante dans le ciel?

Variation de la magnitude d'une céphéide

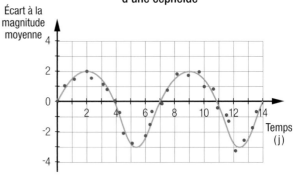

3 Pablo a représenté deux fonctions quadratiques *f* et *g*.

a) Déterminez l'équation de ces fonctions.

b) Pour quelles valeurs de *x*, la fonction *g* est-elle supérieure à la fonction *f* ?

c) Décrivez la suite de transformations géométriques qui permet d'appliquer la parabole *f* sur la parabole *g*.

d) Existe-t-il un lien entre cette suite de transformations et les paramètres des deux fonctions ?

e) Dans quel intervalle les deux fonctions sont-elles croissantes simultanément ?

f) Faites ressortir les différences dans les propriétés de ces deux fonctions.

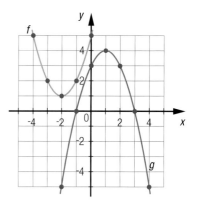

4 Pour plusieurs entreprises de livraison, le coût d'un envoi (en $) dépend de la masse du colis (en kg). Le graphique suivant représente cette situation chez STU.

a) Quelle pourrait être la masse d'un colis dont la livraison coûte 5 $?

b) Quel est le coût de livraison le plus avantageux : celui de deux colis de 2 kg chacun ou celui d'un seul colis de 4 kg ?

c) Pour un colis de 2 kg ou plus, la situation correspond à une fonction partie entière transformée. Déterminez l'équation associée à cette partie du graphique.

d) Décrivez les coûts de livraison exigés par une autre entreprise, sachant que la fonction en escalier associée à ces coûts est également croissante, qu'elle a la même image et la même valeur minimum que la fonction des coûts de livraison de STU.

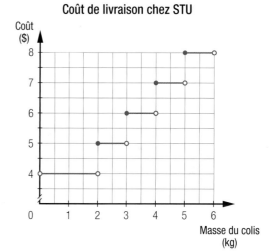

Coût de livraison chez STU

5 **RÉCUPÉRATION** Les épreuves sportives d'endurance nous font perdre beaucoup d'eau et mettent à plat les réserves de sucre contenues dans nos muscles. La plus grande partie de la masse perdue durant une épreuve sera toutefois reprise lors de la phase de récupération les jours suivants. Durant cette période de récupération, les quantités (en g) de sucre et d'eau contenues dans les muscles suivent respectivement les relations suivantes.

Sucre : $f(x) = {}^-16(x - 5)^2 + 425$
Eau : $g(x) = {}^-43,2(x - 5)^2 + 1147,5$

où x représente le nombre de jours écoulés depuis l'épreuve.

a) Tracez dans le même plan cartésien le graphique des fonctions f et g.

b) En tenant compte du contexte, déterminez le domaine et l'image de ces fonctions.

c) Comparez les propriétés suivantes de ces deux fonctions : croissance, décroissance, ordonnée à l'origine, zéros, sommet et axe de symétrie.

d) Quel est le gain maximal de masse que peut obtenir un athlète lors de la phase de récupération ?

e) Il semble exister un lien entre les quantités de sucre et d'eau emmagasinées par le corps. Quel modèle mathématique représenterait le mieux ce lien ? Justifiez votre réponse.

6 Pour étudier la chute des corps, Tiffani laisse tomber une bille de 150 g près d'un mètre. Afin de mesurer le temps durant la chute, elle utilise un stroboscope et photographie l'expérience dans le noir. Sachant que le stroboscope émet 10 éclairs par seconde :

a) tracez le nuage de points associé à ces données ;

b) déterminez l'équation qui modélise le mieux ces données ;

c) estimez la distance parcourue par la bille 1 s après son départ.

> Un *stroboscope* est un appareil qui émet de brefs éclairs lumineux à intervalles réguliers avec une fréquence réglable et connue. Ce dispositif permet de faire apparaître immobiles ou lents ce qui est animé de mouvements rapides.

7 Mathieu part toujours de chez lui 10 min avant le début des cours. Comme il habite près de l'école, il marche pour s'y rendre. Ce matin, il a rencontré un ami en route et après, il a dû courir pour arriver à l'heure. Voici le graphique représentant la distance parcourue par Mathieu en fonction du temps :

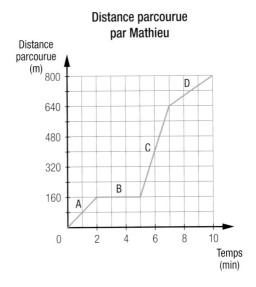

a) Déterminez la règle de cette fonction définie par parties.

b) Construisez un tableau des valeurs de la vitesse de Mathieu durant chacune des quatre parties de son trajet.

c) Quel est le lien entre la réponse de a) et celle de b) ?

d) Dans cette situation, quel type de fonction mathématique modélise le mieux la relation entre la vitesse et le temps ?

e) Déterminez la vitesse moyenne de Mathieu :

> 1) sur les 400 premiers mètres ;
>
> 2) sur les 400 derniers mètres ;
>
> 3) durant les 5 premières minutes ;
>
> 4) durant les 5 dernières minutes.

> La vitesse moyenne durant une période de temps donnée est la vitesse uniforme à laquelle on doit se déplacer pour parcourir la même distance dans le même temps.

f) En e), la moyenne des résultats de 1) et de 2) est-elle égale à la vitesse moyenne de Mathieu sur l'ensemble du trajet ? Qu'en est-il de la moyenne des résultats de 3) et de 4) ?

8 Les fonctions suivantes ont été définies à partir de la fonction quadratique et de la fonction partie entière.

$$f(x) = [x^2] \qquad g(x) = [x]^2$$

a) Construisez une table de valeurs pour chacune de ces fonctions, puis tracez leur graphique dans l'intervalle $[-3, 3]$.

b) Comparez les propriétés de ces deux fonctions.

c) Pour quelles valeurs de x de l'intervalle $[-3, 3]$, $f(x)$ est-elle égale à $g(x)$?

9 **ÉCHAUFFEMENT** Une physiologue a enregistré la performance en sprint et la température d'un athlète afin de vérifier le bien-fondé de l'échauffement. Voici les nuages de points tirés de ses résultats :

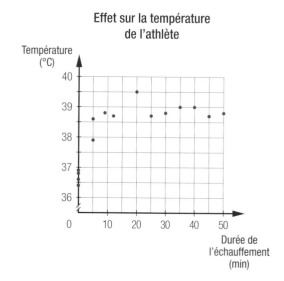

Effet sur le temps de course

Temps (s)

Effet sur la température de l'athlète

Température (°C)

Durée de l'échauffement (min)

a) Quel modèle de fonction semble s'adapter le mieux aux données de chaque graphique ?

b) En tenant compte du contexte, indiquez si ces fonctions peuvent avoir :

1) un minimum ;   2) un maximum ;   3) des zéros.

Justifiez vos réponses.

c) En restreignant le domaine à l'intervalle [0, 50], déterminez le temps que cet athlète devrait consacrer à son échauffement pour obtenir la meilleure performance.

10 L'Entreprise est un manège très populaire qui peut accueillir jusqu'à 20 personnes à la fois. On sait que 800 personnes peuvent faire un tour de manège chaque heure. On s'intéresse au temps d'attente en fonction du nombre de personnes qui vous précèdent dans la file.

a) Déterminez le meilleur modèle pour représenter cette situation.

b) Construisez le graphique associé à cette situation pour une file d'attente variant de 0 à 100 personnes.

c) Quelle est l'équation associée à votre graphique ?

d) Au début de chaque journée, le manège doit compléter son circuit à deux reprises sans passagers. Modifiez l'équation trouvée en c) pour rendre compte du temps d'attente dans ces circonstances.

11 Bassel a trouvé plusieurs valeurs pour les fonctions $f(x) = \left[\dfrac{x}{200}\right]$ et $g(x) = -\left[-\dfrac{x}{200}\right] - 1$.

x	-5	-1	1	10	50	100	111	250	700
f(x)	-1	-1	0	0	0	0	0	1	3
g(x)	-1	-1	0	0	0	0	0	1	3

Il a alors émis la conjecture suivante : $-\left[-\dfrac{x}{n}\right] - 1 = \left[\dfrac{x}{n}\right]$, où n est un nombre entier.

Validez la conjecture de Bassel ou démontrez qu'elle est fausse.

12 Une automobile est arrêtée à un feu rouge. Lorsque le feu passe au vert, elle accélère de façon uniforme pendant 10 s. Le graphique ci-dessous représente cette situation.

a) Quelle est la vitesse moyenne de ce véhicule durant les 10 premières secondes ?

b) Sur le graphique, tracez la fonction constante correspondant à la valeur de la vitesse moyenne durant les 10 premières secondes.

c) Comparez l'aire sous la courbe de cette fonction constante à l'aire sous la courbe de la fonction affine. Que constatez-vous ?

> L'aire sous la courbe est l'aire de la portion de plan qui se trouve entre la courbe et l'axe des abscisses.

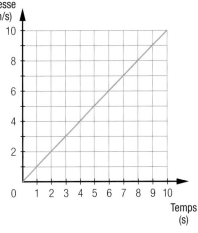

Vitesse d'une auto au départ d'un feu vert

d) Quelle est la vitesse moyenne de ce véhicule durant les 2 premières secondes ? les 5 premières secondes ?

e) Utilisez la vitesse moyenne pour calculer la distance parcourue par le véhicule en 2 s, en 5 s et en 10 s.

f) Dans un plan cartésien, construisez un nuage de points de la distance en fonction du temps, puis tracez la courbe qui représente le mieux ce nuage de points. Justifiez votre choix.

g) Déterminez l'équation de votre modèle.

h) D'après ce modèle, quelle est la distance parcourue par le véhicule 15 s après son départ ?

banque de problèmes

13 **SANS FROTTEMENT** Le train de Shanghai est le premier train à lévitation magnétique à avoir été mis en service.

Voici deux informations qui ont été communiquées à la presse peu après sa mise en fonction le 1er janvier 2004 :

Document 1

Durant ce test, le train a maintenu la même accélération pendant 120 s.

Train magnétique de Shanghai

Document 2

Ce train peut accélérer de 0 km/h à la vitesse impressionnante de 350 km/h en seulement 2 min et cela, sans aucune sensation désagréable pour les passagers, car la vitesse augmente de façon constante.

Ces informations décrivent deux expériences d'accélération qui durent chacune 2 min. La distance franchie par le train dans chaque expérience n'est cependant pas la même. Déterminez approximativement la différence entre ces deux distances.

14 Frédérique s'est inscrite à un jeu-questionnaire télévisé. L'une des épreuves soumises aux concurrents au cours du test de sélection était la suivante.

> Complétez la suite :
> 1, 2, 3, 8, 9, 14, 19, 20, 33, ___, ___

Malheureusement, elle n'a pas su y répondre. Expliquez comment elle aurait pu procéder pour répondre correctement à la question.

15 Il est facile de voir que la quantité de liquide que contient un récipient ayant la forme d'un prisme ou d'un cylindre posé sur l'une de ses bases est proportionnelle à la hauteur de ce liquide. Par exemple, si on double le niveau d'eau dans le vase ci-dessous, on double, par le fait même, la quantité d'eau qu'il contient.

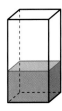 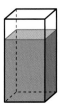

Dessinez un récipient tel que la quantité de liquide qu'il contient soit toujours proportionnelle au carré de la hauteur de ce liquide. Indiquez les dimensions de votre récipient et montrez qu'il possède bien cette propriété.

16 L'horloge interne de l'ordinateur de Clara peut mesurer le temps au dix-millième de seconde. En se servant de la mesure des secondes de son ordinateur, Clara a créé un programme permettant de générer des nombres entiers de 1 à 10 qui semblent aléatoires. Lorsqu'on clique sur la souris, le programme lit le nombre de l'horloge indiquant les secondes, effectue une suite d'opérations, puis affiche un nombre entier à l'écran. Le tableau ci-dessous en montre quelques exemples.

Nombres générés par le programme

Nombre de l'horloge indiquant les secondes	9,6075	18,7850	25,7964	31,9012	35,9639	48,0792
Nombre entier affiché à l'écran	6	1	5	3	10	3

Proposez une équation utilisant la fonction partie entière qui permettrait de générer les mêmes valeurs que le programme de Clara. Expliquez clairement votre démarche.

> En mathématiques et en informatique, on qualifie de pseudo-aléatoire une suite de nombres qui possède les caractéristiques du hasard, mais qui est engendrée d'une façon déterministe et reproductible.

17 Sophie a fait du ski alpin sur une montagne dont le sommet est à une altitude de 450 m. Durant sa première montée en télésiège jusqu'au sommet et la descente qui a suivi, l'altitude où se trouvait Sophie a varié de différentes façons. On peut modéliser cette situation en exprimant le taux de variation de son altitude (en m/min) comme une fonction du temps écoulé (en min). L'une des fonctions possibles a les caractéristiques suivantes :

> L'*altitude* d'une montagne est sa hauteur mesurée par rapport au niveau de la mer. Sa *dénivellation* est la différence entre l'altitude au sommet et celle à la base.

- C'est une fonction en escalier n'ayant que deux valeurs critiques.
- Son domaine est [0, 10].
- Son maximum est 60 et son minimum, ⁻35.
- La fonction est positive dans l'intervalle [0, 4[et négative dans l'intervalle [3,5, 10].

D'après ce modèle, à quelle altitude se trouvait Sophie 6 min après avoir monté dans le télésiège ?

18 Le coût d'une course en taxi est généralement basé sur le nombre de kilomètres parcourus. Cependant, lorsque le taxi est arrêté ou roule plus lentement qu'une certaine vitesse, le tarif est établi en fonction du temps écoulé. À tout moment, le taximètre utilise automatiquement le tarif le plus avantageux pour le chauffeur. Voici une description des différents tarifs (en \$) en vigueur en 2008 :

À la prise en charge
2,75 \$

Selon la distance parcourue
0,05[26x],
où x est la distance en kilomètres.

Selon le temps écoulé
0,05[599t],
où t est le temps en heures.

Durant un trajet, un taxi a roulé 10 min à 40 km/h, 8 min à 30 km/h, 7 min à 20 km/h et il a été arrêté au total 5 min à des feux rouges. En négligeant les phases d'accélération et de décélération, déterminez la somme à payer pour ce trajet.

19 En visitant Bruxelles, Julien a vu le *Manneken-Pis* et il a été fort intrigué par la distance parcourue par le jet d'eau. À son retour chez lui, il tente une expérience. Il remplit un contenant de lait vide avec 2 L d'eau. Il place le contenant face à un ruban à mesurer et perce un trou à l'aide d'une aiguille à 3 cm de la base du contenant. Il observe la distance atteinte par le jet d'eau en fonction du temps écoulé.

Quel est le lien entre cette distance et le temps? Pour répondre à cette question, reproduisez l'expérience de Julien. À l'aide de vos données, déterminez le type de fonction qui pourrait modéliser cette situation. Fournissez tous les renseignements pouvant justifier votre réponse.

Le *Manneken-Pis*, célèbre attraction touristique, datant du XVIIe siècle

20 Dans un premier temps, complétez les égalités ci-dessous en y ajoutant les expressions manquantes. Dans chaque cas, vous devez obtenir une égalité qui est vraie, quelle que soit la valeur du nombre réel x.

1 $[x] + \left[x + \dfrac{1}{2}\right] = \ldots$

2 $[x] + \ldots + \ldots = [3x]$

Démontrez ensuite que ces égalités sont vraies pour toutes les valeurs de x.

VISI3N

L'équivalence en géométrie et en algèbre

Depuis l'invention du premier outil à l'âge de pierre jusqu'au dernier développement de la technologie moderne, le génie inventif de l'être humain a permis l'amélioration des conditions de vie de tous. Et aujourd'hui, plus que jamais, les sciences et les mathématiques sont au cœur de cette évolution. Dans *Vision 3*, vous réaliserez le rôle essentiel que jouent la géométrie et l'algèbre dans la compréhension scientifique du monde qui vous entoure. Dans un premier temps, l'étude de l'équivalence en géométrie vous fera constater que certaines formes de la nature ne sont pas dues au hasard. Par la suite, l'équivalence en algèbre vous fournira les outils nécessaires pour analyser des situations complexes représentées par des expressions de degré supérieur à 1. Tout au long de cette étude, des liens importants seront établis entre la géométrie et l'algèbre, ce qui vous assurera une meilleure compréhension des concepts étudiés.

Arithmétique et algèbre

- Manipulation d'expressions algébriques
- Division par un binôme
- Expressions rationnelles
- Identités algébriques
- Factorisation de polynômes
- Résolution d'équations de degré 2 à une variable

Géométrie

- Figures équivalentes
- Recherche de mesures manquantes à l'aide du concept d'équivalence

Statistique

RÉACTIVATION 1 Le prestidigitateur

Lors d'une soirée de gala, un prestidigitateur demande à son assistante de prendre place dans une boîte cubique de 1 m d'arête. Rien de rassurant avec toutes ces épées tranchantes.

Après avoir transpercé la boîte de ses épées, le prestidigitateur ouvre les portes pour faire découvrir aux spectateurs, encore sous le choc, que… la boîte est vide !

Intrigué par ce tour de magie, Benoit fait quelques recherches. Il découvre que l'intérieur de la boîte est composé de deux miroirs amovibles identiques fixés aux parois de la boîte derrière lesquels l'assistante peut se cacher une fois les portes refermées.

a. Quelle doit être la largeur des deux miroirs pour qu'ils puissent former un angle de 90° une fois rabattus ?

Une fois l'assistante cachée derrière les miroirs, les épées ne peuvent passer que dans la partie avant ou arrière de la boîte.

b. Quel est le volume de la zone arrière de la boîte et celui de la zone avant ?

c. Quelle fraction de la boîte peut occuper l'assistante lorsque les miroirs sont rabattus ?

Vue de dessus de l'intérieur de la boîte

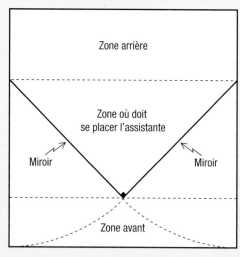

Une magicienne se présente sur la scène. Elle annonce qu'elle possède des pouvoirs télépathiques. Voici deux de ses numéros qui en épatent plus d'un.

Dans un sac, la magicienne place neuf jetons numérotés de 1 à 9.

- Devant la magicienne aux yeux bandés, un spectateur est appelé à tirer trois jetons du sac permettant ainsi de former un nombre à trois chiffres (ex.: 265).

- Elle lui demande d'inverser l'ordre des chiffres pour former un deuxième nombre à trois chiffres (ex.: 265 devient 562).

- Elle demande au spectateur de déterminer l'écart entre le nombre choisi au départ et celui obtenu en inversant l'ordre des chiffres (ex.: 562 − 265 = 297).

- À la demande de la magicienne, le spectateur lui donne le chiffre de droite du résultat qu'il a obtenu (ex.: 7).

Après quelques roulements de tambour, la magicienne s'exclame: «297!».

a. Si *a*, *b* et *c* représentent dans l'ordre les chiffres des jetons tirés du sac, quelle expression algébrique représente le nombre ainsi formé?

b. Quelle expression algébrique représente le nombre obtenu en inversant l'ordre des chiffres du premier nombre?

c. Montrez que le résultat final obtenu par le spectateur est un multiple de 99, peu importe les jetons tirés au départ.

Dans un sac, la magicienne place 100 jetons numérotés de 1 à 100.

- Devant la magicienne aux yeux bandés, un spectateur tire un jeton du sac (Chut! C'est 13!).

- Elle lui demande de calculer le carré du nombre entier qui suit ce nombre.

- Elle lui demande ensuite de calculer le carré du nombre entier qui le précède.

- À la demande de la magicienne, le spectateur détermine ensuite la différence entre les deux résultats obtenus. «J'ai obtenu 52», dit le spectateur sûr de lui.

Après une seconde, la magicienne s'exclame: «13! Vous avez tiré le 13, n'est-ce pas?»

d. Trouvez une façon d'expliquer algébriquement ce tour de magie.

MESURE EN GÉOMÉTRIE

Aire de solides

On détermine l'**aire totale d'un solide** en faisant la somme des aires de toutes ses faces.

Ex.: 1)   Prisme droit   2)   Cylindre droit   3)   Sphère

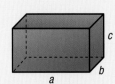

$$A = 2ac + 2ab + 2bc \qquad A = 2\pi r^2 + 2\pi rh \qquad A = 4\pi r^2$$

Volume de solides

Déterminer le **volume d'un solide,** c'est mesurer l'espace occupé par ce solide.

Ex.: V et A_b représentent respectivement le volume du solide et l'aire de sa base.

1)   Prismes droits et cylindre droit   2)   Pyramide droite et cône circulaire droit   3)   Boule

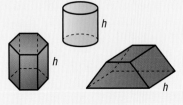 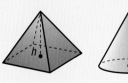 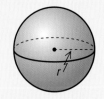

$$V = A_b \cdot h \qquad V = \frac{A_b \cdot h}{3} \qquad V = \frac{4\pi r^3}{3}$$

Relation de Pythagore

Dans un triangle rectangle, le carré de la mesure de l'hypoténuse est égal à la somme des carrés des mesures des cathètes.

Si un triangle est tel que le carré de la mesure d'un côté est égal à la somme des carrés des mesures des autres côtés, ce triangle est rectangle.

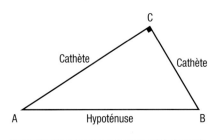

$$(m \overline{AB})^2 = (m \overline{AC})^2 + (m \overline{CB})^2$$

MANIPULATIONS D'EXPRESSIONS ALGÉBRIQUES

Lois des exposants

Les lois des exposants permettent d'effectuer des opérations faisant intervenir des expressions écrites sous la forme exponentielle. Le tableau ci-contre présente ces lois pour a et $b \neq 0$ et m et n, des nombres entiers.

Loi	Exemple
$a^m \cdot a^n = a^{m+n}$	$x^3 \cdot x^2 = x^{3+2} = x^5$
$\dfrac{a^m}{a^n} = a^{m-n}$	$\dfrac{x^5}{x^2} = x^{5-2} = x^3$
$(ab)^n = a^n b^n$	$(3xy)^3 = 3^3 x^3 y^3 = 27x^3 y^3$
$(a^m)^n = a^{mn}$	$(x^2)^3 = x^{2 \cdot 3} = x^6$
$\left(\dfrac{a}{b}\right)^m = \dfrac{a^m}{b^m}$	$\left(\dfrac{x}{4}\right)^2 = \dfrac{x^2}{4^2} = \dfrac{x^2}{16}$

Opérations sur les expressions algébriques

- On peut réduire des expressions algébriques en additionnant ou en soustrayant les termes semblables.

> Ex. :
> 1) $6x^2 + 3 + 4x^2 + 1 = 6x^2 + 4x^2 + 3 + 1$
> $= 10x^2 + 4$
>
> 2) $(5a^3 + 6) - (3a^3 - 1) = 5a^3 + 6 - 3a^3 + 1$
> $= 5a^3 - 3a^3 + 6 + 1$
> $= 2a^3 + 7$

- Multiplier deux binômes revient à multiplier chacun des termes de l'un des binômes par chacun des termes de l'autre binôme.

> Ex. : $(4n^2 - 30)(2n + 7) = 4n^2 \cdot 2n + 4n^2 \cdot 7 - 30 \cdot 2n - 30 \cdot 7$
> $= 8n^3 + 28n^2 - 60n - 210$

- Diviser un polynôme par un monôme revient à diviser chacun des termes du polynôme par le monôme.

> Ex. : $(20b^3 - 10b^2 + 15b) \div 5b = 20b^3 \div 5b - 10b^2 \div 5b + 15b \div 5b$
> $= 4b^2 - 2b + 3$

Factorisation : mise en évidence simple

Il est possible de factoriser certaines expressions algébriques à l'aide d'une **mise en évidence simple**. Cette méthode consiste à :

1° déterminer le plus grand facteur commun de tous les termes de l'expression algébrique ;	Ex. : Dans l'expression $6a^2 + 15a$, le plus grand facteur commun est $3a$.
2° diviser l'expression algébrique par le plus grand facteur commun ;	$\dfrac{6a^2 + 15a}{3a} = \dfrac{6a^2}{3a} + \dfrac{15a}{3a} = 2a + 5$
3° écrire le produit du facteur obtenu en 1° par le quotient obtenu en 2°.	$6a^2 + 15a = 3a(2a + 5)$

mise à jour

1 Déterminez les mesures manquantes dans les figures ci-dessous.

a) Aire du carré = ?

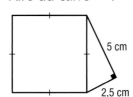

5 cm

2,5 cm

b)

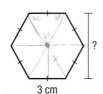

3 cm

?

c) m $\overline{AB}$ = ?

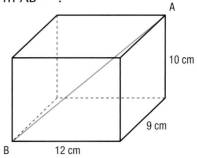

A

10 cm

9 cm

B   12 cm

2 Sachant que le prisme à base carrée, le cylindre et la boule ci-dessous ont chacun un volume de 2000 cm³, déterminez leur aire.

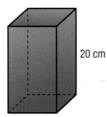

20 cm

20 cm

3 Réduisez les expressions suivantes.

a) $(3n + 4) + (5n - 2)$

b) $8n^2 - 4 - 2n^2 - 4$

c) $(6a^3 + 4a^2 + a) - (2a^3 + a^2 - 5)$

d) $(2a)^3 + (2a + 4)(3a^2 - 3)$

e) $10(5a^2 + 3a - 8) - 2(25a^2 + 15a)$

f) $(15x^3 + 4x^2 - 12) \div 5x$

g) $\dfrac{8b^3 - 14b^2 + 10b - 4}{2b}$

h) $(2x + 5)(3x - 7)$

4 Maude et Justin décident de refaire leur patio. Ils optent pour un modèle de forme carrée avec des dalles brunes dans la région centrale et une bande de dalles blanches tout autour, composée tantôt de deux dalles de largeur, tantôt d'une seule dalle. Peu importe les dimensions du carré formé, ils disposeront les dalles blanches et les dalles brunes d'après ce modèle.

a) Soit n la mesure du côté du patio en nombre de dalles. Déterminez trois expressions algébriques différentes permettant de calculer le nombre de dalles brunes. Expliquez dans vos mots comment chacune d'elles est obtenue.

b) À l'aide de manipulations algébriques, montrez que les expressions algébriques trouvées en a) sont équivalentes.

5 On a versé une certaine quantité de liquide dans un cube de 10 cm d'arête afin de former différents prismes. Sur les photos ci-dessous, x, a, b, c et y représentent des mesures en centimètres.

①    ②    ③    ④

a) Pour chacune de ces photos, déterminez, à l'aide d'une expression algébrique, le volume de liquide utilisé. Simplifiez cette expression autant que possible.

b) Déterminez la quantité de liquide utilisée dans le 3ᵉ cube, sachant que b et c valent respectivement 2,4 et 5,6.

c) Déterminez la quantité de liquide utilisée dans le 4ᵉ cube, sachant que y vaut:

1) 2,5   2) 4   3) 6,5

6 Résolvez les équations suivantes.

a) $2(3x + 12) = 36$ b) $\dfrac{3x}{5} + 8 = 14$ c) $10x^2 + 48 = (2,5x + 1)(4x + 6,4)$

7 Décomposez en facteurs les polynômes suivants en effectuant une mise en évidence simple.

a) $4x^2 + 12$ b) $8x^2 - 6x$ c) $3x^3 + 6x + 9$ d) $-12a^3 + 8a^2 - 4a$

8 Un prestidigitateur annonce à son public qu'il peut faire apparaître une surface de 1 cm² d'aire. Il prend d'abord un carré de 8 cm de côté qu'il découpe comme le carré ci-dessous.

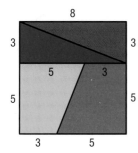

En juxtaposant différemment les quatre morceaux obtenus, il forme un rectangle et réclame des applaudissements.

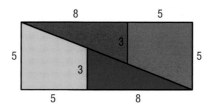

a) Pourquoi réclame-t-il des applaudissements?

b) Trouvez une façon d'expliquer ce tour de magie.

Ce paradoxe a été utilisé par le magicien Alain Choquette dans une chronique sur la magie.
Ce type de découpage, attribué au mathématicien allemand Oscar Schlömilch (1868), a également été découvert dans les documents du créateur d'*Alice au pays des merveilles*, Lewis Carroll.

Cette section est en lien avec la SAÉ 7.

PROBLÈME Le problème de Didon

Quoique réfutée par les historiens, une belle légende raconte la fondation de la ville de Carthage.

D'après cette légende, ce serait la reine Didon qui fonda la cité en 814 av. J.-C. Après une escale à Chypre, Didon s'installa sur les côtes du nord de l'Afrique. À son arrivée, on lui consentit un territoire en bordure de mer « aussi grand qu'une peau de bœuf ».

Ruines de Carthage (Tunisie)

Pas de quoi réjouir une reine! Mais, dit-on, Didon savait profiter au maximum de ce qui lui appartenait. Elle décida donc de couper en petites lanières la peau de bœuf offerte et d'en faire une très longue corde qu'on évalue à 4 km de longueur.

Mais une question demeurait pour Didon:

« Comment délimiter un territoire avec cette corde afin d'en profiter au maximum? »

La légende de Didon a inspiré de nombreux artistes, dont le peintre William Turner (1775-1851) qui l'a représentée à sa manière dans son célèbre tableau *Didon construisant Carthage*, en 1815.

Proposez une solution au problème de Didon en justifiant votre raisonnement. Essayez de convaincre vos camarades de classe que votre solution est meilleure que la leur.

Des figures de même aire

À la page précédente, on a vu qu'il est possible de maximiser l'aire d'une figure plane ayant un périmètre donné. On peut maintenant se poser la question suivante : Comment minimiser le périmètre d'une figure plane dont l'aire est donnée ? Considérez les quatre cas suivants.

A Le cas d'un triangle

Soit le triangle ABC. Le côté AB peut représenter l'une des bases du triangle.

a. Construisez au moins cinq triangles différents ayant pour base le côté AB et ayant la même aire que le triangle ABC.

b. Parmi tous les triangles équivalents que l'on peut construire, lequel a le plus petit périmètre ? Justifiez votre réponse.

> Des figures planes sont dites « équivalentes » si elles ont la même aire.

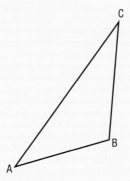

B Le cas d'un quadrilatère

Soit le quadrilatère ABCD. À l'aide d'une construction géométrique, on a diminué comme suit son périmètre tout en préservant son aire.

c. Expliquez pourquoi les quadrilatères ABCD et ABCD' ont la même aire.

d. Expliquez pourquoi le périmètre de ABCD' est inférieur à celui de ABCD.

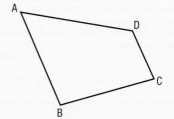

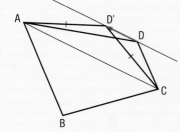

e. De cette construction, on peut déduire que le quadrilatère ayant le plus petit périmètre pour une aire donnée est nécessairement un losange. Expliquez pourquoi.

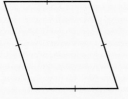

f. Le losange ci-dessus est équivalent au quadrilatère ABCD. Est-il possible de construire un rectangle équivalent au losange, mais ayant un périmètre encore plus petit ? Expliquez comment construire un tel rectangle.

g. Quel quadrilatère ayant la même aire que le quadrilatère ABCD a le plus petit périmètre possible ? Justifiez votre réponse.

C Le cas d'un pentagone

Anis, Charlotte et Guillaume ont tous les trois reçu un schéma du même pentagone. On leur a demandé de réduire le plus possible le périmètre de cette surface pentagonale tout en préservant son aire. Voici les pentagones obtenus par chacun d'eux :

Anis

Charlotte

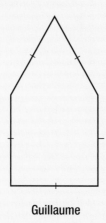

Guillaume

h. Si cela est possible, réduisez davantage le périmètre de chacun de ces pentagones tout en préservant son aire. Laissez les traces de vos constructions.

i. Dans la famille des pentagones équivalents, lequel permet d'obtenir le plus petit périmètre possible ?

D Le cas d'une famille de polygones réguliers

Guillaume pense que dans une famille de polygones équivalents, c'est celui qui est régulier qui a le plus petit périmètre. Il se demande maintenant lequel, parmi l'ensemble de tous les polygones réguliers équivalents, a le plus petit périmètre. Voici son raisonnement :

Soit le pentagone régulier ABCDE.

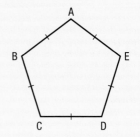

En plaçant un sommet F sur le côté AE, on obtient un hexagone.

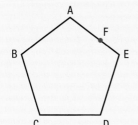

Comme l'hexagone ABCDEF n'est pas régulier, on peut réduire son périmètre tout en préservant son aire.

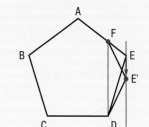

L'hexagone régulier équivalent au pentagone ABCDE aura donc un périmètre plus petit.

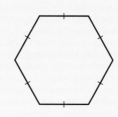

j. Parmi les polygones réguliers équivalents suivants, lequel a le plus petit périmètre ?

1) Un carré ou un pentagone régulier.

2) Un hexagone régulier ou un décagone régulier.

k. On veut délimiter avec une corde une surface plane de 100 m². Quelle sera la forme de cette surface si l'on désire utiliser la corde la moins longue possible ? Expliquez votre raisonnement.

ACTIVITÉ 2 Un problème sucré

Une raffinerie de sucre demande à une designer industrielle d'améliorer la boîte d'emballage de leur produit destinée au marché de l'alimentation. Le coût de production de la boîte actuellement sur le marché, présentée ci-dessous, est trop élevé.

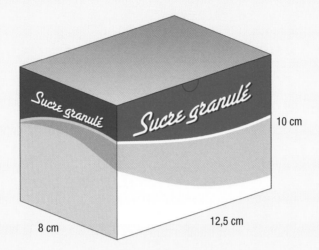

Le mandat de la designer : concevoir une boîte en forme de prisme à base rectangulaire qui contient autant de sucre que la boîte actuelle, mais qui nécessite moins de matériau.

a. Quelle quantité de sucre la boîte actuelle peut-elle contenir ?

b. Quelle quantité de carton est nécessaire à sa fabrication ?

c. Quelle serait la forme de la boîte pouvant contenir autant de sucre que la boîte actuelle, mais qui minimiserait la quantité de carton utilisée ? Justifiez votre réponse.

d. Y a-t-il un prisme équivalent à celui déterminé en **c** qui a une aire encore plus petite ? Justifiez votre réponse.

> Des solides sont dits « équivalents » s'ils ont le même volume.

e. Trouvez un solide équivalent à tous les prismes précédents dont l'aire est encore plus petite. Justifiez votre réponse.

La raffinerie de sucre traite les sucres roux produits par les sucreries de cannes ou de betteraves, afin de les débarrasser de leurs impuretés. La raffinerie assure également le façonnage et le conditionnement (sucre granulé, sucre glace, sucre en cubes, en pains, etc.), l'emballage et la distribution des produits du sucre.

Techno math

Un logiciel de géométrie dynamique permet, en utilisant principalement les outils DROITE, DROITE PARALLÈLE, TRIANGLE, LONGUEUR et AIRE, d'explorer et de vérifier l'effet du déplacement d'un sommet d'un triangle sur une droite parallèle à sa base.

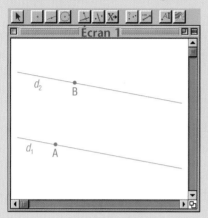

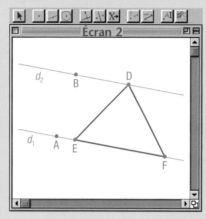

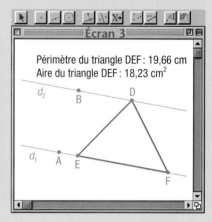

En modifiant la position du point D, on observe les effets du déplacement sur le périmètre et l'aire du triangle DEF.

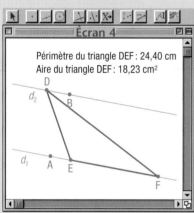

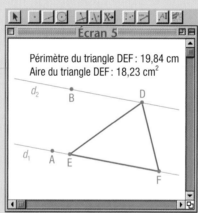

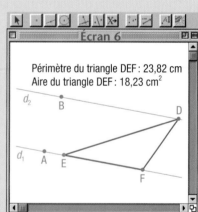

a. Comment peut-on qualifier les droites d_1 et d_2?

b. Quelle conjecture peut-on émettre en observant l'aire des triangles aux écrans **4**, **5** et **6**?

c. Où doit se situer le point D afin que le périmètre du triangle DEF soit minimal?

d. À l'aide d'un logiciel de géométrie dynamique, construisez les trois figures ci-dessous et vérifiez s'il est possible d'émettre une conjecture sur l'effet du déplacement du point A sur l'aire et le périmètre de la figure.

1)

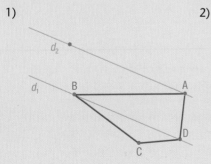

2)

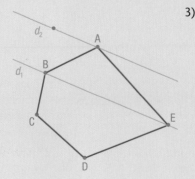

3)

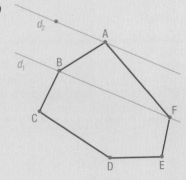

savoirs 3.1

FIGURES ÉQUIVALENTES

Intuitivement, on peut dire que deux figures géométriques (lignes, figures planes ou solides) sont équivalentes si on peut «découper» l'une d'elles pour former l'autre.

D'une façon plus formelle, on dira que :

- deux lignes sont équivalentes si elles ont la même longueur.

- deux figures planes sont équivalentes si elles ont la même aire.

- deux solides sont équivalents s'ils ont le même volume.

Ex. :

Ex. :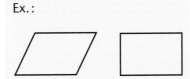

Ex. :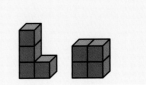

Il y a différentes façons de déterminer si des figures sont équivalentes.

Par découpage

Ex. : 1)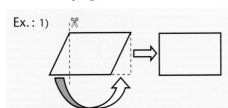

2)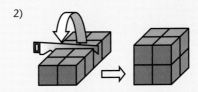

Ce parallélogramme est équivalent à ce rectangle.

Ce prisme est équivalent à ce cube.

Par calcul

Ex. : Soit un carré de 6 cm de côté. Quelle est la mesure des côtés d'un triangle équilatéral équivalent à ce carré ?

L'aire du carré est de 36 cm², soit 6 × 6.

Soit le triangle équilatéral ci-contre.

Par Pythagore, $h^2 = b^2 - \left(\frac{b}{2}\right)^2$

d'où $h = \frac{\sqrt{3}}{2}b$.

L'aire du triangle est de 36 cm².

Donc $36 = \dfrac{b \cdot \frac{\sqrt{3}}{2}b}{2}$

$72 = \frac{\sqrt{3}}{2}b^2$

et $b = \sqrt{\dfrac{144}{\sqrt{3}}}$, soit $\approx 9{,}1$.

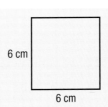

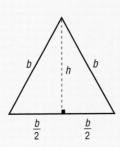

Les côtés du triangle équilatéral équivalent au carré mesurent environ 9,1 cm.

Par géométrie dynamique

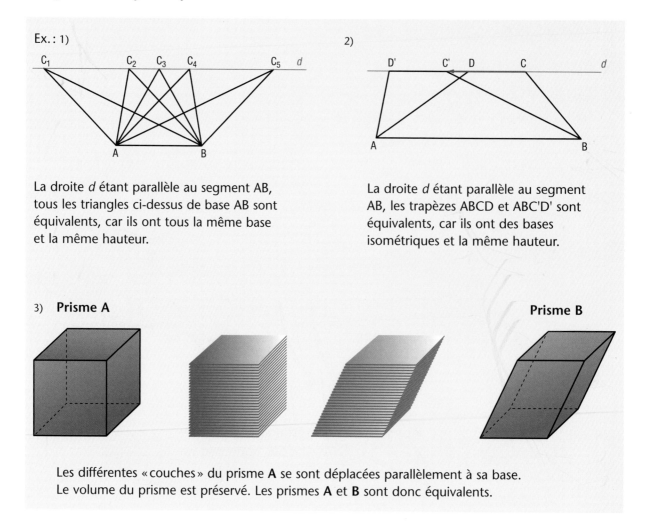

Ex. : 1)

La droite d étant parallèle au segment AB, tous les triangles ci-dessus de base AB sont équivalents, car ils ont tous la même base et la même hauteur.

2)

La droite d étant parallèle au segment AB, les trapèzes ABCD et ABC'D' sont équivalents, car ils ont des bases isométriques et la même hauteur.

3) **Prisme A**

Prisme B

Les différentes « couches » du prisme **A** se sont déplacées parallèlement à sa base. Le volume du prisme est préservé. Les prismes **A** et **B** sont donc équivalents.

PROPRIÉTÉS CONCERNANT DES FIGURES ÉQUIVALENTES

- De toutes les lignes fermées équivalentes, c'est le cercle qui délimite la région ayant la plus grande aire.

- De tous les polygones équivalents à n côtés, c'est le polygone régulier qui a le plus petit périmètre.

- De deux polygones réguliers équivalents, c'est le polygone ayant le plus grand nombre de côtés qui a le plus petit périmètre. À la limite, c'est le cercle équivalent qui a le plus petit périmètre.

- De tous les prismes rectangulaires de même volume, c'est le cube qui a la plus petite aire totale.

- De tous les solides de même volume, c'est la boule qui a la plus petite aire totale.

1 Sur une feuille de papier quadrillé, tracez:

a) trois polygones de formes différentes qui ont la même aire, mais des périmètres différents;

b) trois polygones de formes différentes qui ont le même périmètre, mais des aires différentes;

c) trois polygones de formes différentes qui ont la même aire et le même périmètre.

2 Soit le rectangle ABCD ci-dessous.

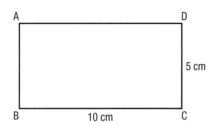

a) Calculez les dimensions d'un triangle équilatéral, d'un carré et d'un cercle ayant le même périmètre que le rectangle ABCD. Ces figures sont-elles équivalentes au rectangle ABCD?

b) Calculez les dimensions d'un triangle équilatéral, d'un carré et d'un disque ayant la même aire que le rectangle ABCD. Que peut-on affirmer à propos du périmètre de ces figures comparativement au périmètre du rectangle ABCD?

3 Sur une feuille de papier quadrillé, en suivant les lignes horizontales et verticales seulement, tracez la figure plane ayant le plus petit périmètre possible pour une aire de:

a) 20 carrés unités;   b) 32 carrés unités;   c) 45 carrés unités;   d) 121 carrés unités.

4 Réduisez le périmètre de chacune des figures ci-dessous tout en préservant son aire. Laissez les traces de vos constructions géométriques et de vos calculs.

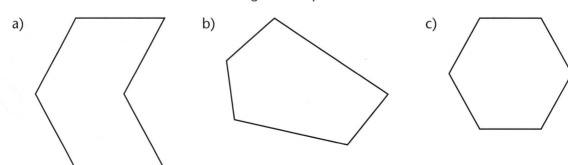

5 Les Romains ont érigé un monument en l'honneur d'Archimède et sur sa tombe ils ont gravé une sphère inscrite dans un cylindre.

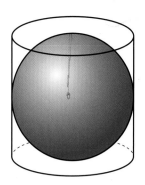

a) Montrez que l'aire de la sphère est égale à l'aire de la surface latérale du cylindre.

b) Est-ce que cette sphère pourrait aussi s'inscrire dans un cube équivalent au cylindre? Expliquez votre réponse.

c) Est-ce que l'aire de cette sphère est égale à l'aire latérale du cube équivalent au cylindre? Si oui, expliquez votre réponse. Sinon, comparez ces aires.

6 TANGRAM Le tangram est un casse-tête chinois composé de sept formes imposées avec lesquelles on peut représenter différentes figures planes. Le tangram ci-dessous contient les pièces suivantes:

- deux grands triangles rectangles isocèles;
- un triangle rectangle isocèle de taille moyenne;
- deux petits triangles rectangles isocèles;
- un parallélogramme;
- un carré.

a) Sachant que le plus petit périmètre qu'il est possible d'obtenir d'un polygone construit avec ces sept pièces est de 40 cm, déduisez l'aire et le périmètre de chacune des pièces de ce tangram.

b) Après avoir enlevé l'un des grands triangles rectangles isocèles du tangram, construisez le polygone ayant le plus petit périmètre à l'aide des six pièces restantes. Quel est le périmètre de cette figure?

7 L'entreprise Béton Plus fabrique des structures en béton sur mesure. L'une des structures demandées a la forme de deux prismes superposés tels qu'ils sont illustrés ci-contre.

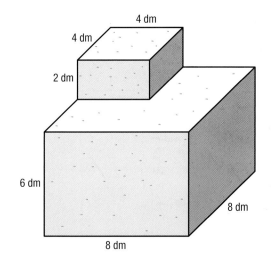

a) Trouvez une façon simple de découper ce solide pour que les morceaux obtenus puissent être ensuite regroupés en un seul prisme dont la base carrée a une aire de 16 dm².

b) Comparez l'aire du prisme obtenu avec celui du solide de départ.

8 Le soufflage du verre est une vieille technique de fabrication d'objets en verre. Des artisans habiles peuvent fabriquer des objets de différentes formes (prisme, cylindre, boule, etc.).

a) Déterminez les dimensions possibles d'un prisme, d'un cylindre et d'une boule ayant chacun un volume de 1200 cm^3. Comparez les aires de ces solides.

b) Déterminez les dimensions possibles d'un prisme, d'un cylindre et d'une boule ayant chacun une aire de 600 cm^2. Comparez les volumes de ces solides

9 Reproduisez sur une feuille de papier quadrillé la figure composée de 4 triangles et de 3 carrés.

a) Comparez l'aire de chacun des triangles.

b) Si les dimensions du triangle rectangle au centre de la figure étaient différentes, arriveriez-vous à la même conclusion en a)? Énoncez une conjecture et cherchez une façon d'en convaincre vos camarades de classe.

c) Est-ce que la conjecture énoncée en b) est encore vraie si le triangle au centre de la figure n'est pas rectangle? Expliquez votre raisonnement.

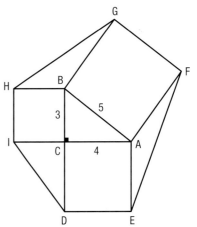

10 Joshua découvre le raisonnement géométrique suivant qui comporte cinq étapes. Dans ce raisonnement le rectangle bleu et le rectangle rouge se sont chacun successivement transformés en parallélogramme et en carré.

1

2

3

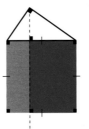

4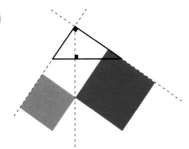

5

Qu'est-ce que ce raisonnement cherche à démontrer? Décrivez-le en expliquant chacune des étapes.

11 La plume et le duvet d'oie servent à la fabrication de plusieurs produits: manteau, oreiller, douillette, etc. Une entreprise de distribution de plumes et de duvet désire expédier sa marchandise dans des boîtes en carton en forme de prisme à base rectangulaire. Pour ce faire, elle a un budget de 0,48 $ par boîte. On sait que un mètre carré de carton servant à la production de ces boîtes coûte 0,50 $.

a) Proposez trois différents modèles de boîtes qui respectent le budget de l'entreprise.

b) Parmi ces trois modèles, lequel considérez-vous comme le meilleur? Expliquez pourquoi.

c) Existe-t-il une boîte en forme de prisme à base rectangulaire qui pourrait être meilleure que celle proposée en b)? Expliquez votre réponse.

Le duvet destiné au marché de la literie et du vêtement provient de l'abdomen d'oiseaux aquatiques, comme le canard et l'oie, et pousse sous la couche protectrice des plumes. En raison de leur adaptation aux froids extrêmes, les oies blanches du Canada produisent des plumes et un duvet d'une qualité unique au monde.

12 Tous les solides ci-dessous ont la même aire, soit 5400 cm².

Cube

Cône

Sphère

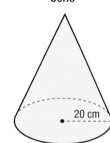

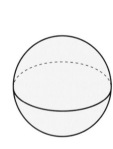

20 cm

Prisme à base rectangulaire

Cylindre

Pyramide droite à base carrée

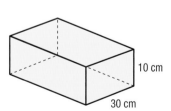

10 cm

30 cm

20 cm

30 cm

a) Lequel de ces solides a le plus grand volume?

b) Existe-t-il un solide de même aire ayant un volume plus élevé que celui déterminé en a)? Justifiez votre réponse.

13 Votre professeur d'éducation physique vous demande de préparer le terrain de soccer pour la prochaine partie. L'une de vos tâches consiste à délimiter avec de la chaux la zone rectangulaire de la surface de réparation à chaque extrémité du terrain.

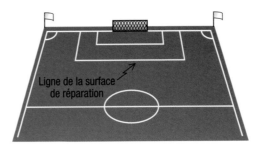

En observant la quantité de chaux qui reste dans le réservoir du traceur, vous estimez pouvoir tracer l'équivalent d'une ligne de 120 m de longueur.

a) Quelles doivent être les dimensions de chacune des surfaces de réparation si vous désirez maximiser leur aire ?

b) Si les surfaces de réparation pouvaient avoir la forme d'un trapèze, quelles devraient en être les dimensions pour maximiser l'aire de ces deux surfaces ?

c) Quelle devrait être la forme des surfaces de réparation pour que leur aire soit maximale avec la quantité de chaux disponible ? Expliquez votre réponse.

14 Afin de réduire la dispersion des semences de canola lors d'un essai de culture, on exige qu'aucune autre culture ne soit faite dans une zone de 10 m tout autour du périmètre de la zone d'essai. Cette zone de protection est donc condamnée.

Un cultivateur désire essayer de nouvelles semences de canola sur sa terre. Il prévoit une zone d'essai de 100 m². Quelle serait la forme de la zone d'essai qui minimiserait l'aire de la zone de protection à condamner ? Expliquez votre réponse.

Le canola est une variété canadienne de colza, une plante de la famille des moutardes dont les graines sont riches en huile. Le terme *canola* a été formé en 1974 à l'aide des mots *Canada* et *oléagineux* (adjectif qualifiant les plantes contenant de l'huile). Même si à l'origine, le canola a été produit au moyen des méthodes traditionnelles d'hybridation, on estime que plus de la moitié du canola cultivé aujourd'hui au Canada est modifié génétiquement.

Cette section est en lien avec la SAÉ 8.

 PROBLÈME Sur les traces des pythagoriciens

Pour les pythagoriciens «tout est nombre». Parmi les nombres, ceux qui peuvent être représentés sous forme de polygones réguliers occupent une place de choix pour les académiciens. Ils en déduisent des informations pour mieux comprendre le monde qui les entoure.

Les pythagoriciens étaient des personnes qui adhéraient aux croyances de Pythagore. Ils vivaient simplement et consacraient leur temps à l'étude de la philosophie, des sciences et des mathématiques.

Pythagore (VIᵉ s. av. J.-C.)

La suite ci-dessous présente les six premiers nombres triangulaires.

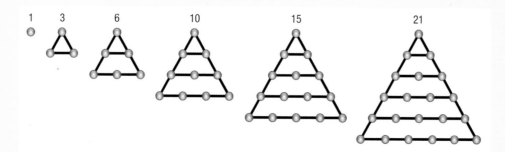

Voici quelques conjectures concernant les nombres triangulaires :

- La somme de deux nombres triangulaires consécutifs est un nombre carré.
- L'octuple d'un nombre triangulaire additionné à 1 est un nombre carré.
- La différence des carrés de deux nombres triangulaires successifs est un nombre cubique.

En groupe classe, proposez à vos camarades d'autres conjectures sur les nombres triangulaires.

Choisissez une conjecture parmi celles présentées ci-dessus ou celles proposées par la classe. Trouvez une façon de convaincre l'ensemble des élèves qu'elle est vraie sans l'ombre d'un doute pour tous les nombres triangulaires, ou bien réfutez-la à l'aide d'un contre-exemple.

ACTIVITÉ 1 — L'expertise

Pour devenir ingénieur ou ingénieure, il est primordial de maîtriser parfaitement les manipulations algébriques. À quel niveau vous situez-vous? Mesurez votre habileté en réduisant les expressions suivantes.

Novice

1 $\dfrac{6x - 2(x + 4)}{4}$

Dans cette première expression, on soustrait de six fois un certain nombre deux fois quatre de plus que ce nombre et on divise le tout par quatre.

2 $(x + y)^2 - y^2 - 3xy$

Dans cette seconde expression, on élève au carré la somme de deux nombres, puis on retranche le carré du second nombre et trois fois le produit des deux nombres.

Intermédiaire

Pas facile de décrire ces expressions en mots...

3 $(y + 1)^2(y - 1) - (y + 1)(y - 1)^2 - 1$

4 $(x + y - 1)(x - y + 1) + \dfrac{(x - 1)(x + 1)}{1 - x^2}$

5 $\dfrac{(2x + 1)(4x^2 - 2x + 1) - 1}{(4x + 1) - (1 - 4x)}$

Expert

Intéressant! Ces expressions ont une belle structure.

6 $\left(\dfrac{1}{2}x^2 + x - \dfrac{3}{2}\right)^2 - \left(\dfrac{1}{2}x^2 + x - \dfrac{5}{2}\right)^2$

7 $\dfrac{(x + y)^4 - (x - y)^4}{8xy}$

8 $\dfrac{4x}{\dfrac{1}{x - 2} - \dfrac{1}{x + 2}}$

Pour valider vos réponses, remplacez x par 3 et y par 2, et évaluez les expressions trouvées. La somme de leur valeur est un nombre carré.

Les élèves du primaire répondent à la question suivante à l'aide d'une division.

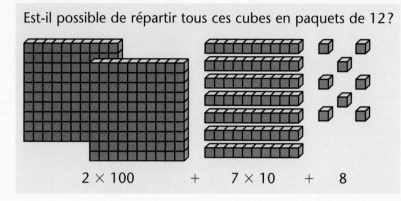

Est-il possible de répartir tous ces cubes en paquets de 12?

$2 \times 100 \qquad + \qquad 7 \times 10 \qquad + \qquad 8$

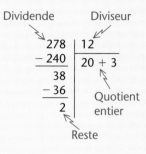

Puisque le reste n'est pas 0, la réponse est non. La division qui a été effectuée s'appelle une «division euclidienne». Dans ce type de division, le résultat est exprimé sous la forme d'un quotient entier et d'un reste. Cette division peut également être représentée par une égalité.

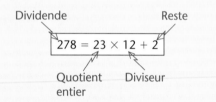

Dividende   Reste

$278 = 23 \times 12 + 2$

Quotient   Diviseur
entier

> Le mathématicien grec Euclide a montré que le quotient entier et le reste sont uniques si l'on s'assure d'obtenir un reste positif plus petit que le diviseur.

Il est possible d'établir une égalité semblable pour les polynômes. Considérons la question suivante.

> Un ensemble contenant $(15x^2 + 26x + 10)$ cubes peut-il être réparti en paquets de $(3x + 4)$ cubes?

a. Répondez à cette question en expliquant votre démarche.

b. À l'aide des calculs effectués en **a**, décrivez cette situation par une égalité de la forme:

Dividende   Reste

$P(x) = Q(x)D(x) + R(x)$ où le degré de $R(x)$ est inférieur au degré de $D(x)$.

Quotient   Diviseur

Comment pourriez-vous vérifier cette égalité?

c. On dit qu'un polynôme $P(x)$ est divisible par un polynôme $D(x)$ si le reste $R(x)$ est 0. Parmi les polynômes suivants, lesquels sont divisibles par $x - 2$? Justifiez votre réponse.

1) $2x^2 - 9x + 8$ 2) $5x^2 + 6x - 8$ 3) $x^3 - 5x^2 + 12$ 4) $x^3 - 2$

ACTIVITÉ 3 — Des fractions aux expressions rationnelles

Les élèves du primaire et du premier cycle du secondaire apprennent à manipuler les fractions.

Au primaire

Quelle fraction irréductible est représentée par ce schéma ?

$$\frac{15}{18} = \frac{\cancel{3} \times 5}{\cancel{3} \times 6} = \frac{5}{6}$$

Au secondaire

Hier, Stéphanie a lu le tiers d'un livre et aujourd'hui, elle en a lu les cinq dix-huitièmes. Quelle fraction de ce livre a-t-elle lue ?

$$\frac{1}{3} + \frac{5}{18} = \frac{6}{18} + \frac{5}{18} = \frac{11}{18}$$

a. Répondez aux deux questions ci-dessous inspirées des situations précédentes. Comment pourriez-vous vérifier vos réponses ?

1) Dans un ensemble contenant $2n^2$ jetons de couleur, il y a exactement $(n^2 + 2n)$ jetons verts. Quelle expression réduite représente la fraction de jetons qui sont verts ?

2) Le premier jour, j'ai lu $\frac{1}{n}$ d'un livre. Le deuxième jour, j'ai lu $\frac{5}{2n^2}$ du même livre. Quelle expression rationnelle représente la fraction du livre que j'ai lue pendant ces deux jours ?

b. Voici deux autres situations faisant intervenir des expressions rationnelles. Dans chaque cas, répondez à la question à l'aide d'une expression réduite en vous inspirant des opérations sur les fractions. Justifiez les étapes de vos calculs.

1) Dans une classe, $\frac{n + 2}{2n}$ des élèves sont des garçons et $\frac{n}{2n + 4}$ d'entre eux jouent au football. Quelle fraction de la classe représente le groupe de garçons jouant au football ?

2) Une bouteille est remplie d'eau à $\frac{n - 2}{n}$ de sa capacité ; une autre bouteille, à $\frac{2n - 4}{n^2 + 4n}$ de sa capacité. Quel est le rapport réduit de la quantité d'eau de la première bouteille à celle de la deuxième ?

c. Sans tenir compte du contexte, les opérations effectuées en **a** et en **b** sont-elles valables quelle que soit la valeur de n ? Expliquez votre réponse.

On a représenté quatre expressions algébriques à l'aide de la géométrie.

A Le carré d'une somme : $(a + b)^2$

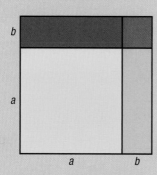

B Le cube d'une somme : $(a + b)^3$

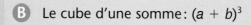
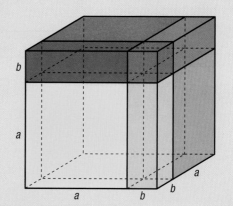

C La différence de deux carrés : $a^2 - b^2$

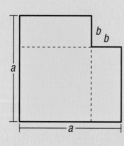

D La différence de deux cubes : $a^3 - b^3$

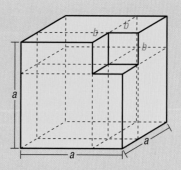

a. Dans les figures **A** et **B**, quelles expressions représentent l'aire ou le volume, selon le cas, de chacun des morceaux ?

b. Réorganisez les morceaux de la figure **C** pour former un rectangle et les morceaux de la figure **D** pour former un prisme. Quels produits peuvent représenter l'aire de ce rectangle et le volume de ce prisme ?

c. Associez une identité à chacune des quatre figures.

d. Vérifiez algébriquement ces identités.

> Une *identité* est une égalité qui relie deux expressions équivalentes.

EXPRESSIONS ALGÉBRIQUES ÉQUIVALENTES

Deux expressions algébriques sont équivalentes si leur valeur est identique, quelles que soient les valeurs attribuées aux variables qu'elles contiennent.

Manipulation d'expressions algébriques

Une expression algébrique complexe composée de plusieurs opérations sur des polynômes peut être réduite en une expression équivalente si l'on tient compte des priorités et des propriétés des opérations.

Ex. : Réduire $4x(2x) - (x - 3)(3x - 1)$.

Cette expression contient une soustraction et deux multiplications de binômes ou de monômes. On doit effectuer les multiplications avant la soustraction.

$4x(2x) - (x - 3)(3x - 1) = 8x^2 - (3x^2 - x - 9x + 3)$

> Ici, on applique, entre autres, la distributivité de la multiplication sur l'addition.

$= 8x^2 - (3x^2 - 10x + 3)$

> On doit soustraire de $8x^2$ chaque terme du polynôme $3x^2 - 10x + 3$.

$= 8x^2 - 3x^2 + 10x - 3$

$= 5x^2 + 10x - 3$

Division d'un polynôme par un binôme

Pour effectuer la division d'un polynôme par un binôme, on doit s'assurer que les termes du polynôme et ceux du binôme sont bien ordonnés.

Ex. : $(5x^2 - 18x + 10) \div (x - 3)$

La division se fait en plusieurs étapes.

À chaque étape, il s'agit de choisir judicieusement le terme du quotient de façon à annuler le terme ayant le degré le plus élevé dans le polynôme à diviser.

Il est possible qu'il y ait un reste.

$$
\begin{array}{r|l}
\text{Dividende} & \text{Diviseur} \\
5x^2 - 18x + 10 & x - 3 \\
\underline{-\,(5x^2 - 15x)} & \overline{5x - 3} \\
-3x + 10 & \quad\text{Quotient} \\
\underline{-\,(-3x + 9)} & \\
1 & \text{Reste}
\end{array}
$$

On peut exprimer la solution à l'aide d'une égalité de la forme $P(x) = Q(x)D(x) + R(x)$.

Ex. :
$$\underbrace{5x^2 - 18x + 10}_{\text{Dividende}} = \underbrace{(5x - 3)}_{\text{Quotient}}\ \underbrace{(x - 3)}_{\text{Diviseur}} + \underbrace{1}_{\text{Reste}}$$

En divisant par $x - 3$ de chaque côté de l'égalité, on peut aussi écrire :

$$\frac{5x^2 - 18x + 10}{x - 3} = 5x - 3 + \frac{1}{x - 3}$$

Expressions rationnelles équivalentes

Une **expression rationnelle** est une expression qui peut s'écrire comme le quotient de deux polynômes. Une expression rationnelle n'est bien définie que si le diviseur est différent de zéro.

> Ex.: $\dfrac{1}{x}$, $\dfrac{3x+1}{x-1}$ et $\dfrac{x+y}{2}$ sont des expressions rationnelles.
>
> L'expression $\dfrac{1}{x}$ n'a de sens que si $x \neq 0$. De même, $\dfrac{3x+1}{x-1}$ n'a de sens que si $x \neq 1$.

On peut générer des expressions rationnelles équivalentes en multipliant le numérateur et le dénominateur d'une expression par une même quantité différente de zéro.

> Ex.: $\dfrac{1}{x} = \dfrac{2x}{2x^2} = \dfrac{2ax}{2ax^2}\ \dfrac{2ax(x+2)}{2ax^2(x+2)}$. Ces égalités sont vraies si $x \neq 0$, $x \neq \text{-}2$ et $a \neq 0$.

Il est possible de réduire une expression rationnelle si le numérateur et le dénominateur ont un facteur commun. Il suffit de diviser le numérateur et le dénominateur par ce facteur commun en supposant qu'il n'est pas égal à 0.

> Ex.: $\dfrac{2x+4}{x^2+2x} = \dfrac{2(x+2)}{x(x+2)} = \dfrac{2}{x}$. Ces expressions sont équivalentes pourvu qu'elles soient bien définies, soit pour toutes les valeurs réelles de x, sauf 0 et -2.

Opérations sur les expressions rationnelles

Pour effectuer des opérations sur des expressions rationnelles, on applique les mêmes règles que celles utilisées pour les opérations sur les nombres en notation fractionnaire.

1. Addition ou soustraction
   - En utilisant des expressions rationnelles équivalentes, faire en sorte que tous les termes aient le même dénominateur.
   - Additionner ou soustraire les numérateurs.

   > Ex.: $\dfrac{2}{x} + \dfrac{1}{xy} = \dfrac{2y}{xy} + \dfrac{1}{xy}$
   >
   > $= \dfrac{2y+1}{xy}$

2. Multiplication
   - Multiplier les numérateurs entre eux et les dénominateurs entre eux en réduisant si possible.

   > Ex.: $\left(\dfrac{x}{x+1}\right)\left(\dfrac{x^2+x}{2}\right) = \dfrac{x(x^2+x)}{2(x+1)} = \dfrac{x^2(x+1)}{2(x+1)} = \dfrac{x^2}{2}$

3. Division
   - Diviser par une expression rationnelle revient à multiplier par l'inverse de cette expression.

   > Ex.: $\left(\dfrac{2}{x}\right) \div \left(\dfrac{x+1}{2x}\right) = \left(\dfrac{2}{x}\right)\left(\dfrac{2x}{x+1}\right) = \dfrac{4x}{x(x+1)} = \dfrac{4}{x+1}$

Identités algébriques remarquables

Une identité est une égalité qui relie deux expressions équivalentes. Certaines formes d'identité ont des particularités remarquables. Il est utile de les retenir.

Le carré d'un binôme

$$(a + b)^2 = a^2 + 2ab + b^2$$
$$(a - b)^2 = a^2 - 2ab + b^2$$

La différence de deux carrés

$$a^2 - b^2 = (a + b)(a - b)$$

Les identités peuvent servir à différentes fins :

- pour accélérer les calculs ;

  Ex. : $(3x - 5)^2 = 9x^2 - 30x + 25$

  Ce terme est le carré de $3x$.

  Ce terme est le double du produit de $3x$ par -5.

  Ce terme est le carré de -5.

- pour factoriser un polynôme.

  Ex. : Factoriser $25x^2 - 16$.

  On reconnaît la différence de deux carrés :

  - $25x^2$ est le carré de $5x$.
  - 16 est le carré de 4.

  Donc $25x^2 - 16 = (5x + 4)(5x - 4)$.

Il existe des identités de degré supérieur à 2.

Ex. : $(a + b)^3 = a^3 + 3a^2b + 3ab^2 + b^3$

DÉMONSTRATION ALGÉBRIQUE

Certaines propriétés des nombres naturels peuvent être démontrées à l'aide de l'algèbre.

Ex. : Démontrer que la différence entre les carrés de deux nombres impairs consécutifs est toujours un multiple de 8.

Un nombre impair peut être représenté par $2n + 1$, où $n \in \mathbb{N}$. Le nombre impair qui le suit est $2n + 3$, soit $(2n + 1) + 2$.

La différence entre les carrés de ces nombres est $(2n + 3)^2 - (2n + 1)^2$.

On peut réduire l'expression $(2n + 3)^2 - (2n + 1)^2$:
$$(4n^2 + 12n + 9) - (4n^2 + 4n + 1)$$
$$= 4n^2 + 12n + 9 - 4n^2 - 4n - 1$$
$$= 8n + 8$$
$$= 8(n + 1)$$

Par exemple :
$11^2 = 121$ et $13^2 = 169$.
$169 - 121$ égale 48 qui est un multiple de 8.

Puisque $n + 1$ est un nombre naturel, alors $8(n + 1)$ est bien un multiple de 8.

1 Effectuez mentalement les opérations suivantes.

a) $(x + 5)(3x - 2)$

b) $(2x + 3)(3x + 1)$

c) $(5x + 4)(5x - 4)$

d) $(3x - 4)(4x - 3)$

e) $(3x + 5)^2$

f) $(5x - 2)^2$

2 Effectuez les multiplications ci-dessous. Vérifiez ensuite vos réponses sachant que toutes les expressions obtenues doivent avoir la même valeur si $x = 5$ et $y = 2$.

a) $(2x - y)(x + 2y)$

b) $(2x - 3y)(4x - y)$

c) $(x - 7y)(y - 2x)$

d) $(10x - 13y)(x - y)$

e) $(5x - 12y)(10x + 11y)$

f) $2\left(x + \frac{1}{2}y\right)^2$

3 Effectuez les multiplications suivantes.

a) $(x + 3)(x^2 - 5x + 2)$

b) $(3x - 4)(4x^2 - 3x + 1)$

c) $(x^2 - 2x - 1)(x + 1)$

d) $(2x^2 + 5x + 1)(2 - 3x)$

e) $(x + y)(x + 2y + 3)$

f) $(x - 2y)(4x + 3y - 5)$

4 Déterminez l'expression algébrique réduite représentant l'aire de chacune des figures ci-dessous.

a)
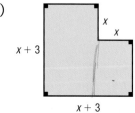

b)
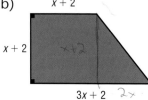

c)
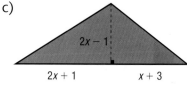

5 La propriété d'associativité de la multiplication permet de regrouper de différentes façons les facteurs d'une chaîne de multiplications sans que le résultat n'en soit modifié.

a) Vérifiez cette propriété en réduisant l'expression $(2x + 3)(3x + 1)(x - 4)$ de deux façons différentes :

1) calculez le produit des deux premiers binômes et multipliez le résultat par $(x - 4)$;

2) calculez le produit des deux derniers binômes et multipliez le résultat par $(2x + 3)$.

b) Réduisez l'expression $(x + 3)^2(x - 3)$. Puis vérifiez votre réponse en effectuant ce calcul d'une autre façon.

6 Claudie a remarqué en observant un calendrier que peu importe le carré de quatre jours qu'elle choisit, le produit du plus petit par le plus grand nombre est toujours 7 de moins que le produit des deux autres nombres. Par exemple, 2×10 égale 7 de moins que 3×9. De la même façon, 21×29 égale 609, ce qui est 7 de moins que 22×28, soit 616.

Démontrez que cette propriété est vraie, quelle que soit la page de calendrier choisie.

Dimanche	Lundi	Mardi	Mercredi	Jeudi	Vendredi	Samedi
		1	2	3	4	5
6	7	8	9	10	11	12
13	14	15	16	17	18	19
20	21	22	23	24	25	26
27	28	29	30	31		

7 Effectuez les divisions suivantes.

a) $(16x^2 - 8x - 3) \div (4x + 1)$

b) $(10x^2 - 23x + 12) \div (2x - 3)$

c) $(x^3 + x^2 + x + 1) \div (x + 1)$

d) $(2x^3 - 3x^2 + 5x - 14) \div (x - 2)$

e) $(x^3 - 4x + 15) \div (x + 3)$

f) $(8x^3 + 1) \div (2x + 1)$

8 Les identités algébriques remarquables peuvent être utiles pour effectuer certains calculs. Déterminez mentalement le résultat des opérations ci-dessous. Expliquez comment vous avez procédé.

a) 19×21

b) 76×84

c) 49^2

d) 31^2

e) $20^2 - 18^2$

f) $35^2 - 5^2$

g) $\left(3\frac{1}{3}\right)^2$

h) $\left(5\frac{1}{4}\right)^2 - \left(4\frac{3}{4}\right)^2$

9 Parmi les expressions suivantes, lesquelles donnent un résultat rationnel?

a) $\left(3 + \sqrt{2}\right)\left(3 - \sqrt{2}\right)$

b) $\left(3 + \sqrt{2}\right)^2$

c) $\left(2 - \sqrt{3}\right)\left(2 + \sqrt{3}\right)$

d) $\left(2 - \sqrt{3}\right)^2$

e) $\left(\sqrt{5} + 3\right)\left(5 - \sqrt{3}\right)$

f) $\left(\sqrt{5} - \sqrt{2}\right)\left(\sqrt{2} + \sqrt{5}\right)$

10 Parmi les polynômes suivants, lesquels sont équivalents au carré d'un binôme? Justifiez votre réponse.

$x^2 - x + 1$ $4y^2 + 20y + 25$ $4a^2 - 4ab + b^2$ $16x^2 + 25x + 9$

11 Décomposez en facteurs les expressions algébriques suivantes.

a) $4x^2 - 9$

b) $4x^2 - 8x$

c) $4x^2 - 4x + 1$

d) $x^2 - 6x + 9$

e) $x^2 - 6$

f) $x^2 - x + \frac{1}{4}$

g) $2x^2 + 16xy + 16y^2$

h) $9x^2 - (2x - 1)^2$

i) $(2x + 3)^2 - (x + 1)^2$

12 Réduisez les expressions suivantes.

a) $2x(x - 3)(x + 3)$

b) $(x + 3)^2 - (x + 1)^2$

c) $4x(5x - 1) + (2x + 1)^2$

d) $(x - 1)(x - 3) - (x - 2)^2$

e) $(x + 4)(x^2 - 2x + 2)$

f) $(3x + 2)^3$

g) $4x^2(1 - 2x) - 2x(1 - 4x)^2$

h) $(x + 1)(x + 2)(x + 3)$

13 Réduisez les expressions suivantes.

a) $\dfrac{(x + 1)^2 - (x + 1)(x - 1)}{2}$

b) $\dfrac{(x + 4)^2 - (x - 4)^2}{4x}$

c) $\dfrac{1 + (2x + 1)(2x - 1)}{(x + 2) - (x - 2)}$

d) $\dfrac{2(3x - 2) + 6(1 - x)}{(x - 1)^2 - (x^2 + 1)}$

e) $\dfrac{(2x + 3)(2x - 3) - 3(4x - 3)}{(2x + 3)^2 - 3(4x + 3)}$

f) $\dfrac{x^2 - 2x(x + 2) + (x + 2)^2}{(x + 1)^2 - 2(x + 1)(x + 2) + (x + 2)^2}$

14 Toutes les marches de l'escalier en ciment représenté ci-contre sont identiques. La variable x représente leur profondeur en centimètres. La largeur et la hauteur sont indiquées en fonction de cette dimension.

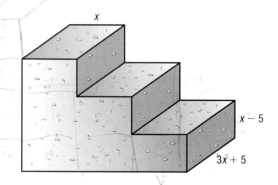

a) Quelle expression algébrique représente le volume de ciment nécessaire à la construction de cet escalier?

b) De combien de fois le volume serait-il augmenté si l'escalier comptait 6 marches plutôt que 3?

15 Pour les protéger de la rouille, on enduit les écrous d'une mince couche de zinc. Quelle expression algébrique représente la surface à protéger si cet écrou a la forme d'un hexagone régulier?

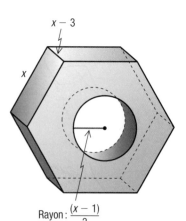

Rayon : $\dfrac{(x - 1)}{2}$

Le zingage désigne tout type de procédé de formation d'un revêtement de zinc sur une surface. La galvanisation est le procédé métallurgique qui consiste à recouvrir des métaux ferreux (fer, acier ou fonte) par immersion dans le zinc fondu.

16 Voici quatre expressions rationnelles:

1 $\dfrac{x^2 - 1}{x^2 - x}$ **2** $\dfrac{x^2 - 4x + 4}{x^2 - 4}$ **3** $\dfrac{4x^2 - 1}{4x^2 + 2x}$ **4** $\dfrac{x^2 - y^2}{x^2 + 2xy + y^2}$

a) Quelle est la valeur réduite de chacune de ces expressions si $x = 10$ et $y = 5$?

restriction b) Pour quelles valeurs de x et de y, ces expressions ne sont-elles pas bien définies?

c) Réduisez ces expressions.

17 **PAPYRUS D'AKHMÎM** Sur un papyrus découvert dans la vallée du Nil, à Akhmîm, en Égypte, on trouve la propriété ci-dessous. Traduite en langage moderne, celle-ci pourrait se lire comme suit:

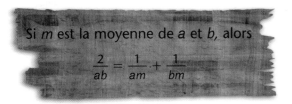

Si m est la moyenne de a et b, alors
$$\frac{2}{ab} = \frac{1}{am} + \frac{1}{bm}$$

Extrait du papyrus mathématique découvert à Akhmîm. Ce papyrus, écrit en grec, daterait d'une période antérieure au Ve s. av. J.-C.

a) Vérifiez cette propriété pour quelques valeurs de a et de b.

b) Démontrez cette propriété.

18 Effectuez les opérations ci-dessous en réduisant les résultats à leur plus simple expression.

a) $\left(\dfrac{x^2 + x}{x^2 - x}\right)\left(\dfrac{x - 1}{x + 1}\right)$

b) $\left(\dfrac{x^2 - 1}{x}\right) \div \left(\dfrac{x + 1}{x^2}\right)$

c) $\dfrac{1}{x} + \dfrac{1}{x^2 - x}$

d) $\dfrac{1}{x^2 + x} + \dfrac{x - 1}{x}$

e) $\dfrac{1}{x} - \dfrac{1}{x + 1}$

f) $\dfrac{x}{x + 1} - \dfrac{x - 1}{x}$

19 Le triangle ci-dessous est-il un triangle rectangle? Justifiez votre réponse.

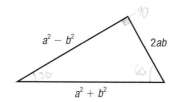

20 L'appareil en forme de boîte ci-contre sert à mesurer la capacité isolante électrique de différents liquides. Après avoir rempli l'appareil de liquide, on branche une source de courant sur les extrémités de chacune des plaques et on augmente graduellement la différence de potentiel jusqu'à ce que le courant circule.

Représentez le volume total de cet appareil à l'aide de l'expression algébrique qui vous paraît la plus simple.

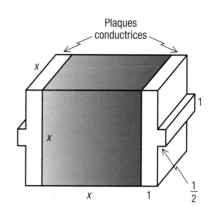

Plaques conductrices

21 Effectuez les opérations suivantes.

a) $(2x - 3)(4x^2 + 6x + 9)$ b) $(x + 4)(x^2 - 4x + 16)$ c) $(3x + 2)^3$

d) $(4x - 3)^3$ e) $(2x - 1)(2x + 1)^2$ f) $(2x - 1)^2(2x + 1)$

22 Chacune des divisions ci-dessous a un reste. Effectuez ces divisions, puis écrivez le résultat sous la forme d'une égalité.

a) $(x^2 + 10x + 26) \div (x + 5)$ b) $(-8x^3 + 3x + 6) \div (x - 1)$

c) $(2x^2 + 8x + 4) \div (2x + 2)$ d) $(4x^2 - 5x + 1) \div (2x + 1)$

e) $(x^3 - x + 1) \div (x + 2)$ f) $(x^2 - 3x^3 + 1) \div (3x - 1)$

23 Un panneau de contreplaqué est deux fois plus long que large. Une menuisière y découpe un rectangle dont la longueur est également le double de la largeur. Il lui reste alors un morceau en forme de L.

Représentez l'aire de ce morceau sous la forme d'un produit de facteurs.

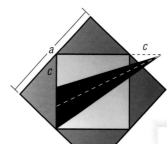

24 Dans le cadre d'un concours pour choisir le logo de la journée sans voiture, Samuel a présenté le dessin ci-contre. Les sommets du carré orange sont au milieu des côtés du carré bleu. La route est représentée par un triangle. La variable c lui a servi à créer la perspective. Exprimez l'aire de la route à l'aide des variables a et c.

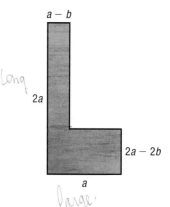

La journée sans voiture est née d'une initiative européenne en 1996. Cet événement a maintenant lieu tous les ans, habituellement le 22 septembre, dans près de 1500 villes à travers le monde.

25 **PRESSION** En 1654, Otton von Guericke a utilisé des hémisphères de Magdebourg pour montrer la pression exercée par l'air.

À l'aide d'une expression algébrique, exprimez le volume de laiton nécessaire à la construction de la sphère creuse si la mesure de son rayon extérieur est de 60 cm et que son épaisseur est de x cm.

Otton von Guericke
(1602-1686)

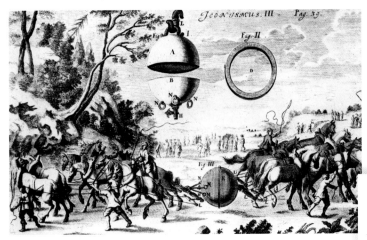

On raconte que lorsque le vide a été fait entre les deux hémisphères, il a fallu deux attelages de huit chevaux pour réussir à les séparer.

26 On peut déterminer la distance parcourue par un mobile en calculant l'aire sous la courbe du graphique de la vitesse en fonction du temps.

À partir du graphique ci-contre associé à un mobile dont l'accélération est constante, déterminez l'expression la plus simple représentant la distance franchie entre t et nt secondes.

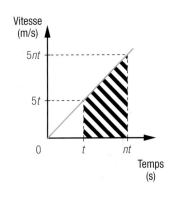

27 Voici des questions inspirées d'un examen d'admission à une école d'ingénierie. Ces questions visent à tester l'habileté des candidats à manipuler des expressions algébriques. Seriez-vous capable d'y répondre?

a) Simplifiez au maximum l'expression suivante : $\dfrac{\dfrac{a^4 + ab^3}{ab + b^2}}{\dfrac{a^4 - a^3b + a^2b^2}{a^2 + ab}}$.

b) Soit le polynôme $P(x) = 3x^2 + (a - 5)x + (a + 5)$. Déterminez la valeur du paramètre a pour que le reste de la division de $P(x)$ par $(x - 1)$ soit 5.

c) Calculez le coefficient du terme constant dans le développement de $\left(2x^2 - \dfrac{4}{x}\right)^3$.

d) Pour quelle valeur de x, l'expression $\dfrac{-12x^2 + 192x - 768}{(x - 11)^2 - (x - 5)^2}$ est-elle égale à 16?

28 Dans l'identité associée au carré d'une somme, si on remplace b par $-b$, on obtient, après simplification, l'identité associée au carré d'une différence.

> Le carré d'une somme :
> $$(a + b)^2 = a^2 + 2ab + b^2$$
> On remplace b par $-b$:
> $$(a + (-b))^2 = a^2 + 2a(-b) + (-b)^2$$
> Après simplification :
> $$(a - b)^2 = a^2 - 2ab + b^2$$

a) Sachant que $(a + b)^3 = a^3 + 3a^2b + 3ab^2 + b^3$, déterminez une identité concernant le cube d'une différence, soit $(a - b)^3$.

b) Sachant que $a^3 - b^3 = (a - b)(a^2 + 2ab + b^2)$, déterminez une identité concernant la somme de deux cubes, soit $a^3 + b^3$.

c) Sachant que $a^2 - b^2 = (a - b)(a + b)$, est-il possible d'exprimer $a^2 + b^2$ comme un produit de deux binômes ? Justifiez votre réponse.

29 Voici différentes conjectures sur les nombres impairs proposées par des élèves :

A Un de moins que le carré d'un nombre impair est toujours divisible par 4.

B Si on ajoute 1 au produit de deux nombres impairs consécutifs, on obtient un nombre carré.

 C Un nombre premier qui divise la différence de deux nombres impairs divise également leur somme.

Ces conjectures sont-elles vraies ou fausses ? Dans chaque cas, justifiez votre réponse par une argumentation appropriée.

30 Rosalie pense que le reste de la division d'un polynôme par $(x - 1)$ est toujours égal à la somme des coefficients du polynôme. Par exemple, le reste de la division du polynôme $x^2 - 3x + 6$ par $(x - 1)$ est 4, et la somme des coefficients 1, -3 et 6 de ce polynôme est bien égale à 4. Mais est-ce vrai pour tous les polynômes ?

a) La conjecture de Rosalie est-elle vraie ou fausse ? Justifiez votre réponse.

b) Si l'on doit diviser un polynôme $P(x)$ par un binôme de la forme $(x - a)$, où le paramètre a est un nombre quelconque, comment peut-on prévoir le reste sans effectuer la division ? Énoncez une conjecture sur ce sujet.

31 En physique, on utilise différentes relations pour rendre compte du mouvement des objets. Les trois équations suivantes sont valides pour tous les objets uniformément accélérés.

$$d = v_m \cdot t \qquad\qquad v_m = \frac{v_i + v_f}{2} \qquad\qquad a = \frac{v_f - v_i}{t}$$

Dans ces équations, d représente la distance parcourue, v_m, v_i et v_f sont respectivement les vitesses moyenne, initiale et finale, t est le temps écoulé et a, l'accélération.

Déduisez une formule simple reliant la vitesse initiale et la vitesse finale à la distance et à l'accélération.

32 Le schéma ci-dessous montre une expérience dans laquelle on fait apparaître l'image d'une bougie sur un carton à l'aide d'une lentille mince. L'endroit où l'on doit placer le carton pour que l'image soit parfaitement claire dépend de la longueur focale f de la lentille et de la distance p séparant la lentille de la bougie.

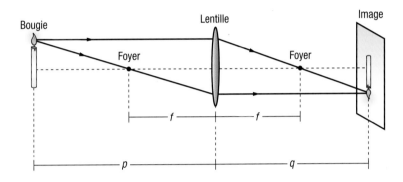

L'expérience montre que l'image est claire lorsque $\frac{1}{f} = \frac{1}{p} + \frac{1}{q}$.

a) Exprimez la valeur de q en fonction de p, si la longueur focale est de 4 cm. Déterminez ensuite l'expression qui représente la distance entre l'image et le foyer le plus proche, soit $(q - f)$.

b) Montrez que $f^2 = (p - f)(q - f)$.

33 En calculant le carré d'un trinôme, Valérie a découvert une nouvelle identité algébrique.

a) Complétez l'égalité ci-dessous pour retrouver l'identité que Valérie a découverte.

$(a + b + c)^2 =$ ☐ + ☐ + ☐ + ☐ + ☐ + ☐

b) Démontrez cette identité à l'aide d'une figure géométrique appropriée.

c) Utilisez cette identité pour effectuer mentalement les calculs suivants.

1) $(2x + 3y + 5)^2$ 2) $(3x - y + 2)^2$ 3) $(x^2 - x - 1)^2$

**La factorisation
et la résolution
d'équations**

Cette section est en lien
avec la SAÉ 9.

PROBLÈME | Belles structures !

On trouve souvent des triangles dans les structures de ponts, de pylônes et de nombreux autres
ouvrages conçus par les ingénieurs civils. C'est que les structures en triangles sont indéformables,
contrairement à celles formées avec d'autres polygones.

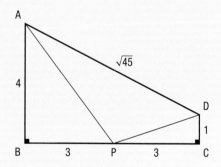

Voici les schémas de trois structures en forme de trapèze :

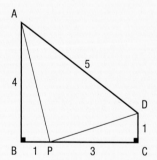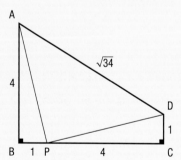

Pour solidifier ces structures, les sommets A et D sont reliés à un point P sur le segment BC
comme il est indiqué dans chacun des schémas. Toutefois, pour des raisons pratiques et
esthétiques, une ingénieure décide de déplacer le point P pour faire en sorte que le triangle APD
soit un triangle rectangle avec un angle droit en P. Pour résoudre algébriquement ce problème,
elle représente par x la longueur du déplacement du point P vers la droite.

Pour chaque structure, de quelle distance et dans quelle direction peut-on déplacer
le point P pour que l'angle APD soit un angle droit ?

Alice et Alain ont des façons différentes de s'approprier de nouveaux concepts mathématiques. En algèbre, Alice comprend bien lorsqu'elle peut tout ramener aux propriétés des opérations, alors qu'Alain préfère établir des liens avec la géométrie. À titre d'exemple, voici comment ils calculent le produit $(a + b)(c + d)$.

Pour développer cette expression, je peux appliquer la distributivité de la multiplication sur l'addition.

C'est très simple, puisque ça revient à calculer l'aire d'un rectangle divisé en quatre régions.

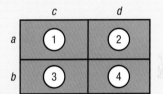

$(a + b)(c + d) = a(\blacksquare + \blacksquare) + \blacksquare (\blacksquare + \blacksquare)$
$= \blacksquare + \blacksquare + \blacksquare + \blacksquare$

a. Complétez le raisonnement amorcé par chacun d'eux.

b. Alain a observé une certaine symétrie dans son schéma. Que peut-il avoir observé ?

> On peut définir l'intelligence comme la capacité de résoudre des problèmes et de s'adapter à des situations nouvelles. Les spécialistes des sciences cognitives pensent que l'intelligence est multiple et que chaque personne possède des aptitudes selon plusieurs types d'intelligence. Par exemple, pour résoudre le problème énoncé ci-dessus, Alain privilégie une approche associée à l'intelligence visuo-spatiale autant qu'à l'intelligence logico-mathématique.

Il est possible de décomposer en facteurs certains polynômes à quatre termes.

c. Choisissez l'une des deux méthodes ci-dessus et, en procédant à rebours, décomposez en facteurs le polynôme suivant.

$$36a^2x + 48abx + 15ab + 20b^2$$

Alice et Alain se sont lancé mutuellement un défi, celui de décomposer en facteurs un polynôme qu'ils ont créé chacun de leur côté.

Le défi d'Alice : $10ab - 15b - 2a + 3$ Le défi d'Alain : $6x^2 + 12y + 9xy + 8x$

d. Relevez ces deux défis.

e. Lancez un défi semblable à l'un ou à l'une de vos camarades de classe en lui proposant de décomposer en facteurs un polynôme à quatre termes que vous savez décomposable.

ACTIVITÉ 2 Le jardin de l'abbaye

Certains problèmes, comme celui qui suit, peuvent se traduire par une équation de la forme
$ax^2 + bx + c = 0$.

Dans la cour intérieure d'une abbaye, il y a un jardin rectangulaire,
4 fois plus long que large, bordé par un chemin de 1 m de largeur.
Le jardin et le chemin couvrent ensemble une surface de 130 m².
Quelles sont les dimensions du jardin?

a. Si x représente la largeur du jardin (en m), montrez que l'énoncé de ce problème peut
se traduire par l'équation $2x^2 + 5x - 63 = 0$.

Il est possible de résoudre cette équation en décomposant en facteurs le polynôme $2x^2 + 5x - 63$.

b. Trouvez une méthode pour décomposer le polynôme en facteurs et déterminez
les dimensions du jardin. Comparez ensuite votre démarche avec celle de vos camarades
de classe.

c. Quelles seraient les dimensions du jardin si la surface couverte par le jardin et le chemin
était de 180 m² au lieu de 130 m²?

d. Si la longueur du jardin avait 7 m de plus que sa largeur et si le jardin couvrait la même
surface que le chemin, quelles seraient alors les dimensions du jardin?

ACTIVITÉ 3 L'algorithme d'Al-Khawarizmi

Au début du IXᵉ siècle, le mathématicien arabe Muhamed Ibn Mussa Al-Khawarizmi a écrit un traité dans lequel il explique la façon de résoudre une équation de degré 2. Son algorithme peut être appliqué à toute équation de ce type. Voici comment il pose le problème :

> Un algorithme est une suite d'opérations que l'on doit effectuer systématiquement pour résoudre un problème. Le mot *algorithme* vient justement du nom d'Al-Khawarizmi.

« Un carré et dix racines sont égaux à 39 dirhams. »

> Le dirham est une ancienne mesure de poids arabe, turque et perse. C'est aujourd'hui l'unité monétaire du Maroc.

En notation algébrique actuelle, cela se traduit par l'équation $x^2 + 10x = 39$.

Pour résoudre cette équation, Al-Khawarizmi construit la figure ci-contre. Il trace d'abord le carré gris dont les côtés mesurent x. Il sépare ensuite le terme $10x$ en deux parties qu'il représente par les rectangles blancs. Selon l'équation, l'aire totale de cette figure est égale à 39.

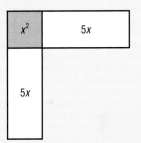

a. Reproduisez cette figure et, comme le propose Al-Khawarizmi, complétez-la pour former un carré. Quelle est l'aire de la partie que vous avez ajoutée ? Quelle est l'aire du carré ainsi obtenu ? Déduisez-en la valeur de x.

b. Al-Khawarizmi ne tenait compte que des solutions positives. Quelle est la solution négative de cette équation ?

c. Il est possible de représenter cet algorithme à l'aide d'une suite d'équations équivalentes comme il est illustré ci-dessous. Complétez ces équations en expliquant chaque étape.

$$x^2 + 10x + \boxed{} = 39 + \boxed{}$$

$$(\boxed{} + \boxed{})^2 = \boxed{}$$

$$\boxed{} = \boxed{} \text{ ou } \boxed{} = \boxed{}$$

$$x = \boxed{} \text{ ou } x = \boxed{}$$

d. Utilisez la même démarche pour résoudre l'équation $x^2 + 8x = 4$.

e. Transformez l'équation $2x^2 - 12x + 10 = 0$ en une équation équivalente qu'on pourrait résoudre en suivant les étapes décrites en **c**. Résolvez ensuite cette équation.

savoirs 3.3

DÉCOMPOSITION EN FACTEURS

Voici quelques stratégies qui permettent de décomposer des polynômes en facteurs.

Mise en évidence double

Certains polynômes à quatre termes peuvent être décomposés par la **mise en évidence double** de la façon suivante :

1° appliquer la mise en évidence simple à chaque groupe de deux termes ;

2° mettre en évidence le binôme qui apparaît dans les deux nouveaux termes.

Ex. : $6xy + 3x - 8y - 4$

$3x(2y + 1) - 4(2y + 1)$

$(3x - 4)(2y + 1)$

> Le polynôme sera décomposable par cette méthode si le produit des 1er et 4e termes est égal au produit des 2e et 3e termes.

Décomposition d'un trinôme de la forme $ax^2 + bx + c$

- Une première stratégie de décomposition d'un polynôme de la forme $ax^2 + bx + c$ consiste à le transformer en un polynôme à quatre termes, équivalent et décomposable par la mise en évidence double. Pour ce faire, on scinde le terme bx en une somme de deux termes $mx + nx$ de telle sorte que le produit de ces deux termes est égal au produit de ax^2 par c.

> Essentiellement, cela revient à trouver deux nombres m et n dont le produit est ac et la somme est b.

Ex. : $6x^2 + 11x + 4$

Le produit des coefficients a et c est 24, soit 6×4. Il faut donc chercher deux nombres m et n dont le produit est 24 et la somme est 11.

1. Recherche de m et n par tâtonnement :

$1 \times 24 = 24$, mais $1 + 24 = 25$.

$2 \times 12 = 24$, mais $2 + 12 = 14$.

$3 \times 8 = 24$ et $3 + 8 = 11$.

Les deux nombres sont 3 et 8.

2. Décomposition du polynôme :

$6x^2 + 11x + 4 = 6x^2 + 3x + 8x + 4$

$= 3x(2x + 1) + 4(2x + 1)$

$= (3x + 4)(2x + 1)$

- Une autre stratégie qu'on peut utiliser pour décomposer un polynôme de la forme $ax^2 + bx + c$ est de procéder par tâtonnement en considérant les différents diviseurs des coefficients a et c.

> Il est préférable d'utiliser cette méthode lorsque a ou c est égal à 1, ou encore lorsque a et c ont peu de diviseurs.

Ex.: $2x^2 + 7x + 6$

On peut écrire $2x^2 + 7x + 6 = (2x + \boxed{})(x + \boxed{})$, car 2 est un nombre premier.

Le produit des nombres manquants doit être égal à 6.
Il y a 4 possibilités : 1 et 6 ; 2 et 3 ; 3 et 2 ; 6 et 1.
Il ne reste qu'à vérifier chacune de ces possibilités.

$$\overset{12x}{\overbrace{(2x + 1)(x + 6)}} = 2x^2 + 13x + 6 \quad \text{Non.} \qquad \overset{6x}{\overbrace{(2x + 2)(x + 3)}} = 2x^2 + 8x + 6 \quad \text{Non.}$$
$$\underset{x}{} \qquad\qquad\qquad\qquad \underset{2x}{}$$

$$\overset{4x}{\overbrace{(2x + 3)(x + 2)}} = 2x^2 + 7x + 6 \quad \text{Oui.} \qquad \text{La réponse est donc } (2x + 3)(x + 2).$$
$$\underset{3x}{}$$

RÉSOLUTION D'ÉQUATIONS DE DEGRÉ 2 À UNE VARIABLE

Des **équations équivalentes** sont des équations qui ont les mêmes solutions. Pour résoudre une équation, on cherche généralement à déterminer des équations équivalentes de plus en plus simples.

Résolution par décomposition en facteurs

Cette méthode de résolution est basée sur la propriété suivante des nombres réels :

$$AB = 0, \text{ si et seulement si } A = 0 \text{ ou } B = 0$$

Pour résoudre l'équation :	Ex.: $2(x^2 + x) = 20 - x$.
1° l'écrire sous la forme $P(x) = 0$;	$2x^2 + 3x - 20 = 0$
2° décomposer en facteurs le polynôme $P(x)$;	$(2x - 5)(x + 4) = 0$
3° appliquer la propriété ci-dessus, et résoudre les équations de degré 1 qui en résultent.	Donc $2x - 5 = 0$ ou $x + 4 = 0$ $x = 2{,}5$ ou $\qquad x = \text{-}4$.

Résolution par complétion du carré

Pour résoudre l'équation :	Ex.: $2x^2 - 8x + 1 = 0$.
1° l'écrire sous la forme $x^2 + bx = c$;	$x^2 - 4x = \text{-}0{,}5$
2° ajouter un terme de chaque côté de l'égalité pour obtenir un trinôme carré parfait du côté gauche ;	$x^2 - 4x + \mathbf{4} = \text{-}0{,}5 + \mathbf{4}$ $(x - 2)^2 = 3{,}5$
3° déterminer les solutions par extraction des racines carrées.	Donc $x - 2 = \sqrt{3{,}5}$ ou $x - 2 = \text{-}\sqrt{3{,}5}$ $x = 2 + \sqrt{3{,}5}$ ou $\quad x = 2 - \sqrt{3{,}5}$.

1 Décomposez les polynômes suivants en facteurs.

a) $6ax + 21x - 8a - 28$

b) $36xy - 9x - 8y + 2$

c) $x^3 + x^2 + x + 1$

d) $24 + 20a + 18ab + 15a^2b$

e) $axy + ay^2 - xy - x^2$

f) $10ab^2 + 4a^2b - 8a - 20b$

2 Il y a deux choses que Jason aime faire dans la vie : regarder des films avec son amie et faire de l'algèbre. Il a justement loué quelques films pour la fin de semaine.

Si le prix de chaque film avait été x \$ de moins, j'en aurais loué y de plus. Et ça m'aurait coûté seulement $(20 - 4x + 5y - xy)$ \$!

Combien de films a-t-il loués ? Quel prix a-t-il payé ?

3 Trouvez les deux nombres dont le produit P et la somme S sont donnés.

a) P = -30 et S = 1.

b) P = 48 et S = -16.

c) P = -24 et S = -10.

d) P = 32 et S = 12.

e) P = -36 et S = 0.

f) P = 18 et S = -8,5.

4 Décomposez les trinômes ci-dessous en facteurs, en utilisant la mise en évidence double.

a) $12x^2 + 49x + 4$

b) $20x^2 - 11x + 3$

c) $10x^2 - 13x - 3$

d) $6x^2 + 23x - 4$

e) $40x^2 - 31x + 6$

f) $10x^2 - 9x - 9$

g) $16x^2 - 40x + 25$

h) $25x^2 - 50x + 16$

i) $24x^2 - 2x - 15$

5 Les trinômes ci-dessous ne diffèrent que par le coefficient du terme en x et le signe du terme constant. En explorant les différents facteurs possibles, décomposez chacun de ces trinômes.

a) $3x^2 + 17x + 10$

b) $3x^2 + 13x + 10$

c) $3x^2 + 13x - 10$

d) $3x^2 + 7x - 10$

e) $3x^2 + x - 10$

f) $3x^2 - 11x + 10$

g) $3x^2 - 13x - 10$

h) $3x^2 - 29x - 10$

i) $3x^2 - 31x + 10$

6 Décomposez les trinômes suivants en facteurs, en utilisant la méthode de votre choix.

a) $x^2 + 4x - 32$

b) $x^2 - 7x + 10$

c) $3x^2 + 16x - 12$

d) $4x^2 + 4x + 1$

e) $4x^2 - 15x - 4$

f) $6x^2 - 7x + 1$

g) $6x^2 + 17x + 12$

h) $10x^2 + x - 3$

i) $12x^2 - 8x - 15$

7 Dans le trapèze ci-contre, les côtés AB et BC sont isométriques. Si x est la longueur de la petite base AD, alors l'expression $6x^2 - 7x + 2$ correspond à l'aire du trapèze.

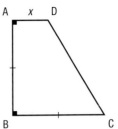

a) Décomposez en facteurs le polynôme $6x^2 - 7x + 2$.

b) Quelle expression algébrique peut représenter la hauteur de ce trapèze ?

8 Décomposez les polynômes suivants en facteurs.

a) $4x^2 - 25x + 21$

b) $4x^2 - 25$

c) $4x^2 - 20x + 25$

d) $x^3 - 4x^2 + 5x - 20$

e) $5x^2 - 13x - 6$

f) $12x^2 + 5x - 2$

g) $-15x^2 - 7x + 2$

h) $15x + 6x^2 - 4x - 10$

i) $6x^2 - 10x$

j) $16x^2 + 50x + 25$

k) $16x^2 - 40x + 25$

l) $16x^3 + 40x^2 + 10x + 25$

m) $16x^4 - 25$

n) $3x^2 - 25xy + 8y^2$

o) $49x^2y - 42xy^2$

p) $5x^2y^2 + 16xy + 3$

q) $49x^2y^4 - 42xy^2 + 9$

r) $6x^2y - 9xy^2 - 4x + 6y$

9 Il faut au moins 17,2 dm² de papier pour emballer la boîte représentée ci-dessous. Dans cette représentation, les dimensions de la boîte (en cm) sont exprimées en fonction de sa hauteur.

a) Montrez que cette situation peut se traduire par l'équation $x^2 + 4x - 285 = 0$.

b) Déterminez les dimensions de la boîte.

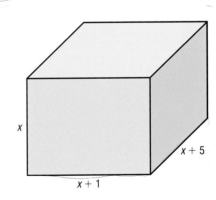

10 Au cours d'un jeu questionnaire télévisé, on propose l'énigme suivante aux concurrents qui ont deux minutes pour répondre durant la pause commerciale. Pourriez-vous réussir ?

> Quel est le plus petit nombre possédant la propriété suivante ?
> Je double ce nombre, j'ajoute 10 au résultat, je l'élève au carré,
> puis je soustrais 10, et je retrouve le même nombre
> que j'avais au départ.

11 Résolvez les équations suivantes à l'aide de la décomposition en facteurs.

a) $2x^2 - 16x = 0$

b) $x^2 - 16 = 0$

c) $x^2 - 8x + 16 = 0$

d) $x^2 - 3x + 2 = 0$

e) $x^2 + 5x - 36 = 0$

f) $x^2 + 13x + 36 = 0$

g) $2x^2 - 3x = 2$

h) $9x^2 + 1 = 6x$

i) $2x^2 = x + 15$

j) $8x^2 + 14x = 15$

k) $10x(x + 2) = 10 - x$ *réduire (calculé)*

l) $4(x - 3) = x(x + 1)$ *impossible calculé*

12 Résolvez les équations suivantes en complétant le carré.

a) $x^2 - 10x = 11$

b) $x^2 + 3x = 4$

c) $x^2 + 6x = 1$

d) $x^2 = 3x + 5$

e) $2x^2 + 8 = 8x$

f) $2x^2 + 3x + 1 = 0$

g) $x^2 + 4x - 3 = 0$

h) $4x^2 = 8x + 12$

i) $6x^2 = 2 - x$

13 La cabane dans la cour arrière de Fabien est représentée ci-dessous. Il a l'intention d'en construire une nouvelle dont l'aire du plancher serait deux fois plus grande. Déterminez les dimensions de sa nouvelle cabane, si par rapport à sa cabane actuelle :

a) il augmente la longueur et la largeur de la même valeur ;

b) il augmente deux fois plus la largeur que la longueur.

14 Annie a coupé un morceau d'une longueur de 85 cm dans une languette de bois de 2 m de longueur.

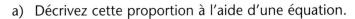

85 cm

Elle se demande maintenant comment couper en deux le morceau qui reste pour que les trois bouts de bois puissent former un triangle rectangle dont l'hypothénuse mesurera 85 cm.

a) Montrez que cette situation peut se traduire par l'équation $x^2 - 115x + 3000 = 0$, où x représente la longueur (en cm) de l'un des morceaux qu'elle doit couper.

b) Comment Annie devra-t-elle couper le morceau qui reste?

15 Les deux rectangles de la figure ci-contre sont semblables. Leurs côtés sont donc proportionnels.

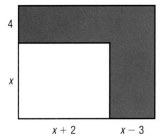

4

x

$x + 2$ $x - 3$

a) Décrivez cette proportion à l'aide d'une équation.

b) Donnez une équation de degré 2 équivalente à l'équation trouvée en a).

c) Déterminez l'aire de la région en bleu.

16 La petite diagonale d'un losange mesure 2 cm de moins que sa grande diagonale. L'aire du losange est de 15 cm². Déterminez le périmètre exact de ce losange.

17 **HIÉROGLYPHES** Dans leurs calculs, les Égyptiens de l'Antiquité utilisaient seulement des fractions unitaires, c'est-à-dire des fractions qui aujourd'hui se représenteraient avec un numérateur égal à 1. Voici deux problèmes concernant ce type de fractions:

a) Montrez qu'il n'existe qu'un seul nombre entier n tel que

$$\frac{1}{n} + \frac{1}{n + 1} + \frac{1}{n(n + 1)} = 1.$$

b) Le double de la fraction $\frac{1}{n}$ est égal à $\frac{1}{n - 2} + \frac{1}{2n + 5}$. Quelle est cette fraction?

Pour écrire les fractions unitaires, les Égyptiens utilisaient un symbole en forme de bouche ouverte placé au-dessus de la représentation du dénominateur. Les hiéroglyphes ci-contre représentent les fractions $\frac{1}{3}$ et $\frac{1}{12}$.

18 Certains polynômes à coefficients entiers peuvent se décomposer en des facteurs qui ont des coefficients irrationnels. Par exemple :

$$x^2 - 2 = \left(x + \sqrt{2}\right)\left(x - \sqrt{2}\right).$$

La démarche ci-dessous présente un autre exemple plus complexe, soit la décomposition en facteurs du polynôme $x^2 + 6x + 4$.

$$
\begin{aligned}
x^2 + 6x + 4 &= x^2 + 6x + \mathbf{9} - \mathbf{9} + 4 \\
&= (x + 3)^2 - 5 \\
&= ((x + 3) + \sqrt{5})((x + 3) - \sqrt{5}) \\
&= (x + 3 + \sqrt{5})(x + 3 - \sqrt{5})
\end{aligned}
$$

a) À la première ligne, pourquoi ajoute-t-on 9 après le terme $6x$? Et pourquoi soustrait-on 9 ensuite ?

b) Justifiez le passage de la première à la deuxième ligne, puis de la deuxième à la troisième ligne.

c) En effectuant la multiplication, vérifiez que le produit des deux facteurs obtenus est bien égal au polynôme de départ.

d) Utilisez cette méthode pour décomposer en facteurs les polynômes suivants.

   1) $x^2 + 8x + 13$ 2) $x^2 - 4x + 1$ 3) $x^2 + 3x + 2$

19 Thomy et Anika sont frère et sœur. Si on élève au carré l'âge d'Anika et qu'on soustrait de cette valeur le produit de leur âge, le résultat est le même que si on soustrayait du produit de leur âge le carré de l'âge de Thomy. Que pouvez-vous affirmer au sujet de Thomy et d'Anika ? Justifiez votre réponse.

20 Pour simplifier l'expression $\dfrac{x^2 - 6x + 8}{x^2 - 3x + 2}$, une élève a procédé de la façon suivante.

Elle a :

- biffé les termes en x^2 ;

- simplifié les termes en x ;

- simplifié les termes constants.

$$\frac{x^2 - \overset{2}{\cancel{6}}\cancel{x} + \overset{4}{\cancel{8}}}{\cancel{x^2} - \cancel{3}\cancel{x} + \cancel{2}} = 2 + 4 = 6$$

Elle a obtenu 6 comme réponse finale.

a) Expliquez en quoi sa façon de faire est erronée.

b) Existe-t-il une valeur de x pour laquelle cette élève n'aurait pas tout à fait tort ?

21 **PHARE D'ALEXANDRIE** L'une des sept merveilles du monde de l'Antiquité est le phare d'Alexandrie, construit au IIIe s. av. J.-C. Il n'en reste aucune trace aujourd'hui, car il a été détruit au XIVe siècle. En s'appuyant sur les témoignages de l'époque, on estime que la lumière du phare pouvait être vue par les marins à plus de 40 km à la ronde.

Le schéma ci-dessous représente le phare et la Terre. Le segment qui relie la lumière du phare au bateau est perpendiculaire à l'un des rayons de la Terre et mesure environ 40 km. Sachant que la Terre a un rayon de presque 6380 km, estimez la hauteur qu'avait le phare d'Alexandrie.

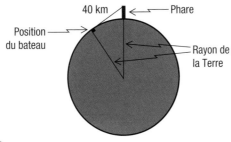

Ministère

22 Le rectangle et le carré ci-dessous sont équivalents. Déterminez leurs dimensions.

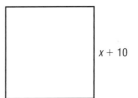

23 Le plafond d'un stationnement souterrain est soutenu par un ensemble de colonnes. Cet ensemble est composé de 3 rangées parallèles de 5 colonnes mesurant chacune 1 m de diamètre. Dans chaque rangée, la distance libre qui sépare deux colonnes successives est toujours la même. Cette distance est également celle qui sépare chaque rangée l'une de l'autre et qui sépare chacun des murs du stationnement des colonnes les plus proches.

Déterminez la distance qui sépare chaque colonne sachant que la surface rectangulaire du plancher du stationnement mesure 1650 m^2.

24 Un groupe de personnes doivent investir 60 000 $ en parts égales pour fonder une coopérative d'habitation. S'il y avait une personne de moins dans le groupe, chacune devrait engager 1500 $ de plus que s'il y avait une personne de plus.

   a) Traduisez cette situation par une équation en représentant par x le nombre de personnes dans le groupe. Votre équation peut-elle s'exprimer sous la forme $ax^2 + bx + c = 0$?

   b) Combien de personnes y a-t-il dans le groupe?

25 Philippe élève des chèvres. Il veut leur construire un enclos rectangulaire d'une superficie de 36 m². Puisque le grillage se vend par rouleau de 5 m, il se dit que la longueur de sa clôture devrait être de 20 m, de 25 m ou de 30 m. Cependant, après avoir essayé tous les facteurs de 36, il conclut que c'est impossible pour chacune de ces longueurs. A-t-il raison? Justifiez votre réponse.

26 Mélanie est menuisière. Parfois, pour s'assurer que deux murs forment un angle droit, elle vérifie s'il est possible de tracer, sur le plancher, le long des murs, un triangle ayant des côtés mesurant 3, 4 et 5 unités.

C'est facile de retenir ces nombres puisqu'ils se suivent.

Les nombres 3, 4 et 5 sont-ils les seuls entiers consécutifs que Mélanie peut utiliser à cette fin? Justifiez votre réponse.

27 **LA DIVINE PROPORTION** Le moine italien
Luca Pacioli a écrit, en 1509, un livre intitulé
De divina proportione dans lequel il décrit
certaines propriétés d'un rapport particulier
que nous appelons aujourd'hui la « section
dorée ». Ce rapport se retrouve dans
plusieurs situations géométriques et
il est souvent associé à la beauté
et à l'harmonie.

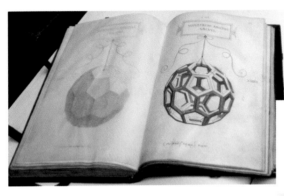

Dans le livre de Pacioli, on trouve cette illustration réalisée
par Léonard de Vinci, ami de Pacioli. Comme il est écrit dans
ce livre, le pentagone régulier a un lien très étroit avec la divine
proportion, car le rapport entre la mesure de ses côtés et celle
de ses diagonales est justement égal à la section dorée.

Les mathématiciens grecs s'étaient déjà intéressés à ce rapport qu'ils appelaient
« partage en extrême et moyenne raison ». Au IIIᵉ s. av. J.-C., Euclide a écrit :

« Une ligne droite est coupée en extrême et moyenne raison
lorsque la ligne entière est au plus grand segment
comme le plus grand segment est au plus petit. »

A   C   B

$$\frac{m\,\overline{AB}}{m\,\overline{AC}} = \frac{m\,\overline{AC}}{m\,\overline{CB}}$$

Supposons que le segment AB mesure 1 unité. Dans ce cas, la section dorée correspond
à la mesure du segment AC.

a) Quelle est cette mesure ? Donnez la réponse exacte et une valeur arrondie
   au millième près.

b) Quelle est la valeur du rapport $\frac{m\,\overline{AB}}{m\,\overline{AC}}$?

   Arrondissez au millième près. Vérifiez
   que vous obtenez la même valeur
   pour le rapport $\frac{m\,\overline{AC}}{m\,\overline{CB}}$.

On appelle *nombre d'or* la valeur de ce rapport.
Le nombre d'or est symbolisé par la lettre
grecque Φ (phi). La section dorée n'est autre
que l'inverse du nombre d'or.

Chronique du passé

Les mathématiciens arabes

L'apport de l'islam dans le domaine des mathématiques

La révélation du prophète Muhammad, au VIIe siècle, est le fondement de la religion musulmane. Dans les années qui suivent, l'islam se répand rapidement et permet alors d'unir les différentes tribus arabes en une seule nation, formant un empire qui étendra son influence religieuse et culturelle, notamment artistique et scientifique, de l'Inde jusqu'à l'Espagne. C'est une période faste pour le développement des mathématiques.

On connaît peu de choses de la vie personnelle des mathématiciens de cette époque. C'est souvent seulement par le contenu de leur œuvre qu'on se souvient d'eux.

Une mosaïque arabe de l'Alhambra, palais situé à Grenade en Espagne. Un exemple où l'art et les mathématiques ne font plus qu'un.

Al-Khawarizmi (v. 790-v. 850)

Le premier et le plus célèbre mathématicien de cette période est Muhamed Ibn Mussa Al-Khawarizmi. Il est l'auteur du livre dont le titre arabe est *Kitab al-jabr wa'l muqabala* (La science de la transposition et de la réduction). Le mot *al-jabr* est à l'origine du mot « algèbre » que nous utilisons aujourd'hui.

Ce qui distingue Al-Khawarizmi des mathématiciens de cette époque, c'est le soin qu'il met à justifier ses algorithmes. Par exemple, dans son livre, lorsqu'il explique comment résoudre des équations de degré 2, il démontre à l'aide de figures géométriques que sa méthode est toujours valable.

Il fait également l'inverse. Pour résoudre certains problèmes géométriques, il utilise un raisonnement algébrique comme dans l'exercice **1.** Pourriez-vous faire de même ?

1. On inscrit un carré dans un triangle isocèle dont la base mesure 12 unités et les côtés isométriques mesurent 10 unités chacun. Quelles sont les dimensions de ce carré ?

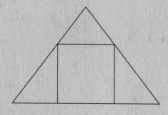

Tâbit ibn Korrah (836-901)

L'un des héritages de ce mathématicien, c'est d'avoir traduit en arabe plusieurs œuvres de mathématiciens grecs de l'Antiquité qui ont ainsi pu être conservées et transmises.

Après ces traductions, il a proposé quelques améliorations à des résultats connus ; par exemple, il a trouvé une généralisation du théorème de Pythagore valable pour tout type de triangle.

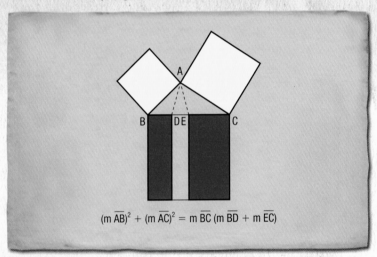

$$(m \, \overline{AB})^2 + (m \, \overline{AC})^2 = m \, \overline{BC} \, (m \, \overline{BD} + m \, \overline{EC})$$

Sur les côtés du triangle ABC, on construit trois carrés. Puis, on trace les segments AE et AD de sorte que les triangles DBA et EAC sont semblables au triangle ABC. Dans ce cas, la somme des aires des carrés jaunes est égale à la somme des aires des rectangles bleus.

2. Considérez la construction de Tâbit ibn Korrah.

a) Pouvez-vous démontrer la propriété qu'il énonce, à savoir que la somme des aires des carrés jaunes égale la somme des aires des rectangles bleus ?

b) Qu'arrive-t-il aux deux rectangles bleus si le triangle ABC est rectangle ?

Al-Karaji (v. 953-v. 1029)

Ce mathématicien a apporté une contribution importante à l'algèbre, car il est l'un des premiers à s'être détaché des représentations géométriques pour étudier, entre autres, des équations de degré supérieur à 2.

Voici un exemple :
Ayant remarqué que $1^3 + 2^3 = 3^2$, Al-Karaji s'est demandé s'il existe deux autres nombres cubiques dont la somme est un nombre carré. Cela revient à résoudre une équation de la forme $x^3 + y^3 = z^2$. Il a trouvé l'équivalent de ceci :

Si $x = \dfrac{n^2}{1 + m^3}$ et $y = \dfrac{mn^2}{1 + m^3}$,

alors $x^3 + y^3$ est un carré parfait.

3. Démontrez la propriété énoncée par Al-Karaji.

Le monde du travail

Les ingénieurs

Qu'ont en commun Léonard de Vinci, Thomas Edison, Soichiro Honda et Joseph-Armand Bombardier ? Ce sont tous de grands ingénieurs qui ont transformé leur époque par leurs créations.

Joseph-Armand Bombardier (1907-1964), inventeur de la motoneige

Le travail

L'ingénieur ou l'ingénieure est une personne qui propose des solutions pour résoudre des problèmes concrets d'ordre technologique. Il ou elle possède un riche bagage scientifique et technique, fait preuve de leadership et démontre un esprit d'innovation. C'est aussi une ou un excellent gestionnaire de projet. Son travail l'amène à participer à toutes les étapes de réalisation d'un produit, de la recherche et développement au recyclage du produit, en passant par la conception, la fabrication et le contrôle de la qualité et de la sécurité. Très souvent, l'ingénieure ou l'ingénieur est appelé à coordonner les activités d'une équipe de travail.

Parmi les spécialités du génie, on trouve des champs d'expertise aussi variés que le génie agroenvironnemental, civil, biomédical, génétique, industriel, chimique, physique ou minier. Nous vous en présentons trois.

Le génie informatique

Les ingénieurs en informatique développent des programmes de toutes sortes allant de l'imagerie médicale à la sécurité des transactions bancaires. Quel que soit le type de programme qu'ils développent, l'objectif de ces ingénieurs est le même : concevoir un programme dont l'exécution est fiable et rapide.

Simulateur de vol

Et, comme ces programmes comportent souvent des dizaines de milliers de lignes de programmation, il est essentiel que les ingénieurs en informatique fassent preuve d'une grande rigueur et qu'ils possèdent de bonnes aptitudes pour le travail d'équipe.

1. Lors de la conception d'un logiciel, les ingénieurs doivent toujours prendre garde d'éviter que le programme exécute une division par 0, et par le fait même, qu'il se plante.

a) Déterminez les valeurs qui pourront poser problème lors du calcul des deux expressions suivantes par un logiciel.

1) $$\dfrac{2a(2a-b)+b(b-2a)}{b^3-2a(b^2+2a(b-2a))}$$

2) $$\dfrac{1}{\dfrac{1}{a^2-1}+\dfrac{1}{a^2+1}}$$

b) Pouvez-vous exprimer différemment ces expressions pour diminuer le nombre de cas problématiques ?

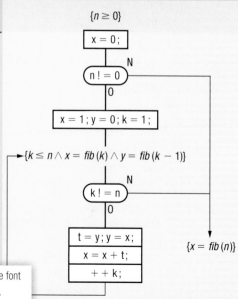

Un exemple de programme que font les étudiants de Polytechnique.

La tour bionique de Shanghai est l'un des plus ambitieux projets de génie civil. Cette tour, dont les travaux doivent débuter en 2015, sera la plus haute du monde. Elle atteindra une hauteur de plus de 1 km, soit 1228 m, et pourra loger 100 000 personnes.

Le génie mécanique

Les ingénieurs mécaniciens sont les spécialistes du transfert de l'énergie. Ils participent aux projets qui concernent le transport et on les trouve dans tous les projets de centrales d'énergie. Ce sont également ces ingénieurs qui assurent notre confort dans les immeubles en concevant des systèmes de climatisation et de chauffage. Dans un monde où la demande en énergie et le coût de cette énergie ne cessent de croître, les ingénieurs mécaniciens sont appelés à innover en créant des machines à haut rendement énergétique.

Le génie civil

Les ingénieurs civils conçoivent, construisent et entretiennent les infrastructures et les ouvrages utiles à l'activité humaine. Ils s'assurent que ces ouvrages sont sécuritaires et ils évaluent les impacts environnementaux de leur construction. Ces ingénieurs conçoivent notamment les routes, les ponts et les canalisations pour le traitement des eaux usées. Ce sont des ingénieurs qui ont conçu des ouvrages tels que la cathédrale Notre-Dame de Paris, la tour Eiffel et les tours jumelles Petronas. Au Québec, les grands barrages hydroélectriques sont le témoignage de notre grande expertise en génie civil.

2. Pour déterminer la résistance d'un béton, une ingénieure a besoin de concevoir un cylindre en béton qu'elle soumettra à un essai de compression. Ce cylindre doit respecter deux exigences.

- La largeur de sa base doit mesurer 10 mm de plus que la moitié de sa hauteur.
- Une force appliquée de 250 000 N doit générer une pression de 32 MPa sur la base du cylindre.

a) Déterminez les dimensions du cylindre qui satisfait à ces deux exigences.

b) Si on coulait le béton dans un prisme à base carrée respectant les mêmes exigences que celles pour le cylindre, utiliserait-on plus ou moins de béton pour effectuer les essais ?

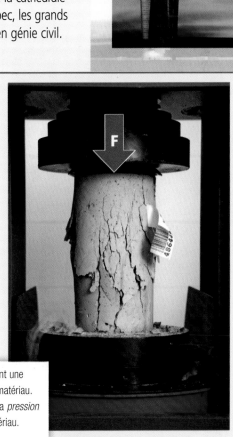

Pour déterminer la résistance à la compression d'un matériau, les ingénieurs appliquent une force de plus en plus grande sur une des faces de l'échantillon jusqu'à la rupture du matériau. La *force exercée* (en newtons) *par unité de surface* (en millimètres carrés) équivaut à la *pression* (en mégapascals). Les ingénieurs parlent alors de contrainte à la compression du matériau.

1 Le panneau de signalisation d'un arrêt obligatoire a la forme d'un octogone régulier. Une ligne blanche réfléchissante met en évidence le contour du panneau pour favoriser une plus grande visibilité. Sur un panneau de 60 cm de largeur, la ligne blanche a une longueur totale de 200 cm environ.

a) Estimez l'aire de la surface visible de ce panneau de signalisation.

b) Si le panneau avait plutôt la forme d'un carré, d'un hexagone régulier ou d'un disque équivalent, estimez la longueur qu'aurait alors la ligne blanche dans chacun de ces cas.

2 Les formules ci-dessous mettent en relation l'aire A et le périmètre P des quatre figures considérées au numéro précédent.

Carré	Hexagone régulier	Octogone régulier	Disque
$A = \dfrac{1}{16}P^2$	$A = \dfrac{\sqrt{3}}{24}P^2$	$A = \dfrac{1+\sqrt{2}}{32}P^2$	$A = \dfrac{1}{4\pi}P^2$

a) Démontrez que ces égalités sont vraies en expliquant chaque étape de votre raisonnement. Pour l'hexagone régulier et l'octogone régulier, vous pouvez vous inspirer des figures ci-contre.

b) À l'aide de ces formules, montrez que la proposition suivante est vraie pour ces quatre figures : De deux polygones réguliers équivalents, celui qui a le plus grand nombre de côtés a le périmètre le plus petit. À la limite, le disque a le plus petit périmètre.

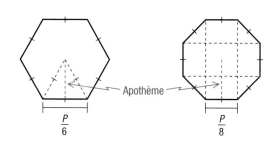

Apothème

$\dfrac{P}{6}$ $\dfrac{P}{8}$

3 La famille Gagnon désire acheter une piscine creusée faite sur mesure. Comme les Gagnon ont beaucoup d'amis, le vendeur leur suggère de choisir une piscine ayant une surface de 50 m². Pour des raisons de sécurité, il suggère également de délimiter le contour de la piscine avec une clôture qui serait placée à 2 m tout autour du rebord de la piscine.

a) Quelle serait la longueur minimale de cette clôture? Déterminez la valeur exacte, puis faites une approximation au dixième de mètre près.

b) Quelle serait la longueur minimale de la clôture si la piscine a la forme d'un quadrilatère? Encore une fois, déterminez la valeur exacte, puis faites une approximation au dixième de mètre près.

4 On a percé un cube d'une face à l'autre de trous identiques de forme carrée. Les diagonales de ces carrés se trouvent sur celles des faces du cube. Si a représente la mesure de l'arête du cube et x, la mesure du côté des trous carrés, quelle expression algébrique représente l'aire totale de ce solide? Exprimez votre réponse sous une forme factorisée.

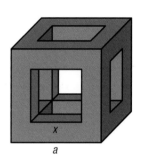

5 Au cinéma, Charles achète du maïs soufflé qui lui est servi dans un sac comme celui qui est représenté ci-contre. De retour à la maison, il se demande s'il est possible de fabriquer un sac qui utiliserait moins de papier tout en ayant la même contenance. Voici l'analyse qu'il fait à l'aide d'un tableur:

	A	B	C	D
	Mesure de la base	Hauteur	Aire du sac	
1				
2	10	15	30	1650
3	12	15	25	1530
4	10	12	37,5	1770
5	12	12	31,25	1644
6	10	20	22,5	1550
7	12	20	18,75	1440
8				
9				

Dans les colonnes A et B, il entre différentes mesures possibles (en cm) pour la base du sac. Dans la colonne C, il calcule la hauteur pour que la capacité soit de 4,5 L et dans la colonne D, il calcule l'aire extérieure du sac (en cm²).

a) Si a et b représentent les mesures de la base du sac, quelle expression algébrique représente:

1) la hauteur du sac?   2) l'aire extérieure du sac?

b) Déterminez les dimensions d'un sac ayant la même capacité, mais dont l'aire extérieure serait encore plus petite que celle trouvée par Charles.

c) Quelles seraient les dimensions du sac ayant la même capacité et la plus petite aire?

6 Sandra et Roméo ont hérité de la terre familiale. Dans un coin de la terre, Sandra a construit un enclos rectangulaire avec 35 m de clôture. Elle se dit qu'ainsi, chacune de ses 20 vaches dispose d'une surface à brouter de 15 m².

Vue de dessus de la terre familiale

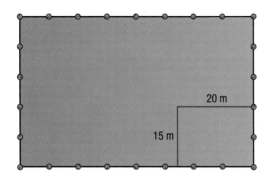

20 m

15 m

Dans un autre coin de la terre, Roméo veut également construire un enclos pour ses 20 vaches avec 35 m de clôture. Cependant, il veut que chacune de ses vaches puisse disposer d'une surface à brouter de 20 m². Est-il possible de construire un tel enclos? Expliquez votre réponse.

7 Au cours de menuiserie, Léo et Léa apprennent à faire des coupes de bois. Voici les coupes qu'ils ont effectuées dans des prismes en bois identiques.

La coupe de Léo

5 cm
15 cm
25 cm
20 cm

La coupe de Léa

5 cm
8 cm
15 cm
25 cm
20 cm

Léo a ainsi obtenu deux morceaux de bois et Léa, trois.

a) L'un des morceaux de bois de Léo est-il équivalent à l'un des morceaux de Léa? Justifiez votre réponse.

b) L'un des morceaux de bois de Léo a-t-il la même aire totale que l'un des morceaux de Léa? Justifiez votre réponse.

8 Les dimensions d'un prisme à base rectangulaire, équivalent à un cube, sont données dans la représentation ci-contre. La variable a représente la longueur de l'arête du cube.

a) Quel polynôme représente le volume de ce prisme?

b) Quelles sont les dimensions du cube?

$a + 12$

$a - 4$

$a - 3$

9 Une enseignante a un groupe de n élèves. Dans le cadre d'une activité d'apprentissage, elle prévoit distribuer à chaque élève $(2n - 8)$ petits cubes emboîtables et, dans ce cas, il lui en restera 20. Mais le jour de l'activité, deux élèves sont absents.

a) Peut-elle répartir également tous les cubes parmi les élèves présents ?
Sinon, combien lui en restera-t-il ?

b) Déterminez la valeur de n si le nombre total de cubes distribués aux élèves cette journée-là est 968.

10 Pour factoriser complètement certains polynômes, il est parfois nécessaire d'utiliser plus d'une méthode de décomposition. Appliquez cette stratégie pour factoriser les polynômes suivants.

a) $6x^2 - 36x + 144$
b) $6x^2 + 63x - 108$
c) $64x^3 - 36x$

d) $2ax^2 - 12ax + 9a$
e) $4x^3 + 5x^2 - 16x - 20$
f) $-2x^2y^2 + 2x^2y + 4xy - 4x$

g) $x^4 - 16$
h) $x^4 - 21x^2 - 100$
i) $9x^2 - y^2 + 3x - y$

11 Le produit d'un nombre entier, du nombre qui le précède et du nombre qui le suit est égal à 8 fois la somme de ces 3 nombres. Quels sont ces nombres ? Trouvez toutes les réponses possibles.

12 À l'aide d'un logiciel de géométrie dynamique, on peut observer que les médianes d'un triangle séparent la région intérieure de celui-ci en 6 triangles d'aire égale.

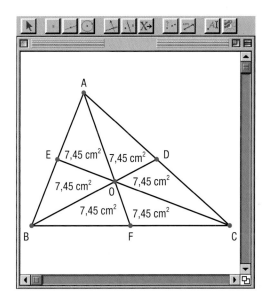

a) Trouvez une façon de convaincre une autre personne que cette propriété est vraie, quelle que soit la forme du triangle ABC. Pour ce faire, montrez que :

1) les triangles BFO et CFO sont équivalents ;

2) les triangles AEO et ADO sont équivalents ;

3) les 6 triangles de la région intérieure sont équivalents.

b) Déduisez de ce qui précède que les médianes d'un triangle se coupent aux $\frac{2}{3}$ de leur longueur.

13 Calvin a découvert cette preuve montrant que $1 = 2$.

Supposons d'abord que $a = 1$ et partons de l'égalité suivante :	$a^2 = a^2$
Puisque $a = 1$, on peut écrire :	$a^2 - a = a^2 - 1$
On factorise de chaque côté de l'égalité :	$a(a - 1) = (a + 1)(a - 1)$
On peut simplifier le facteur commun de chaque côté :	$a = a + 1$
Puisque $a = 1$, on a donc :	$1 = 2$

Où se trouve l'erreur dans ce raisonnement ? Expliquez votre réponse.

14 Éloïse a construit deux structures en forme de cube à l'aide de bâtonnets. Elle a eu besoin de 12 bâtonnets pour la première structure et de 54 pour la seconde.

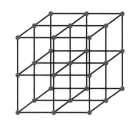

a) Combien de bâtonnets lui faudra-t-il pour construire une structure semblable de 3 unités d'arête ?

b) Quelle expression représente le nombre de bâtonnets nécessaires à la construction d'une structure de n unités d'arête ?

c) Quelle est la longueur de l'arête de la structure construite avec 2700 bâtonnets ?

15 Dans l'hexagone régulier ABCDEF, on a colorié en rose la région intérieure entre les diagonales AE et BD. Démontrez que l'aire de cette région rose est égale aux $\dfrac{2}{3}$ de l'aire de l'hexagone.

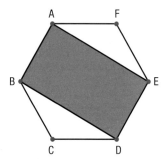

16 Soit a et b, deux nombres naturels quelconques. Les expressions suivantes représentent-elles des nombres rationnels ou irrationnels ? Justifiez vos réponses.

a) $\left(\sqrt{a} + \sqrt{b}\right)^2 + \left(\sqrt{a} - \sqrt{b}\right)^2$

b) $\left(\sqrt{a} + \sqrt{b}\right)^2 - \left(\sqrt{a} - \sqrt{b}\right)^2$

c) $\left(\sqrt{a} + \sqrt{b}\right)^2\left(\sqrt{a} - \sqrt{b}\right)^2$

d) $\left(\dfrac{1}{\sqrt{a} + \sqrt{b}}\right)^2 + \left(\dfrac{1}{\sqrt{a} - \sqrt{b}}\right)^2$

17 Noémie a une carte professionnelle aux dimensions assez particulières. Lorsqu'on découpe la carte en deux morceaux dont l'un est un carré, l'autre morceau est un rectangle semblable à celui de la carte initiale.

Noémie Doré		Noémie Dor	é
Ingénieure		*Ingénieure*	
Téléphone: 123-1618		*Téléphone: 12*	*3-1618*
Télécopieur: 123-0618		*Télécopieur: 1*	*23-0618*

Quelle est la longueur de cette carte si sa largeur est de 5 cm?

18 **FIBONACCI** Voici la suite de Fibonacci:

$$1, 1, 2, 3, 5, 8, 13, 21, \ldots$$

Chaque terme de cette suite est la somme des deux termes qui le précèdent. Cette suite est très spéciale, car on la retrouve à différents endroits dans la nature et elle possède plusieurs propriétés mathématiques intéressantes.

Ce cône de pin a 8 spirales dans un sens et 13 spirales dans l'autre sens.

On peut, entre autres, observer que si on élève au carré deux termes successifs et qu'on calcule ensuite leur différence, le résultat obtenu est le produit des deux termes qui les encadrent. Par exemple,

$$13^2 - 8^2 = 105 \text{ et } 5 \times 21 = 105.$$

a) Si *a* et *b* représentent deux termes successifs de la suite, quelles expressions algébriques représentent les deux termes suivants?

b) À l'aide des expressions trouvées en a), démontrez la conjecture énoncée plus haut.

c) Énoncez au moins une autre conjecture concernant cette suite.

Léonard de Pise, dit Fibonacci (1175-1250). Son œuvre principale, *Liber Abaci*, a permis d'introduire en Europe les découvertes des mathématiciens arabes. Il y présente notamment la célèbre suite qui porte aujourd'hui son nom.

banque de problèmes

19 Autour d'un trampoline hexagonal de 1,2 m de côté, on installe un coussin de protection de 30 cm de largeur, comme le montre l'illustration ci-dessous.

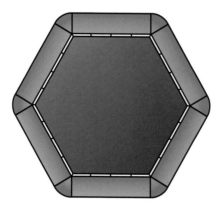

Le trampoline pourrait présenter une autre forme, tout en ayant le même périmètre. Par exemple, il pourrait prendre la forme d'un carré, d'un pentagone, d'un octogone ou même d'un disque. Que peut-on affirmer à propos de l'aire du coussin de protection installé autour de ces trampolines?

20 À l'intérieur d'un rectangle, on a tracé des segments parallèles à chacun des côtés à une même distance a de ceux-ci, puis on a colorié quatre régions, comme cela est illustré dans l'exemple ci-dessous.

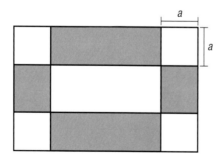

Comment doit-on choisir la valeur de a pour que l'aire totale des régions orange soit égale à celle des régions blanches?

21 Dans le parallélogramme ABCD, on a tracé une droite parallèle à la diagonale BD qui intercepte le parallélogramme aux points E et F.

Les triangles ABE et AFD sont-ils équivalents ? Justifiez votre réponse.

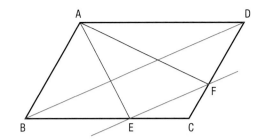

22 NOMBRES PENTAGONAUX Les pythagoriciens ne s'intéressaient pas seulement aux nombres carrés et aux nombres triangulaires. Ils considéraient aussi d'autres suites de nombres polygonaux. Voici, par exemple, la suite des nombres pentagonaux. Chacun d'eux peut être représenté à l'aide d'un dessin ou d'une somme ayant une régularité évidente.

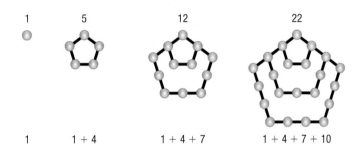

| 1 | 5 | 12 | 22 |

| 1 | 1 + 4 | 1 + 4 + 7 | 1 + 4 + 7 + 10 |

Si on compare cette suite avec celle des nombres triangulaires, on constate que chaque nombre pentagonal semble être égal au tiers d'un nombre triangulaire. Les nombres triangulaires sont :

1, 3, 6, 10, 15, 21, 28, 36, 45, 55, 66, 78, …

Démontrez que c'est effectivement le cas.

23 Voici le solide dont vous avez déjà calculé l'aire totale. C'est un cube percé d'une face à l'autre de trous identiques de forme carrée. La mesure de l'arête du cube est de a unités et celle du côté des trous carrés, de x unités.

Déterminez l'expression algébrique la plus simple représentant le rapport entre l'aire totale de ce solide et l'aire totale d'un prisme droit équivalent dont la base carrée mesurerait $(a - x)$ unités de côté.

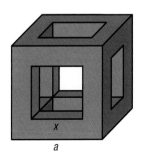

24 Jenny aime les formules mathématiques. En géométrie, elle connaît par cœur toutes les formules de calcul d'aire et de volume. Elle comprend le raisonnement qui justifie chacune d'elles, mais elle trouve pratique de ne pas refaire ce raisonnement chaque fois qu'elle doit calculer une mesure manquante. «Ce serait bien, se dit-elle, s'il y avait, en algèbre, une formule pour résoudre des équations de degré 2.»

Comme Jenny est très curieuse, elle décide d'en chercher une. Pour représenter l'équation la plus générale, elle écrit d'abord : $ax^2 + bx + c = 0$. En soustrayant c et en divisant par a de chaque côté de l'égalité, elle obtient une équation dont la forme est semblable à celle étudiée par Al-Khawarizmi au IXe siècle. Complétez son calcul et trouvez la formule qu'elle recherche en expliquant chaque étape de votre raisonnement.

25 Un entrepreneur a choisi de modifier la forme des boîtes destinées à la livraison de sa marchandise. Dorénavant, il utilisera des boîtes cubiques ayant une contenance supérieure à celle des anciennes boîtes. Par contre, il ne pourra fabriquer que 19 nouvelles boîtes avec le carton qu'il utilisait auparavant pour en faire 20. Dans la représentation ci-dessous, les dimensions (en dm) du fond de l'ancienne boîte sont exprimées en fonction des dimensions de la nouvelle. Il se trouve que la différence entre les contenances des deux boîtes (en dm^3) peut également s'exprimer à l'aide d'une expression de la forme $ax + b$.

Ancienne boîte   Nouvelle boîte

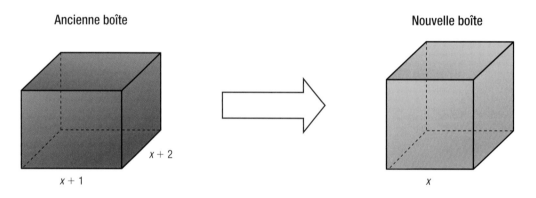

Calculez la différence de contenance entre ces deux boîtes. Arrondissez au décimètre cube près.

26 Félix tente depuis déjà un bon moment de décomposer une expression algébrique en facteurs, mais il n'y arrive pas. Il en vient à la conclusion que la question posée dans son manuel comporte une erreur. Qu'en pensez-vous?

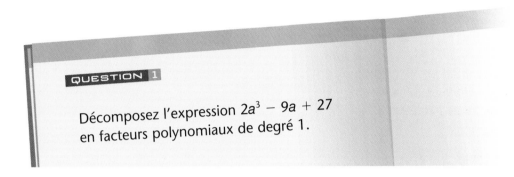

QUESTION 1

Décomposez l'expression $2a^3 - 9a + 27$ en facteurs polynomiaux de degré 1.

Si vous croyez comme Félix qu'il s'agit d'une erreur dans le manuel, suggérez une correction en expliquant votre choix. Si vous croyez que Félix a tort, justifiez votre réponse.

27 Voici trois cubes construits à l'aide de petits cubes emboîtables. En démontant ces trois cubes, Martine a constaté avec étonnement qu'elle pouvait former une plaque carrée avec tous les petits cubes. De plus, elle a remarqué que le côté de la plaque mesurait 6 unités, soit exactement $1 + 2 + 3$, ce qui correspond au 3e nombre triangulaire.

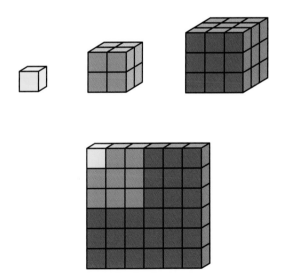

Elle a alors énoncé la conjecture suivante : La somme des n premiers nombres cubiques est égale au carré du n^e nombre triangulaire.

En supposant que la conjecture est vraie pour les k premiers nombres, montrez qu'elle est vraie pour les $(k + 1)$ premiers nombres. Pouvez-vous en déduire ainsi qu'elle est vraie pour tous les nombres naturels? Expliquez votre raisonnement.

VISI④N

Fonction quadratique et trajectoire

Le langage mathématique est un formidable outil pour expliquer de nombreux phénomènes. C'est particulièrement vrai dans *Vision 4*, où vous découvrirez les multiples facettes de la fonction quadratique dont l'étude, amorcée dans *Vision 2*, sera complétée. Vous utiliserez les différentes formes de sa règle en établissant des liens entre celles-ci. Vous verrez comment cette fonction peut vous aider à résoudre des inéquations de degré 2. Vous apprendrez à modéliser diverses situations à l'aide d'une équation de degré 2 à deux variables représentant une fonction ou une trajectoire. Enfin, plusieurs liens seront établis entre le concept de distance et la fonction quadratique. Vous verrez notamment que ce concept peut servir à définir la parabole qui apparaît dans la représentation graphique de ces fonctions. Tout cela vous permettra d'expliquer divers phénomènes de la vie quotidienne, du fonctionnement des miroirs paraboliques à la trajectoire d'un ballon lancé.

Arithmétique et algèbre

- Représentation graphique et propriétés de la fonction polynomiale de degré 2
- Passage d'une forme d'écriture à une autre (générale, canonique et factorisée)
- Recherche de la règle
- Interpolation et extrapolation
- Résolution d'inéquations de degré 2 à une variable

Géométrie

- Distance entre deux points
- Recherche de mesures manquantes à l'aide du concept de distance

Statistique

RÉACTIVATION 1 Des inégalités à découvrir

Les énoncés ci-dessous décrivent le revenu de différentes personnes.

Mme Beausoleil travaille dans l'industrie textile. Son revenu annuel ne dépasse pas 20 000 $.

À sa deuxième saison dans la Ligue nationale de hockey, Victor Karpov gagne plus de 20 000 $ par partie.

Mme Parvenue, vice-présidente au marketing d'une grande société de courtage, gagne au moins 20 000 $ par mois.

M. Leboeuf, président d'une chaîne d'alimentation, reçoit moins de 20 000 $ l'heure pour son travail.

a. Associez chacun de ces énoncés à l'une des inéquations suivantes et définissez précisément chacune des variables *a, b, c* et *d*.

$$a < 20\ 000 \qquad b \leq 20\ 000 \qquad c > 20\ 000 \qquad d \geq 20\ 000$$

b. Voici d'autres renseignements concernant le revenu de ces personnes. Dans chaque cas, traduisez l'information par une inéquation en utilisant la variable appropriée définie en **a**.

1) Mme Beausoleil préférerait gagner 10 000 $ de plus que la moitié de son salaire annuel plutôt que d'obtenir une augmentation de 1000 $ par année.

2) Le revenu annuel de Mme Parvenue est inférieur à 300 000 $.

3) Sachant que Victor Karpov joue environ 15 min par partie, on peut affirmer qu'il gagne au moins 2000 $ par minute de jeu.

4) S'il ajoutait 10 000 $ à son salaire horaire, M. Leboeuf ne ferait au maximum que le doubler.

c. Résolvez ces inéquations.

d. En tenant compte de tous les renseignements fournis, décrivez le revenu de chacune de ces personnes à l'aide d'un intervalle.

En économie, on dit qu'il y a une situation de monopole lorsqu'une entreprise est la seule à produire et à vendre un bien. Dans ce cas, l'entreprise cherchera généralement à produire uniquement la quantité de biens qui lui permet de maximiser son profit.

> La quantité de biens produite par un monopole n'est pas optimale pour la société. Si plusieurs entreprises se concurrençaient, la quantité produite serait alors plus grande et le prix du bien, moins élevé.

Supposez, par exemple, qu'une entreprise pharmaceutique possède le monopole de la vente d'un médicament breveté. En tenant compte des coûts de production et de distribution, ainsi que de l'effet du prix sur la demande, un économiste a estimé que le profit réalisé par l'entreprise sur la vente de ce médicament pendant une certaine période de temps peut se traduire par la fonction suivante :

$$P(x) = -0,08 (x - 65)^2 + 210$$

où x est la quantité produite en milliers de contenants et $P(x)$, le profit en milliers de dollars.

a. Déterminez la valeur de $P(10)$, de $P(30)$ et de $P(100)$. Interprétez ces valeurs d'après le contexte.

b. Représentez graphiquement la fonction P.

c. Quelle est l'ordonnée à l'origine de la fonction ? Que signifie cette valeur ?

d. Pour quelles quantités produites le profit de l'entreprise sera-t-il nul ? Déterminez les valeurs exactes de ces quantités, puis faites des approximations à la centaine de contenants près.

e. À la centaine de contenants près, pour quelles quantités produites l'entreprise fera-t-elle :

1) une perte ?
2) un profit ?

f. Sachant que l'entreprise cherche à réaliser un profit maximal, déterminez la quantité de contenants qu'elle produira. Quel sera alors son profit ?

INÉQUATION

Une inéquation est un énoncé mathématique qui comporte une ou des variables et un symbole d'inégalité ($<$, $>$, $\leq$ ou $\geq$).

Signification des symboles

Lorsqu'on traduit une situation par une inéquation, on doit s'assurer de bien comprendre le sens des énoncés afin de choisir le symbole d'inégalité adéquat.

Ex. : Soit x l'âge de Marie-France. Voici des énoncés et leur traduction par une inéquation :

Énoncé	Quelques valeurs possibles	Inéquation
Marie-France a moins de 20 ans.	Elle peut avoir 19, 18, 17, … ans.	$x < 20$
L'âge de Marie-France est supérieur à 10 ans.	Elle peut avoir 11, 12, 13, … ans.	$x > 10$
Marie-France a 20 ans ou moins. L'âge de Marie-France est au maximum 20 ans.	Elle peut avoir 20, 19, 18, … ans.	$x \leq 20$
Marie-France a au moins 10 ans. L'âge de Marie-France n'est pas inférieur à 10 ans.	Elle peut avoir 10, 11, 12, … ans.	$x \geq 10$

RÉSOLUTION D'UNE INÉQUATION DE DEGRÉ 1 À UNE VARIABLE

Des **inéquations** sont **équivalentes** si elles ont le même ensemble-solution.

Pour résoudre une inéquation de degré 1, on peut utiliser des **règles de transformation** afin de ramener l'inéquation initiale à une inéquation équivalente, la plus simple possible.

Règle de transformation	Exemple d'inéquation équivalente
• Additionner ou soustraire le même nombre à chaque membre d'une inéquation.	$2x + 5 > 6$ $2x + 5 - 5 > 6 - 5$ $2x > 1$
• Multiplier ou diviser chaque membre d'une inéquation par le même nombre positif, différent de zéro.	$3x \geq \text{-}15$ $\dfrac{3x}{3} \geq \dfrac{\text{-}15}{3}$ $x \geq \text{-}5$
• Multiplier ou diviser chaque membre d'une inéquation par le même nombre négatif, différent de zéro, en inversant le sens de l'inégalité.	$\text{-}4x > 12$ $\dfrac{\text{-}4x}{\text{-}4} < \dfrac{12}{\text{-}4}$ $x < \text{-}3$

PROPRIÉTÉS DE LA FONCTION QUADRATIQUE (FORME CANONIQUE)

Lorsque la règle d'une fonction quadratique est exprimée sous sa forme canonique, soit $f(x) = a(x - h)^2 + k$, les paramètres a, h et k permettent de trouver certaines propriétés de la fonction.

On peut notamment déduire que :

- le graphique de la fonction est une courbe, appelée parabole, dont le sommet est (h, k);
- l'axe de symétrie vertical croise l'axe des x en h;
- si a > 0, la courbe est ouverte vers le haut et k est le minimum de la fonction;
- si a < 0, la courbe est ouverte vers le bas et k est le maximum de la fonction.

Ex.: Soit $f(x) = 2(x - 3)^2 - 4$.

Le graphique de f présente les caractéristiques suivantes :

- son sommet est situé à (3, -4);
- l'axe de symétrie croise l'axe des x en 3;
- la parabole est ouverte vers le haut et le minimum de f est -4.

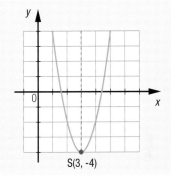

Zéros de la fonction

Pour déterminer les zéros d'une fonction, s'il y en a, on peut résoudre l'équation $a(x - h)^2 + k = 0$.

Ex.: Quels sont les zéros de la fonction $f(x) = 2(x - 3)^2 - 4$ ci-dessus?

L'équation à résoudre est : $2(x - 3)^2 - 4 = 0$.

On peut procéder ainsi :

$2(x - 3)^2 = 4$	(Addition de 4 de chaque côté)
$(x - 3)^2 = 2$	(Division par 2 de chaque côté)
$x - 3 = \pm\sqrt{2}$	(Extraction des racines carrées)
$x = 3 \pm \sqrt{2}$	(Addition de 3 de chaque côté)

Signe de la fonction

Pour étudier le signe d'une fonction quadratique, il est préférable de tracer son graphique en précisant la valeur de ses zéros.

Ex.: Le graphique ci-contre montre que la fonction $f(x) = 2(x - 3)^2 - 4$ est positive dans l'ensemble $]-\infty, 3 - \sqrt{2}] \cup [3 + \sqrt{2}, +\infty[$.

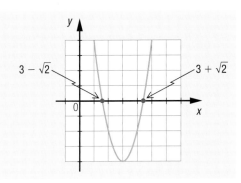

1 Soit x, le prix (en $) d'une revue scientifique en kiosque.

a) Traduisez chacun des énoncés ci-dessous par une inéquation.

   1) La revue coûte plus de 7 $.

   2) Cependant, son prix ne dépasse pas 10 $.

   3) En payant l'achat de deux exemplaires de la revue avec un billet de 20 $, on reçoit moins de 4 $ en monnaie.

   4) L'abonnement pour 12 exemplaires de cette revue coûte 60 % du prix en kiosque : une économie supérieure à 40 $.

   5) Si le prix de la revue s'élevait à 4,50 $ de plus que son prix actuel, elle coûterait au moins trois fois plus cher que si son prix était de 4,50 $ de moins.

b) Déterminez le prix possible d'une revue qui vérifierait toutes ces inéquations.

On estime à environ 100 000 le nombre d'articles scientifiques produits quotidiennement dans le monde et à 200 000, le nombre de revues scientifiques, techniques et médicales qui les publient.

2 Résolvez les inéquations en exprimant votre réponse à l'aide d'un intervalle.

a) $3x + 6 < 0$

b) $2 - 4x \leq 0$

c) $\frac{-x}{2} + 2 > 0$

d) $3 - x \geq 7$

e) $4x - 5 < 1$

f) $2(x - 4) \leq 3x$

g) $3(x - 2) > 3x$

h) $4x + 1 < x - 5$

i) $x + 4 > x - 6$

3 Aujourd'hui, il fait 8 °C de moins qu'hier à la même heure, mais la moyenne de ces deux températures est tout de même supérieure à ⁻5 °C.

a) Traduisez cette situation par une inéquation en précisant la variable utilisée.

b) Dans quel intervalle se situe la température actuelle, sachant que le thermomètre n'a pas atteint 0 °C, ni aujourd'hui ni hier ?

4 Soit A et B, deux nombres réels tels que $AB \leq 0$. Que pouvez-vous affirmer de la valeur de B :

a) si $A < 0$?

b) si $A > 0$?

c) si $A = 0$?

5 Patrice lance une pierre du sommet d'une falaise. La pierre monte d'abord, puis descend ensuite pour tomber dans la mer. La hauteur de la pierre pourrait s'exprimer par rapport au niveau de la mer, mais il est également possible de l'exprimer par rapport au sommet de la falaise, c'est-à-dire selon le point de vue de Patrice qui s'y trouve. Dans ce cas, la hauteur de la pierre (en m) est décrite par la fonction h dont la règle est :

$h(t) = -4,9(t - 1)^2 + 7,1$, où t est le temps écoulé (en s).

a) Tracez le graphique de cette fonction pour l'intervalle de temps allant de 0 à 3 s.

b) Pendant combien de temps la pierre monte-t-elle ?

c) Quelle hauteur atteint-elle relativement au sommet de la falaise ?

d) Quelle est l'ordonnée à l'origine de cette fonction ? Que représente cette valeur ?

e) Que représentent les valeurs négatives dans votre graphique ?

f) Dans quel intervalle de temps la pierre se trouve-t-elle plus basse que le sommet de la falaise ?

g) Sachant que la pierre est tombée dans la mer au bout de 3 s, déterminez la hauteur de la falaise relativement au niveau de la mer.

6 Voici trois fonctions quadratiques et leur représentation graphique. Pour chacune d'elles, déterminez la partie du domaine pour laquelle la fonction est négative.

a) $f(x) = (x - 2)^2 - 1$ b) $g(x) = -0,8(x - 2)^2 + 5$ c) $h(x) = 2(x + 1)^2 - 3$

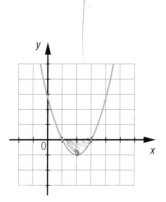
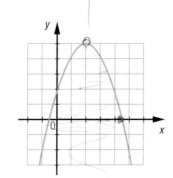
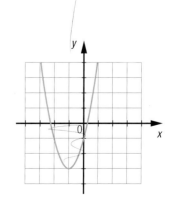

PROBLÈME   De la Terre à la Lune

La force gravitationnelle sur la Lune est environ six fois plus petite que sur la Terre. Cela signifie qu'un objet en chute libre sur la Lune subit une accélération six fois plus faible que celle qu'il subirait s'il était en chute libre sur la Terre. Les lois de la physique permettent d'analyser plus précisément ce phénomène.

> ### Mouvement d'un objet
> ### dans un champ gravitationnel
>
> Lorsqu'on lance un objet vers le haut, la hauteur (en m) de cet objet à tout moment varie en fonction du temps écoulé (en s). La règle de cette fonction est :
>
> $$h(t) = at^2 + bt + c$$
>
> Le paramètre a est proportionnel à la force gravitationnelle. Sur la Lune, $a \approx -0,8$ et sur la Terre, $a \approx -4,9$. Le paramètre b correspond à la vitesse initiale du lancer (en m/s) et le paramètre c, à la hauteur initiale (en m) de la balle.

L'astronaute qui se laisse tomber du dernier barreau de l'échelle du module lunaire prend plus d'une seconde avant de toucher le sol. Sur la Terre, ce même saut durerait moins d'une demi-seconde.

Sur la Terre, à partir d'une hauteur de 1 m, on lance une balle à une vitesse telle qu'elle atteint une hauteur de 3,5 m et tombe sur le sol 1,56 s plus tard.

Que se passerait-il si l'on effectuait ce lancer sur la Lune avec la même vitesse initiale ?

ACTIVITÉ 1 De la forme générale au graphique

Observez les six graphiques ci-dessous qui représentent chacun une fonction quadratique.

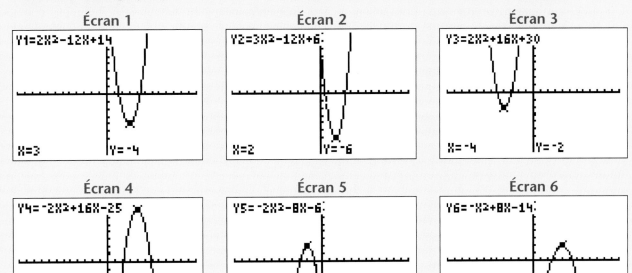

Comme dans chacun des cas ci-dessus, la règle d'une fonction quadratique peut s'écrire sous la forme générale :

$$f(x) = ax^2 + bx + c, \text{ où } a \neq 0.$$

La position du sommet dépend des paramètres a, b et c de l'équation.

a. Complétez le tableau ci-dessous à partir de l'information donnée, puis énoncez une conjecture décrivant le lien qui existe entre les paramètres de la fonction et la première coordonnée du sommet. Au besoin, vérifiez votre conjecture en traçant le graphique de fonctions quadratiques ayant d'autres paramètres a, b et c.

Règle de la fonction	Valeur de a	Valeur de b	Valeur de c	Abscisse du sommet
$y_1 = 2x^2 - 12x + 14$				
$y_2 = 3x^2 - 12x + 6$				
$y_3 = 2x^2 + 16x + 30$				
$y_4 = -2x^2 + 16x - 25$				
$y_5 = -2x^2 - 8x - 6$				
$y_6 = -x^2 + 8x - 14$				

b. Démontrez la conjecture établie en **a** en transformant la règle d'une fonction quadratique de sa forme canonique $f(x) = a(x - h)^2 + k$ à sa forme générale $f(x) = ax^2 + bx + c$.

c. Comment peut-on déterminer la seconde coordonnée du sommet à partir de la forme générale de la règle ? Utilisez la fonction $f(x) = 2x^2 + 8x + 3$ comme exemple pour illustrer la démarche que vous proposez.

ACTIVITÉ 2 D'une forme à l'autre

1re partie: Exploration de la règle

a. Le tableau ci-dessous contient les règles de différentes fonctions quadratiques exprimées sous la forme canonique ou la forme générale. Reproduisez et complétez ce tableau en indiquant toutes les étapes de vos calculs.

Règle sous la forme canonique	Règle sous la forme générale	Coordonnées du sommet	Ordonnée à l'origine
$f_1(x) = (x + 2)^2 - 9$		(,)	
$f_2(x) = 3(x - 1)^2 - 3$		(,)	
$f_3(x) = -2(x - 3)^2 + 10$		(,)	
	$f_4(x) = x^2 + 6x + 5$	(,)	
	$f_5(x) = 3x^2 - 6x - 2$	(,)	
	$f_6(x) = -4x^2 + 9x + 5$	(,)	

b. Expliquez dans vos mots les étapes que l'on peut suivre pour transformer la règle d'une fonction quadratique de sa forme générale à sa forme canonique.

c. Exprimez la règle de la fonction $f(x) = ax^2 + bx + c$ sous la forme canonique en n'utilisant que les paramètres a, b et c.

En d'autres mots, vous devez écrire la règle sous la forme:

$$f(x) = \blacksquare(x - \blacksquare)^2 + \blacksquare,$$

où chaque carré gris est remplacé par une expression en a, b et c.

2e partie: À la recherche des zéros

d. À partir de la forme canonique de leur règle, déterminez les zéros des fonctions f_1 à f_6 du tableau ci-dessus.

e. Trouvez une formule qui donne les zéros d'une fonction quadratique écrite sous la forme canonique $f(x) = a(x - h)^2 + k$.

f. À l'aide de vos réponses en **c** et en **e**, trouvez une formule qui donne les zéros d'une fonction quadratique écrite sous la forme générale $f(x) = ax^2 + bx + c$.

Au Centre des sciences se trouve un kiosque consacré aux prédateurs de la savane africaine et à leurs proies. On y apprend que la lionne est une prédatrice des plus redoutables.

Sur une vidéo, on voit une lionne affamée qui file à une vitesse de 20 m/s vers un koudou. Ce koudou aperçoit sa prédatrice et s'enfuit avec une accélération constante de 5 m/s^2 au moment où la lionne se trouve à 30 m de lui.

Durant son accélération, l'avance (en m) du koudou sur la lionne au temps t de la poursuite (en s) peut se traduire par la fonction suivante : $f(t) = 2{,}5t^2 - 20t + 30$.

La lionne arrivera-t-elle à se mettre du koudou sous la dent ?

Je vais résoudre l'équation $2{,}5t^2 - 20t + 30 = 0$ à l'aide de la complétion du carré. Je trouve cette façon de faire très élégante !

Moi, je crois que je vais m'attaquer à la question à l'aide de ma calculatrice à affichage graphique. Je m'aiderai du graphique et de la table de valeurs associés à l'équation.

Moi, je vais factoriser le polynôme pour résoudre l'équation. Je crois que ses paramètres s'y prêtent bien.

Pour ma part, je vais utiliser une formule. J'aime bien recourir à une formule quand je le peux.

a. En utilisant l'une des méthodes proposées par ces quatre élèves, trouvez une solution et partagez-la avec des camarades de classe qui ont utilisé une méthode différente.

b. La lionne aurait-elle attrapé le koudou si celui-ci avait amorcé sa fuite au moment où la lionne se trouvait à 50 m de lui ?

c. Et si le koudou avait pris la fuite au moment où la lionne se trouvait à 40 m de lui, aurait-il pu se sauver des crocs de sa prédatrice ?

d. Comparez le nombre de solutions obtenues de la résolution des équations utilisées en **a**, **b** et **c**. Comment peut-on prévoir le nombre de zéros d'une fonction quadratique à l'aide de la règle écrite sous la forme générale ?

Un logiciel de géométrie dynamique permet d'afficher simultanément, dans un même plan cartésien, les courbes de plusieurs fonctions polynomiales de degré 2 à l'aide des outils MONTRER LES AXES, TEXTE, NOMBRE, EXPRESSION et APPLIQUER UNE EXPRESSION. Voici des explorations qui permettent d'observer l'effet du changement des paramètres a, b et c dans la représentation graphique d'une fonction dont la règle s'écrit sous la forme $f(x) = ax^2 + bx + c$.

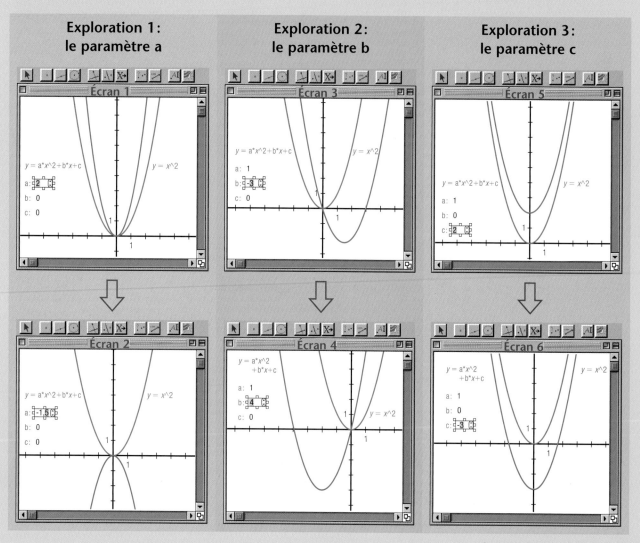

a. Quel est l'effet produit dans la représentation graphique d'une fonction polynomiale de degré 2 écrite sous la forme générale lorsque :

1) la valeur de a s'éloigne de plus en plus de zéro ?

2) la valeur de b s'éloigne de plus en plus de zéro ?

3) la valeur de c s'éloigne de plus en plus de zéro ?

b. La modification de quels paramètres entraîne un changement dans les coordonnées du sommet de la parabole ?

c. Explorez l'effet du changement du paramètre b sur la position du sommet. Quelle conjecture pouvez-vous émettre à la suite de cette exploration ?

savoirs 4.1

FONCTION QUADRATIQUE EXPRIMÉE SOUS LA FORME GÉNÉRALE

La règle d'une fonction quadratique peut prendre différentes formes :

1. la forme canonique $f(x) = a(x - h)^2 + k$, où $a \neq 0$;

2. la forme générale $f(x) = ax^2 + bx + c$, où $a \neq 0$.

Passage de la forme canonique à la forme générale

Pour passer de la forme canonique de la règle à sa forme générale, il suffit de développer l'expression algébrique qui décrit l'image de x.

> Ex.: Soit $f(x) = 3(x - 2)^2 - 5$.
>
> En développant, on obtient : $3(x - 2)^2 - 5 = 3(x^2 - 4x + 4) - 5$
> $$= 3x^2 - 12x + 7$$
>
> La forme générale de la règle est donc $f(x) = 3x^2 - 12x + 7$.

Passage de la forme générale à la forme canonique

En développant la forme canonique $f(x) = a(x - h)^2 + k$ et en comparant le résultat à la forme générale, on observe que $b = -2ah$ et $c = ah^2 + k$.

De ces égalités, on peut aussi déduire que :

$$h = \frac{-b}{2a} \quad \text{et} \quad k = \frac{4ac - b^2}{4a}.$$

Il est donc possible à partir de la forme générale de la règle de déduire les coordonnées (h, k) du sommet, puis de déterminer la forme canonique de cette règle sachant que la valeur de a est la même dans les deux formes.

> Ex.: Soit $f(x) = 2x^2 - 28x + 110$.
>
> L'abscisse du sommet est 7, car $\frac{-b}{2a} = \frac{-(-28)}{2(2)} = 7$.
>
> L'ordonnée du sommet peut se déduire ainsi :
> $$f(7) = 2(7)^2 - 28(7) + 110$$
> $$= 12$$
>
> Il est également possible de calculer l'ordonnée du sommet de la façon suivante :
> $$\frac{4ac - b^2}{4a} = \frac{4(2)(110) - (-28)^2}{4(2)} = 12$$
>
> Le sommet se situe donc à $(7, 12)$.
> La forme canonique de la règle est $f(x) = 2(x - 7)^2 + 12$.

Représentation graphique

Pour tracer le graphique d'une fonction quadratique, on peut d'abord déterminer la position du sommet et celle de l'axe de symétrie.

L'équation de l'axe de symétrie de la courbe qui représente une fonction quadratique est de la forme $x = h$.

Ex.: Soit $f(x) = 2x^2 - 28x + 110$.

Le sommet est le point S(7, 12).

L'axe de symétrie est une droite verticale d'équation $x = 7$.

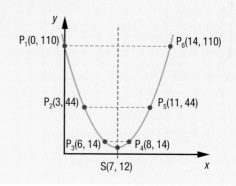

Zéros de la fonction

Différentes méthodes permettent de déterminer les zéros d'une fonction quadratique :

- à l'aide d'un outil technologique ;
- à l'aide de la décomposition en facteurs ;
- à l'aide de la complétion du carré ;
- à l'aide de la formule quadratique.

Déterminer les zéros d'une fonction quadratique exprimée sous la forme générale revient à résoudre l'équation de la forme $ax^2 + bx + c = 0$.

Formule quadratique

Lorsque la fonction quadratique est représentée par une équation sous la forme générale $f(x) = ax^2 + bx + c$, on peut déterminer les zéros (x_1 et x_2) à l'aide de la formule suivante :

$$x_1 = \frac{-b + \sqrt{b^2 - 4ac}}{2a} \qquad \text{et} \qquad x_2 = \frac{-b - \sqrt{b^2 - 4ac}}{2a}$$

Ex.: Les zéros de la fonction $f(x) = -2x^2 + 3x - 1$ sont : $x = \frac{-b \pm \sqrt{b^2 - 4ac}}{2a} = \frac{-3 \pm \sqrt{3^2 - 4(-2)(-1)}}{2(-2)} = \frac{-3 \pm 1}{-4}$

$$x_1 = 0,5 \text{ et } x_2 = 1$$

Nombre de zéros et rôle du discriminant

Dans la formule quadratique $x = \frac{-b \pm \sqrt{b^2 - 4ac}}{2a}$, on appelle «discriminant» l'expression $b^2 - 4ac$. Le signe du discriminant permet de prévoir le nombre de zéros de la fonction.

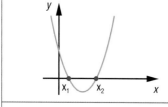		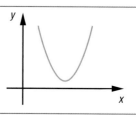
Si $b^2 - 4ac > 0$, il y a deux zéros.	Si $b^2 - 4ac = 0$, il y a un seul zéro.	Si $b^2 - 4ac < 0$, il n'y a aucun zéro.

1 Voici six fonctions quadratiques :

① $f(x) = 8x^2$

② $f(x) = x^2 - 5x + 6$

③ $f(x) = 3x^2 + 3x - 60$

④ $f(x) = -4x^2 + 16$

⑤ $f(x) = -2,5x^2 + 5x$

⑥ $f(x) = 2x^2 + 3,4x - 9,6$

Pour chacune de ces fonctions :

a) indiquez l'emplacement de l'axe de symétrie ;

b) déterminez les coordonnées du sommet ;

c) déterminez au moins cinq autres points du graphique ;

d) tracez à main levée le graphique de la fonction.

2 Voici la règle sous la forme canonique de quatre fonctions quadratiques :

① $f_1(x) = (x - 3)^2 - 1$

② $f_2(x) = -2(x + 1)^2$

③ $f_3(x) = -3(x + 2)^2 + 12$

④ $f_4(x) = -2(x - 4)^2 - 6$

Pour chacune de ces fonctions :

a) déterminez les coordonnées du sommet ;

b) déterminez algébriquement le ou les zéros de la fonction, s'il y en a ;

c) transformez algébriquement la règle de la forme canonique à la forme générale ;

d) à partir de la forme générale, vérifiez que la première coordonnée du sommet est bien égale à $\frac{-b}{2a}$ et la deuxième coordonnée, à $\frac{4ac - b^2}{4a}$;

e) à partir de la forme générale, calculez le ou les zéros de la fonction en appliquant la formule quadratique. Vérifiez que vous obtenez la même réponse qu'en b).

3 Voici la règle sous la forme générale de quatre fonctions quadratiques :

① $f_1(x) = x^2 - 10x + 10$

② $f_2(x) = 2x^2 + 4x - 12$

③ $f_3(x) = -3x^2 + 12x + 10$

④ $f_4(x) = 2x^2 + 3x + 4$

Pour chacune de ces fonctions :

a) déterminez les coordonnées du sommet ;

b) transformez la règle de la forme générale à la forme canonique.

4 Le paramètre c de la règle d'une certaine fonction quadratique exprimée sous la forme générale est égal au paramètre k de la forme canonique. Que peut-on dire de la valeur des paramètres b et h ? Justifiez votre réponse.

5 Précisez le nombre de zéros des fonctions quadratiques suivantes, puis, s'il y a lieu, déterminez-en la valeur.

a) $f(x) = x^2 + 5x - 6$
b) $f(x) = x^2 + 4x + 4$
c) $f(x) = -2x^2 - 20x - 48$

d) $f(x) = 5x^2 - 8x + 4$
e) $f(x) = x^2 + 3\sqrt{2}x + 4$
f) $f(x) = -x^2 + 2x - 1$

6 Voici trois fonctions quadratiques :

1 $f(x) = x^2 - 6x + 5$
2 $g(x) = -4x^2 - 16x - 16$
3 $h(x) = -3x^2 + x - 4$

Pour chacune de ces fonctions, déterminez les propriétés suivantes :

a) l'équation de l'axe de symétrie ;
b) l'image de la fonction ;

c) les coordonnées du sommet ;
d) l'ordonnée à l'origine ;

e) le maximum ou le minimum ;
f) les zéros ;

g) l'intervalle de croissance ;
h) l'intervalle de décroissance ;

i) les intervalles où la fonction est positive ;
j) les intervalles où la fonction est négative.

7 Du haut d'une falaise, à 120 m au-dessus du niveau de la mer, un appareil lance dans les airs un pigeon d'argile. On peut représenter sa hauteur $h(t)$ (en m) par rapport au niveau de la mer selon le temps t écoulé (en s) depuis le lancement par l'équation $h(t) = 120 + 15t - 5t^2$.

a) Après combien de temps le pigeon d'argile :

1) aura-t-il atteint sa hauteur maximale ?

2) aura-t-il atteint la mer ?

b) Le projectile d'un tireur atteint le pigeon d'argile à une hauteur de 130 m. Combien de temps après le lancement le pigeon a-t-il été atteint ?

Les pigeons d'argile, ou plateaux, sont utilisés dans les épreuves de tir sur cible mobile.

8 Il est possible de transformer la règle d'une fonction quadratique de la forme générale à la forme canonique en utilisant des manipulations algébriques. Observez l'exemple ci-contre.

$$\begin{aligned} f(x) &= x^2 + 8x + 3 \\ &= x^2 + 8x + 16 - 16 + 3 \\ &= (x^2 + 8x + 16) - 13 \\ &= (x + 4)^2 - 13 \end{aligned}$$

a) En procédant de la même façon, transformez les règles suivantes sous la forme canonique.

1) $f_1(x) = x^2 - 4x + 1$
2) $f_2(x) = x^2 + 3x - 4$
3) $f_3(x) = x^2 - x - 1$

b) Pour toutes les fonctions précédentes, le paramètre a est égal à 1. Comment pourrait-on procéder, à l'aide de manipulations algébriques comme celles ci-dessus, pour obtenir la forme canonique si le paramètre a était différent de 1 ? Appliquez votre méthode à la fonction $f_4(x) = 3x^2 - 6x + 5$.

9 TEMPÉRATURE Il arrive parfois que, durant quelques heures, la température extérieure varie selon une fonction quadratique. Le graphique ci-contre représente les températures observées à Montréal entre 7 h et 21 h durant une journée exceptionnelle de février. Le nuage de points a été modélisé à l'aide d'une fonction T dont la règle est inscrite sous le graphique.

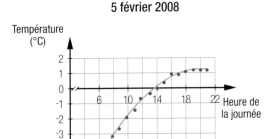

Températures observées à Montréal
5 février 2008

$T(x) = -0,028x^2 + 1,16x - 10,7$

a) D'après ce modèle, quelle a été la température maximale de ce 5 février? À quel moment de la journée cette température a-t-elle été atteinte?

b) Vers quelle heure a-t-il fait 0 °C?

c) Quelle est l'ordonnée à l'origine de cette fonction? Comment peut-on l'interpréter dans ce contexte?

10 Frédéric est caricaturiste. Durant l'été, il propose ses services aux touristes. Il s'est aperçu que le prix qu'il exige pour faire une caricature a beaucoup d'effet sur le nombre de clients qu'il attire. En fait, la demande à laquelle sa petite entreprise doit répondre peut être modélisée à l'aide de la fonction $D(x) = 32 - 0,8x$, où x est le prix (en $) d'une caricature et $D(x)$, le nombre moyen de clients qu'il attire quotidiennement avec ce prix. Évidemment, plus le prix est élevé, moins il a de clients.

a) Déterminez la règle de la fonction $R(x)$ qui représente son revenu moyen quotidien en fonction du prix exigé.

b) Déterminez le domaine et l'image de la fonction R dans ce contexte.

c) Que représentent les zéros de cette fonction dans ce contexte?

d) Quel prix devrait exiger Frédéric pour maximiser son revenu?

e) Quel prix devrait-il exiger pour s'assurer un revenu moyen de 250 $ par jour:

   1) si son intention est de se faire connaître?

   2) si son intention est de travailler le moins possible?

11 Depuis toujours, les objets tombent. Mais ce n'est qu'aux XVIe et XVIIe siècles que les scientifiques ont vraiment compris les principes physiques et mathématiques sous-jacents à ce phénomène. Galilée (1564-1642) et Newton (1642-1727) se sont particulièrement intéressés à la chute des corps. Leurs études ont permis d'en arriver au principe suivant:

Si un objet, immobile au départ, tombe en chute libre d'une hauteur de h_0 mètres, la résistance de l'air étant négligeable, alors sa hauteur t secondes après son départ est d'environ $(h_0 - 4,9t^2)$ mètres.

Ainsi, si on laisse tomber une bille du haut de la tour de Pise, on peut donc déterminer la hauteur de la bille au cours de sa chute selon le temps de chute par la fonction suivante:

$$h(t) = 54,5 - 4,9t^2$$

Dès la fin de sa construction, en 1350, la tour de Pise accusait déjà une inclinaison de près de 1,5°. La tour a été fermée aux visiteurs durant les années 1990 afin de permettre des travaux de consolidation. Son inclinaison atteignait alors 5,5°.

a) Quelle distance la bille aura-t-elle parcourue:

 1) durant la première seconde de sa chute?

 2) durant les deux premières secondes de sa chute?

b) Après combien de temps atteindra-t-elle le sol?

c) Après combien de temps se trouvera-t-elle à 10 m du sol?

d) Répondez à nouveau aux questions a), b) et c) sachant qu'on lance cette même bille du haut d'une tour deux fois plus haute que la tour de Pise.

12 En voulant représenter l'équation $y = -0,3x^2 + 15x - 125$ sur sa calculatrice, Natacha a obtenu l'affichage ci-dessous (écran **1**). Insatisfaite du résultat, elle a vérifié les dimensions de la fenêtre (écran **2**).

Écran 1

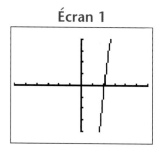

Écran 2

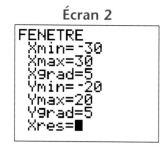

a) Comment pourrait-elle modifier les différents paramètres Xmin, Xmax, Ymin et Ymax pour s'assurer que tous les points intéressants de la parabole (sommet, ordonnée à l'origine, abscisses à l'origine) apparaissent à l'écran graphique?

b) Vérifiez votre réponse en a) en affichant ce graphique sur une calculatrice. Sur une feuille, reproduisez ensuite, à main levée, la représentation obtenue en indiquant les coordonnées des points intéressants.

13 Un artiste désire fabriquer le vitrail carré de 60 cm de côté illustré ci-dessous. En plaçant quatre points à égale distance de chacun des sommets ABCD du grand carré, il crée un nouveau carré EFGH.

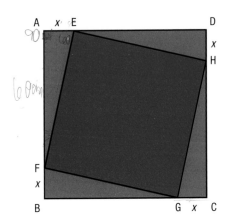

a) Définissez sous la forme générale la règle de la fonction *f* permettant de déterminer l'aire du carré EFGH en fonction de la distance *x* choisie.

b) Déterminez l'ordonnée à l'origine de cette fonction et indiquez ce que représente cette valeur dans le contexte actuel.

c) Déterminez le minimum de cette fonction. Que représente cette valeur dans ce contexte ?

d) Déterminez les intervalles de croissance et de décroissance de la fonction *f*.

14 Le long d'un mur, on délimite un jardin rectangulaire à l'aide d'une clôture de 10 m de longueur. La variable *x* représente la mesure en mètres des deux côtés parallèles de la clôture comme indiqué dans le schéma ci-contre. L'aire du jardin peut s'exprimer comme une fonction quadratique de *x*.

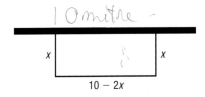

a) Déterminez la règle de cette fonction sous sa forme générale.

b) Quel est le domaine de cette fonction dans ce contexte ?

c) Quelle est l'image de cette fonction ?

d) Pour quelle valeur de *x*, la fonction atteint-elle son maximum ?

e) Quelles doivent être les dimensions du jardin pour que son aire soit exactement de 10 m² ?

15 À l'aide des propriétés de la fonction quadratique, démontrez la propriété suivante concernant les figures équivalentes :

> Parmi tous les rectangles ayant un périmètre donné, le carré est celui qui a la plus grande aire.

La fonction quadratique et les inéquations

Cette section est en lien avec la SAÉ 10.

PROBLÈME La colonisation de l'espace

Peut-on imaginer que l'on puisse construire un jour, quelque part entre la Terre et la Lune, un immense habitat dans lequel une colonie d'êtres humains vivraient en permanence? De la science-fiction? Peut-être pas... Plusieurs hommes et femmes de science se sont penchés sur cette question.

Dans son livre, *Vers les villes de l'espace,* Gerard K. O'Neill, physicien et professeur à Princeton, explore cette possibilité d'établissement humain en orbite dans l'espace. Dans cet ouvrage, il propose un habitat spatial prenant la forme d'un cylindre en verre de 30 km de long!

Pourquoi un cylindre?

Parmi les obstacles qui s'opposent à la vie dans l'espace, il y a le fait que l'organisme humain ne peut pas vivre de longues périodes en état d'apesanteur. On doit donc prévoir simuler la gravité en provoquant une rotation de l'habitat. Le cylindre est probablement la meilleure forme possible pour répondre à cette contrainte.

Vue intérieure du cylindre d'O'Neill.

Évidemment, la surface intérieure du cylindre doit être suffisamment grande pour assurer la survie et le bien-être de toute la colonie.

Quel devrait être le rayon du cylindre imaginé par O'Neill pour que son aire totale soit d'au moins 500 km²?

Une entreprise conçoit et fabrique des fenêtres. L'une de ces fenêtres, de forme rectangulaire, a une ouverture sur l'extérieur de 30 dm sur 10 dm. Un promoteur immobilier est intéressé par ce modèle pour l'un de ses projets, mais il aimerait que la fenêtre donne une vue sur l'extérieur d'au moins 350 dm².

La directrice de l'entreprise se pose alors une question : Est-il possible de concevoir une fenêtre ayant une ouverture d'au moins 350 dm² tout en préservant le périmètre de ce modèle ? Elle se dit que, dans ce cas, il faudrait augmenter sa largeur et diminuer sa hauteur.

Soit *x* la largeur (en dm) de la nouvelle fenêtre.

a. Déterminez la règle de la fonction *f* représentant l'aire de cette fenêtre.

b. Tracez le graphique de la fonction *f*.

c. Quelles valeurs doit prendre la variable *x* pour que *f(x)* égale 350 ?

d. Quelles valeurs de *x* l'entreprise pourrait-elle choisir afin de satisfaire aux exigences du promoteur ?

Imaginez maintenant que la fenêtre du modèle original mesure 28 dm sur 10 dm.

e. Avec ce modèle de fenêtre, est-il possible de satisfaire aux exigences du promoteur ? Expliquez votre réponse.

Alice et Alain sont aux prises avec le problème suivant.

Le côté AB est le plus long côté du triangle ABC ci-contre.
Pour quelles valeurs de *x*, le triangle sera-t-il acutangle?

Sachant qu'un triangle est acutangle seulement si le carré du plus long côté est inférieur à la somme des carrés des deux autres côtés, on peut écrire: $(4x - 6)^2 < x^2 + (5x - 10)^2$.

a. Montrez que cette inéquation est équivalente à $5x^2 - 26x + 32 > 0$.

Comme c'est leur habitude, Alice et Alain ont deux façons bien différentes de résoudre cette dernière inéquation.

> À mon avis, il suffit de factoriser le trinôme, puis d'appliquer la règle des signes de la multiplication de deux nombres.

> Moi, je préfère une solution plus visuelle... Avec le graphique d'une fonction, il me semble que ça serait plus clair.

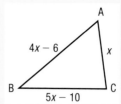

b. Comme le suggère Alice, décomposez le trinôme en facteurs.

c. Si le produit *AB* de deux nombres est positif, que peut-on dire du signe de *A* et de *B*?

d. Complétez le tableau ci-dessous afin d'analyser le signe des deux binômes trouvés en **b.**

> Déterminez les valeurs de *x* pour lesquelles les binômes égalent 0 et décrivez chaque intervalle.

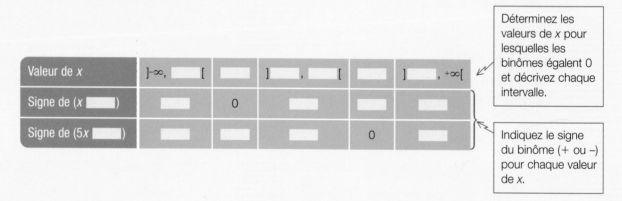

Valeur de *x*	]-∞, ___ [	___	] ___ , ___ [	___	] ___ , +∞[
Signe de (*x* ___)	___	0	___	___	___
Signe de (5*x* ___)	___	___	___	0	___

> Indiquez le signe du binôme (+ ou –) pour chaque valeur de *x*.

e. Pour quelles valeurs de *x* le produit des deux binômes est-il supérieur à 0?

f. La façon de procéder d'Alain est bien différente: «Imaginons une fonction, dit-il, dont la règle sera $f(x) = 5x^2 - 26x + 32$, puis analysons graphiquement le signe de cette fonction.» Montrez que, de cette façon, Alain obtiendra la même réponse qu'Alice.

g. Pour quelles valeurs de *x*, le triangle ABC sera-t-il acutangle?

savoirs 4.2

INÉQUATION IMPLIQUANT UNE FONCTION QUADRATIQUE

Dans certaines situations représentées par une fonction quadratique, on cherche parfois à déterminer pour quelles valeurs de la variable indépendante, la variable dépendante fait partie d'un intervalle donné. Pour une fonction f, ce type de problème se traduit généralement par l'une des inéquations suivantes :

$f(x) <$ constante $f(x) \leq$ constante $f(x) >$ constante $f(x) \geq$ constante

Pour résoudre une telle inéquation, on peut tracer dans le plan cartésien le graphique de la fonction ainsi que la droite horizontale dont l'ordonnée à l'origine est égale à la constante. Les points d'intersection de la courbe et de la droite permettent de déterminer les valeurs recherchées.

> L'analyse du signe d'une fonction est un cas particulier de ce type de problème. Dans ce cas, la constante est 0 et la droite horizontale est l'axe des x.

Ex.: La hauteur du centre de gravité d'une acrobate durant l'un de ses sauts sur un trampoline est représentée par la fonction $h(t) = -5t^2 + 12t + 1$. À quel moment le centre de gravité se trouve-t-il à plus de 5 m de hauteur ?

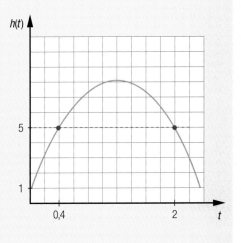

- Dans le graphique de la fonction h, on trace la droite horizontale dont l'ordonnée à l'origine est 5.
- Cette droite coupe la courbe en deux points, d'abscisses 0,4 et 2.
- Les valeurs de t pour lesquelles $h(t) > 5$ se trouvent entre les abscisses de ces deux points.
- Donc, le centre de gravité de l'acrobate est situé à une hauteur de plus de 5 m entre 0,4 s et 2 s.

Il est possible que la droite horizontale ne coupe pas la courbe. Dans ce cas, la solution sera l'ensemble vide ou tout le domaine de la fonction selon l'inégalité considérée.

Ex.: Dans la situation précédente, à quel moment le centre de gravité de l'acrobate se trouve-t-il à plus de 9 m de hauteur ? Et à moins de 9 m ?

La hauteur maximale atteinte est de 8,2 m, donc le centre de gravité ne se trouve jamais à plus de 9 m. Il est toujours situé à moins de 9 m.

Inéquation de degré 2 à une variable

D'autres situations qui ne sont pas liées explicitement à une fonction quadratique peuvent se traduire par une inéquation de degré 2 à une variable.

Ex.: Un tableau rectangulaire a un périmètre de 14 m. Quelles dimensions peut-il avoir pour que son aire soit inférieure à 10 m² ?

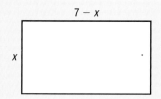

Si x représente la hauteur du tableau, alors $7 - x$ représente la mesure de sa base.

L'aire du tableau est donc représentée par l'expression $x(7 - x)$, d'où l'inéquation suivante à résoudre :

$$x(7 - x) < 10$$
$$-x^2 + 7x < 10$$
$$-x^2 + 7x - 10 < 0 \text{ ou } x^2 - 7x + 10 > 0.$$

> Le contexte nous invite à résoudre cette inéquation dans l'intervalle $]0, 7[$, car les dimensions du tableau sont plus grandes que 0 m.

Différentes méthodes peuvent permettre de résoudre une inéquation de degré 2.

Méthode algébrique

Ex.: Dans l'exemple ci-dessus, pour résoudre $-x^2 + 7x - 10 < 0$, il est possible de décomposer en facteurs le membre de gauche de l'inéquation.

On obtient : $(-x + 5)(x - 2) < 0$.

Lorsque x vaut 5 ou 2, le membre de gauche est égal à 0.

Valeur de x	$]-\infty, 2[$	2	$]2, 5[$	5	$]5, +\infty[$
Signe de $(-x + 5)$	+	+	+	0	-
Signe de $(x - 2)$	-	0	+	+	+

> On appelle ce type de tableau un tableau des signes. C'est le produit de deux nombres de signes contraires qui donne un résultat inférieur à 0.

Donc, pour que le membre de gauche de l'inéquation soit inférieur à 0, x doit prendre les valeurs de $]-\infty, 2[\cup]5, +\infty[$.

Méthode graphique

Il est possible de définir une fonction dont la règle correspond au polynôme qui se trouve dans l'inéquation. De cette façon, on peut résoudre le problème graphiquement.

Ex.: Dans l'exemple ci-dessus, résoudre l'inéquation revient à analyser le signe de la fonction définie par $f(x) = -x^2 + 7x - 10$.

En représentant graphiquement cette fonction, on observe que x doit prendre les valeurs de $]-\infty, 2[\cup]5, +\infty[$ pour que $f(x)$ soit inférieure à 0.

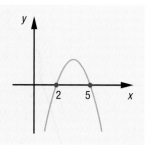

On doit toujours interpréter la solution en tenant compte du contexte.

Ex.: Ainsi, le tableau rectangulaire aura une aire inférieure à 10 m² si sa hauteur est inférieure à 2 m ou se situe entre 5 m et 7 m.

1 Soit $f(x) = -2x^2 + 10x - 12$.

a) Tracez le graphique de la fonction f.

b) Pour quelles valeurs de x la fonction f est-elle positive ?

c) Déterminez les valeurs de x pour lesquelles :

1) $f(x) > -4$ 　　　2) $f(x) \le -2$ 　　　3) $f(x) \ge \dfrac{1}{2}$ 　　　4) $f(x) < 2$

2 Complétez le tableau des signes ci-dessous afin de résoudre l'inéquation suivante :

$$(5 - 2x)(x + 2) \le 0$$

Valeur de x					
Signe de $(5 - 2x)$					
Signe de $(x + 2)$					

3 Résolvez les inéquations suivantes par la méthode algébrique.

a) $(2x - 1)(x + 3) > 0$ 　　　b) $(1 - 2x)(4 - 2x) < 0$ 　　　c) $(4x + 10)(2x - 7) \le 0$

d) $x^2 - 64 > 0$ 　　　e) $-x^2 + 2x - 1 < 0$ 　　　f) $5x^2 < 8x + 4$

g) $x^2 + 5x \ge -6$ 　　　h) $x(x + 6) + 9 \ge 16$ 　　　i) $(x - 1)(x + 2) > 4$

4 En utilisant la méthode graphique, résolvez chacune des inéquations suivantes.

a) $x^2 + 5x + 6 > 0$ 　　　b) $2x^2 - 4x + 2 < 0$ 　　　c) $-x^2 - 1 \le 0$

d) $-3x^2 + 2x < 1$ 　　　e) $2(-1,5x^2 + x + 5) \ge 10$ 　　　f) $2x^2 \ge 4x + 3$

5 À la demande d'une compagnie d'assurance automobile, une actuaire a établi une relation entre l'âge de la personne qui conduit un véhicule et la probabilité que celle-ci soit impliquée dans un accident au cours des cinq prochaines années. Elle a obtenu la règle $P(x) = 0{,}0005x^2 - 0{,}045x + 1{,}25$, où x représente l'âge du conducteur ou de la conductrice en années.

Cette compagnie d'assurance juge qu'une personne présente un risque élevé si celle-ci a plus d'une chance sur deux d'avoir un accident au cours des cinq prochaines années.

a) Quel est l'âge des personnes qui présentent un risque élevé pour cette compagnie ?

La compagnie invite ses employés à accorder un rabais à toute personne dont la probabilité d'être impliquée dans un accident est inférieure à 20 %.

b) Que pensez-vous de ce rabais ? Justifiez votre réponse.

6 Un ouvrier doit concevoir des caissons fermés
qui seront fabriqués avec des panneaux
de bois. Ces caissons prendront toujours
la forme en «L», décrite ci-dessous, qui
occupe l'espace d'un cube juxtaposé à deux
prismes à base carrée de 10 dm de hauteur,
et ce, peu importe les dimensions du cube.

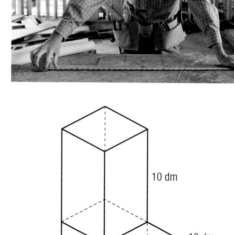

L'ouvrier a reçu la consigne de concevoir
des caissons ne nécessitant pas plus de
600 dm^2 de panneaux de bois chacun.

a) Sachant que c représente la mesure
   d'une arête du cube, montrez que
   cette situation peut se traduire par
   l'inéquation $6c^2 + 80c - 600 \leq 0$.

b) Pour chacune des mesures suivantes
   de l'arête du cube, l'ouvrier
   respecte-t-il la consigne donnée?

   1) $c = 2$

   2) $c = 3$

   3) $c = 7$

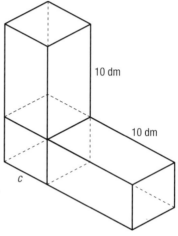

c) Quelles mesures doit prendre l'arête du cube
   pour respecter la contrainte donnée?

7 Une arpenteuse désire agrandir les dimensions de deux
terrains de forme carrée. Elle veut ajouter la même
longueur à chacune des dimensions, comme elle
l'a illustré ci-dessous.

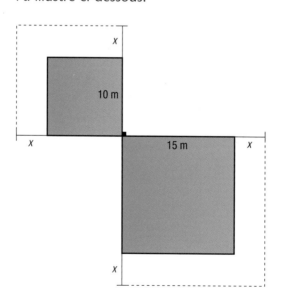

Les arpenteurs sont chargés d'exécuter
des levés officiels permettant d'évaluer
la superficie des terrains et de définir
la position des limites des propriétés.

Quelles mesures devrait prendre cet ajout pour que l'aire totale des deux parcelles
de terrain ne dépasse pas 1000 m^2?

8 Comme on le sait, distribuer des poignées de main est un geste très courant dans de nombreuses sociétés.

Imaginez une soirée politique où chaque participant ou participante, sans exception, serre la main de chacun ou chacune des autres participants, sans serrer la main à la même personne plus d'une fois.

a) Définissez sous la forme générale la règle de la fonction *f* qui permet de déterminer le nombre de poignées de main échangées en fonction du nombre de personnes présentes.

b) Combien faudrait-il de personnes à cette soirée pour que plus de 10 000 poignées de main soient échangées?

On raconte que la coutume d'échanger des poignées de main remonte au temps de la chevalerie. En offrant sa main droite à un rival, un chevalier démontrait qu'il ne brandirait pas son arme pour l'attaquer.

9 Joëlle adore le saut à l'élastique et elle travaille justement au développement de nouveaux polymères qui entrent dans la composition de ces élastiques.

Un laboratoire a testé un échantillon de 20 cm du dernier élastique mis au point et l'a soumis à un étirement *l* allant jusqu'à 1 m. Les résultats du test ont démontré que la force (en newtons) subie par l'élastique en fonction de l'étirement (en centimètres) suit la règle suivante:

$$F(l) = 3{,}2l^2 + 5l$$

a) Quelle force subit l'élastique lorsqu'il est allongé de:

1) 0 cm?   2) 10 cm?   3) 100 cm?

Avant de mettre en marché le nouvel élastique, Joëlle doit s'assurer qu'il peut subir, sans se rompre, une force comprise entre 20 000 N et 30 000 N à plus de 1000 reprises.

b) Suggérez à Joëlle une procédure permettant d'effectuer ce test. Justifiez celle-ci par des arguments mathématiques.

Le saut à l'élastique est une activité extrême qui consiste à s'élancer dans le vide du haut d'une grue ou d'un pont avec un élastique attaché aux chevilles. La personne en chute libre atteint une vitesse d'environ 100 km/h avant d'être ramenée dans une courbe ascendante par l'élastique.

10 Soit la fonction $f(x) = ax^2 - 4x + 4$, où le paramètre a peut prendre toutes les valeurs réelles comprises entre 5 et 10 inclusivement. Quelles valeurs doit-on donner à ce paramètre pour que toutes les valeurs de *x* soient des solutions de l'inéquation $f(x) \geq 3{,}4$. Justifiez votre réponse.

11 Au Centre des sciences, on présente le bilan énergétique d'une maison verte qui s'alimente en énergie à partir d'une petite éolienne. Pour combler les besoins en énergie de la maisonnée, l'éolienne doit pouvoir développer, grâce à la seule force du vent, une puissance supérieure à 2,5 kW.

À la suite d'une visite à ce centre, Johanne et Jean-Lin désirent installer une éolienne derrière leur maison située dans la région du Lac-Saint-Jean. Sur le devis de l'éolienne, on spécifie que, pour des vents variant de 20 km/h à 60 km/h, la puissance (en W) développée par l'éolienne est fonction de la vitesse x du vent (en km/h) et suit la règle suivante :

$$f(x) = -4,2x^2 + 367x - 4967$$

a) Quelle est la puissance maximale que peut fournir cette éolienne ?

b) Quelle doit-être la vitesse du vent pour que Johanne et Jean-Lin n'utilisent que l'énergie provenant de l'éolienne pour combler leurs besoins en énergie ?

12 L'entreprise Cône-Sécuritaire a reçu des exigences techniques précises de la part d'une municipalité pour la fabrication de cônes de balisage. Voici le schéma de ces exigences :

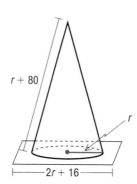

- Le cône de balisage doit reposer sur une base carrée.
- L'aire de la surface latérale du cône doit être au moins le double de l'aire du carré.

a) Montrez que cette situation peut être représentée par l'inéquation $(\pi - 8)r^2 + (80\pi - 128)r - 512 \geq 0$, où r est le rayon du cône (en cm).

b) Déterminez les dimensions possibles du cône.

c) Pourrait-on satisfaire aux exigences de la municipalité si l'apothème du cône mesurait 70 cm de plus que le rayon plutôt que 80 cm ? Justifiez votre réponse.

13 L'objectif du saut en hauteur est très simple : passer tout le corps au-dessus d'une barre horizontale. Pour réussir, l'athlète doit déployer une vitesse verticale suffisante pour faire monter son centre de gravité plus haut que la hauteur de la barre pendant au moins 0,2 s.

Lors des Jeux olympiques de Mexico, en 1968, Dick Fosbury a franchi une barre posée à une hauteur de 2,24 m et a remporté la médaille d'or. Il a accompli cet exploit grâce à une nouvelle technique de saut qui porte aujourd'hui son nom. Presque tous les sauteurs en hauteur utilisent aujourd'hui cette technique.

Au cours d'un saut, la hauteur h (en m) atteinte par le centre de gravité de Jim peut se traduire par la règle $h(t) = -4,9t^2 + 4,6t + 1,2$, où t est le temps écoulé (en s) depuis qu'il a quitté le sol.

a) Que représente la valeur du paramètre c dans cette règle ?

b) Quelle est la hauteur maximale atteinte par Jim lors de ce saut ?

c) Lors de ce saut, la barre était posée à une hauteur de 2,10 m. À quel moment le centre de gravité de Jim s'est-il trouvé plus haut que la hauteur de la barre ?

d) Jim aurait-il réussi à vaincre Dick Fosbury en 1968 avec un tel saut ? Justifiez votre réponse.

14 Le tableau des signes peut servir à résoudre des inéquations qui ne sont pas de degré 2. On peut utiliser cette méthode chaque fois que l'expression algébrique qui est comparée à 0 peut s'écrire sous la forme d'un produit ou d'un quotient de facteurs de degré 1.

Voici, par exemple, une inéquation qui comporte une expression rationnelle :

$$\frac{x-2}{4-x} < 0.$$

a) Pour quelles valeurs de x cette expression rationnelle est-elle bien définie ?

b) Si $\frac{A}{B} < 0$, que pouvez-vous dire du signe de A et de B ?

c) À l'aide d'un tableau des signes, résolvez cette inéquation.

d) Procédez de la même façon pour résoudre les inéquations suivantes.

1) $\frac{2x+1}{2x-1} \leq 0$ 2) $(x+1)(2x-1)(4x+2) > 0$ 3) $\frac{(5-2x)(x+4)}{x-4} \geq 0$

PROBLÈME Une expérience santé

Dans le cadre de leur cours d'éducation physique et à la santé, un groupe d'élèves ont entrepris un programme d'entraînement d'une durée de 5 semaines pour évaluer l'influence de l'intensité de l'entraînement sur l'amélioration de leur capacité respiratoire.

Après avoir au préalable testé leur capacité respiratoire maximale, les élèves se sont engagés à s'entraîner trois fois par semaine à un certain pourcentage de leur intensité maximale, variant de 36 à 90 % selon les élèves. Voici les résultats qu'ils ont obtenus :

Amélioration de la capacité respiratoire après un entraînement de 5 semaines

Intensité de l'entraînement (en %)	36	37	42	48	50	53	60	62
Amélioration de la capacité respiratoire (en %)	16	18	14	20	23	25	20	27

Intensité de l'entraînement (en %)	65	70	75	82	84	88	89	90
Amélioration de la capacité respiratoire (en %)	24	28	27	28	29	28	26	24

En modélisant cette situation par une fonction quadratique, estimez l'augmentation de la capacité respiratoire d'une personne qui s'entraîne à une intensité de 100 %.

ACTIVITÉ 1 | Des airs de famille

Partie 1

Dans le graphique ci-dessous, on a représenté cinq fonctions quadratiques appartenant toutes à la même famille de fonctions.

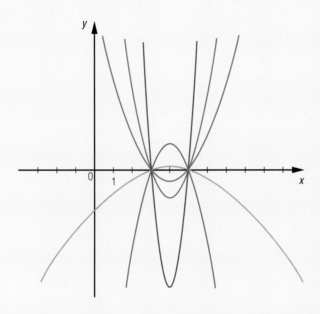

a. Qu'ont graphiquement en commun les fonctions appartenant à cette famille?

b. Écrivez la règle sous la forme générale de trois autres fonctions appartenant à la même famille.

c. Comparez les équations que vous avez trouvées en **b.** Énoncez une conjecture et trouvez des arguments pour convaincre un ou une camarade de classe de sa validité.

Partie 2

Lorsqu'une fonction quadratique a un ou deux zéros, il est possible d'écrire sa règle sous une forme factorisée $f(x) = a(x - x_1)(x - x_2)$, où a, x_1 et x_2 sont des nombres réels. En voici trois exemples:

❶ $f_1(x) = 2(x - 1)(x - 3)$ **❷** $f_2(x) = 3(x - 2)(x + 1)$ **❸** $f_3(x) = (x + 3)^2$

d. Quels sont les zéros de ces fonctions?

e. Écrivez la règle de chacune de ces fonctions sous la forme générale.

f. Existe-t-il un lien entre les zéros de ces fonctions et les paramètres a, b et c de leur forme générale? Émettez une conjecture à ce propos et trouvez des arguments pour convaincre un ou une camarade de classe de sa validité.

Chaque jour, des milliers de voyageurs se déplacent pour aller admirer de célèbres fontaines comme la fontaine de Trevi, à Rome, ou celles des jardins de Versailles. En plus d'être souvent magnifiques, les fontaines nous apaisent avec le mouvement et le bruissement de leur eau.

Pour obtenir une parfaite harmonie dans une fontaine, le concepteur doit tenir compte des courbes décrites par les nombreux jets d'eau qui la composent. En voici deux exemples :

> Construite à l'origine pour la ville de Bordeaux en 1855, la fontaine de Tourny a été offerte à la ville de Québec pour son 400ᵉ anniversaire.

> Les fontaines magiques de Barcelone ont été construites pour l'Exposition universelle de 1929. Elles sont constituées de 3260 jets d'eau.

On a représenté un jet d'eau particulier de chacune de ces fontaines dans les plans cartésiens ci-dessous. Dans les deux cas, l'axe des *x* est placé au même niveau que la sortie du jet d'eau et l'axe des *y* passe par le centre de la fontaine. L'unité de mesure est le mètre.

Jet d'eau de la fontaine de Tourny

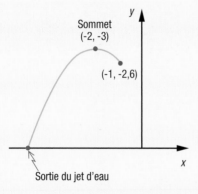

Jet d'eau des fontaines de Barcelone

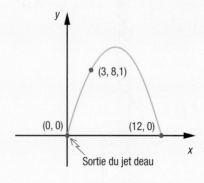

a. Déterminez l'équation de chaque courbe, sachant que chacune représente une fonction quadratique. Expliquez votre démarche.

b. Dans la fontaine de Tourny, quelle est la position de la sortie du jet d'eau ?

c. Dans les fontaines de Barcelone, à combien de mètres plus haut que le niveau de sa sortie le jet d'eau s'élève-t-il ?

ACTIVITÉ 3 Deux graphiques pour un seul lancer

Olivier lance une balle vers son ami Francis.

Soit y la hauteur de la balle (en m) et t, le temps écoulé (en s). Si la balle est lâchée à une hauteur de 2 m et si elle s'élève initialement à une vitesse de 15 m/s, alors $y = -5t^2 + 15t + 2$.

a. Tracez le graphique de cette fonction en supposant que la balle lancée par Olivier ne sera pas attrapée par Francis et tombera sur le sol.

b. Compte tenu du domaine, quel est l'unique zéro de cette fonction ? Que signifie-t-il dans ce contexte ?

Lorsque la balle est lancée, elle ne fait pas que s'élever vers le haut, elle se déplace aussi horizontalement en direction de Francis avec une certaine vitesse qui est constante. Supposons que la balle se déplace horizontalement de 20 m par seconde. Si x représente ce déplacement, on peut écrire : $x = 20t$.

c. Dans le premier quadrant d'un plan cartésien, où x représente le déplacement horizontal de la balle et y, sa hauteur, situez la position de la balle à chaque demi-seconde dans l'intervalle de 0 à 3 s. Tracez ensuite la courbe qui passe par ces points en tenant compte du contexte.

La courbe tracée en **c** représente la trajectoire de la balle.

> Une *trajectoire* est une ligne qui décrit le mouvement d'un point ou du centre de gravité d'un objet dans un espace.

d. Quelle est l'équation de cette courbe ?

e. À partir de l'équation trouvée en **d**, déterminez l'abscisse à l'origine de cette courbe. Interprétez cette valeur en tenant compte du contexte.

f. Comparez les graphiques que vous avez construits en **a** et en **c**. En quoi sont-ils semblables ? En quoi sont-ils différents ?

Techno math

Une calculatrice graphique permet d'afficher un nuage de points et de déterminer l'équation d'une fonction quadratique en effectuant une régression quadratique.

Cette table de valeurs présente les données recueillies lors d'une expérience mettant en relation deux variables.

x	-1	0	1	2	3	4
y	6	-1	-3	-1,5	5	10

Cet écran permet d'éditer chacun des couples de la table de valeurs.

Écran 1

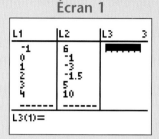

Cet écran permet d'afficher le nuage de points.

Écran 2

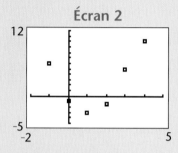

Cet écran permet d'utiliser la régression quadratique pour déterminer l'équation de la fonction quadratique.

Écran 3

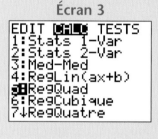

Cet écran permet de placer l'équation de la fonction quadratique dans l'éditeur d'équations et affiche l'équation issue de la régression quadratique.

Écran 4

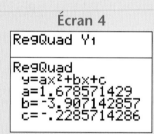

Le déplacement du curseur permet d'afficher les coordonnées des points de la courbe.

Écran 5

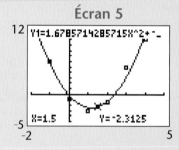

a. Que représentent `a=1.678571429`, `b=-3.907142857` et `c=-.2285714286` à l'écran **4**?

b. À l'aide d'une calculatrice graphique qui utilise la méthode de régression quadratique, tracez les paraboles qui modélisent les données ci-dessous.

1)

x	7	20	33	47	60	67
y	8	15	24	26	24	21

2)

x	0	0,5	1	1,5	2	2,5
y	0	78,1	99,8	84,4	50,1	15,6

c. Selon les courbes tracées en **b**, déterminez, dans chaque cas, la valeur de y si x = 10.

FORME FACTORISÉE DE LA RÈGLE D'UNE FONCTION QUADRATIQUE

Lorsqu'une fonction quadratique a deux zéros, il est possible d'écrire la règle sous la forme factorisée $f(x) = a(x - x_1)(x - x_2)$, où x_1 et x_2 sont les deux zéros de la fonction. On peut alors observer une relation entre les paramètres a, b et c de la forme générale et les zéros x_1 et x_2 de la forme factorisée :

$$\frac{-b}{a} = x_1 + x_2 \quad \text{et} \quad \frac{c}{a} = x_1 x_2$$

> Dans le cas où il y a un seul zéro, on aura $x_1 = x_2$ et la forme factorisée pourra s'écrire : $f(x) = a(x - x_1)^2$.

RECHERCHE DE LA RÈGLE D'UNE FONCTION QUADRATIQUE

Selon l'information dont on dispose sur une fonction quadratique, on emploiera différentes stratégies pour arriver à déterminer la règle de cette fonction.

À partir des coordonnées du sommet et d'un point

Si on connaît le sommet et un autre point de la courbe, on favorise l'écriture de la règle sous la forme canonique, qu'on peut ensuite transformer sous la forme générale.

On peut procéder de la façon suivante.

Ex.: La courbe qui représente une fonction quadratique a pour sommet le point de coordonnées (3, 4) et passe par le point de coordonnées (7, 2).

On peut procéder de la façon suivante.	Ex.: La courbe...
• Dans la forme canonique de la règle, remplacer les paramètres h et k par les valeurs des coordonnées du sommet.	$f(x) = a(x - h)^2 + k$ $f(x) = a(x - 3)^2 + 4$ 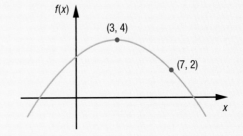
• Remplacer la variable x et son image $f(x)$ par les coordonnées de l'autre point, et résoudre l'équation obtenue pour déterminer la valeur de a.	$2 = a(7 - 3)^2 + 4$ $2 = 16a + 4$ $16a = -2$ $a = \frac{-1}{8}$ La règle est donc : $f(x) = \frac{-1}{8}(x - 3)^2 + 4$ ou $f(x) = \frac{-x^2}{8} + \frac{3x}{4} + \frac{23}{8}$.

À partir des zéros et d'un point

Si l'on connaît les zéros et un autre point de la fonction, il est préférable d'utiliser la forme factorisée pour déterminer la règle.

On peut procéder de la façon suivante.	Ex.: Une fonction quadratique a deux zéros dont les valeurs sont -2 et 5, et elle passe par le point de coordonnées (8, 3).
• Dans la forme factorisée de la règle, remplacer les paramètres x_1 et x_2 par les valeurs des zéros de la fonction.	$f(x) = a(x - x_1)(x - x_2)$ $f(x) = a(x + 2)(x - 5)$ 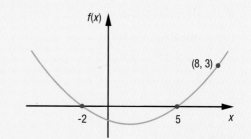
• Remplacer la variable x et son image $f(x)$ par les coordonnées du point (8, 3) et résoudre l'équation obtenue pour déterminer la valeur de a.	$3 = a(8 + 2)(8 - 5)$ $3 = 30a$ $a = 0,1$
	La règle est donc: $f(x) = 0,1(x + 2)(x - 5)$ ou $f(x) = 0,1x^2 - 0,3x - 1.$

MODÉLISATION À L'AIDE D'UNE FONCTION QUADRATIQUE

À main levée, on trace la courbe la plus représentative des données. On choisit ensuite des points sur ce modèle, tels le sommet ou les points associés aux zéros, afin d'en déterminer l'équation.

Ex.: Au cours d'une expérience, on a mesuré, au dixième de mètre près, la hauteur d'une balle lancée vers le haut.

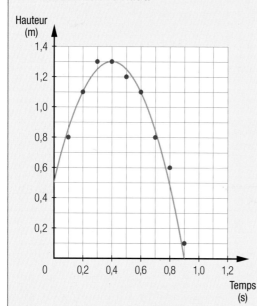

En utilisant les coordonnées du sommet (0,4, 1,3) et celles du point (0,9, 0), on peut estimer l'équation de la parabole représentant ce nuage de points.

$f(x) = a(x - h)^2 + k$
$f(x) = a(x - 0,4)^2 + 1,3$
$0 = a(0,9 - 0,4)^2 + 1,3$
$-1,3 = 0,25a$
$a = -5,2$

$f(x) = -5,2(x - 0,4)^2 + 1,3$
ou
$f(x) = -5,2x^2 + 4,16x + 0,468$

1 Toutes les fonctions dont les règles sont données ci-dessous ont deux zéros.

   1 $f(x) = x^2 + 14x + 33$ **2** $f(x) = 2x^2 - 4x - 30$ **3** $f(x) = -2x^2 + 12x - 16$

   4 $f(x) = 2x^2 + 5x - 12$ **5** $f(x) = -12x^2 - x + 6$ **6** $f(x) = x^2 - 4x + 1$

Pour chacune de ces fonctions:

  a) déterminez le produit et la somme de ces zéros en vous servant de la valeur des paramètres a, b et c;

  b) déterminez ces zéros, puis montrez que leur somme et leur produit sont égaux aux valeurs trouvées en a).

2 Voici les graphiques de trois fonctions quadratiques:

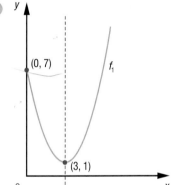 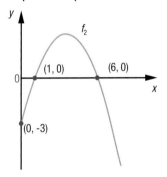 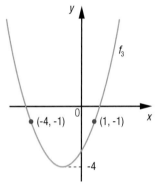

  a) Déterminez la règle de chacune de ces fonctions sous la forme générale.

  b) Laquelle ou lesquelles de ces courbes passent par le point de coordonnées (2, 2)?

3 Voici les zéros de différentes fonctions quadratiques:

   1 zéros de f_1: -3 et 5;   **2** zéros de f_2: -8 et -4;   **3** zéros de f_3: $2 - \sqrt{3}$ et $2 + \sqrt{3}$.

  a) Quel est l'axe de symétrie de la courbe qui représente chacune de ces fonctions?

  b) Dans chaque cas, à quelle distance de l'axe de symétrie se situent les zéros?

  c) Répondez à nouveau aux questions a) et b) dans le cas d'une fonction quadratique dont les zéros sont x_1 et x_2 avec $x_1 < x_2$.

4 Une fonction quadratique est positive dans l'intervalle $]-\infty, 2] \cup [5, +\infty[$ et son ordonnée à l'origine est 5.

  a) Déterminez les intervalles de croissance et de décroissance de la fonction.

  b) Déterminez la règle de cette fonction.

  c) Déterminez l'image de cette fonction.

5 Lors d'une plongée, un cormoran a capturé un poisson à une profondeur de 2 m, soit au tiers de la profondeur maximale qu'il a atteinte. Il est ensuite ressorti de l'eau à 8 m de son point d'entrée. En utilisant le point d'entrée dans l'eau comme origine de votre système d'axes, déterminez l'équation de la trajectoire parabolique que le cormoran a suivie sous la surface de l'eau.

Les cormorans sont des oiseaux palmipèdes côtiers. Ces excellents plongeurs chassent sous l'eau et se nourrissent principalement de poissons de petite taille, variant de 5 à 15 cm, et de certains mollusques et crustacés.

6 Déterminez la règle, sous la forme générale, de chacune des fonctions quadratiques décrites ci-dessous.

a) La parabole qui représente la fonction passe par l'origine et son sommet est S(4, 5).

b) Les coordonnées du sommet sont (10, 125) et l'ordonnée à l'origine est -275.

c) Le sommet est S(-3, -2) et la parabole passe par le point P(-7, -10).

d) Les zéros de la fonction sont -4 et 4, et son minimum est -12.

e) Les zéros de la fonction sont -8 et 4, et l'ordonnée à l'origine est 6.

f) La parabole passe par les points $P_1(0, 3)$ et $P_2(1, 0)$, et son axe de symétrie est $x = 2$.

g) La fonction n'a qu'un seul zéro qui est 4. Son ordonnée à l'origine est -4.

h) Le maximum de la fonction est 8. Son graphique passe par $P_1(1, 3)$ et $P_2(5, 3)$.

7 À partir de l'information fournie dans le tableau ci-dessous, déterminez la règle de chacune des fonctions f_1 à f_6. Complétez ensuite le tableau.

	f_1	f_2	f_3	f_4	f_5	f_6
Zéros de la fonction	1 et 3	-5 et -1	-3 et 1	-1 et 4		
Coordonnées du sommet	(2, 4)	(-3, -4)	(,)	(,)	(4, -1)	(-1, 9)
Ordonnée à l'origine			-6	8	3	5

8 Aujourd'hui est un grand jour pour Jean-Pierre. Il a réalisé son premier trou d'un coup au golf! Cela s'est passé sur une normale 3 d'une distance de 160 verges. La balle a frôlé la cime du grand sapin haut de 27 m situé à 20 verges devant la coupe, puis est tombée directement dans celle-ci.

Le *yard*, ou « verge » en français, est une ancienne mesure anglaise encore en usage aux États-Unis. Cette unité de mesure est également utilisée au Canada dans la pratique de certains sports comme le golf et le football.

a) Sachant que une verge équivaut à environ 0,9 m et en utilisant le mètre comme unité de mesure, déterminez une équation pouvant représenter la trajectoire de ce coup mémorable.

b) Quelle a été la hauteur maximale atteinte par la balle?

9 À la fin d'un spectacle, des pièces pyrotechniques décrivent des paraboles dans le ciel. Deux de ces pièces sont lancées de façon que la trajectoire de la seconde passe par le sommet de la trajectoire de la première avant d'atteindre sa hauteur maximale de 19 m.

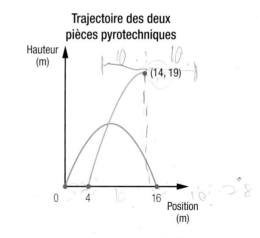

Trajectoire des deux pièces pyrotechniques

a) À quelle distance l'une de l'autre ces deux pièces pyrotechniques tomberont-elles dans l'eau?

b) Déterminez l'équation de chacune des deux trajectoires sous la forme générale.

L'invention des feux d'artifice remonte aux premiers siècles de notre ère. Mais ce n'est qu'au XIXᵉ siècle, grâce à l'emploi de sels métalliques, qu'on a commencé à faire varier la couleur des feux. Avant ce temps, la couleur des feux passait du blanc jaunâtre à l'orangé.

10 Une équipe spécialisée dans les effets spéciaux a reconstitué un trébuchet pour le tournage d'un film. Elle a filmé trois essais sur un terrain plat et a recueilli les données suivantes.

Un trébuchet est une machine de guerre médiévale. Le trébuchet des Baux-de-Provence est le plus grand de France. Sa flèche mesure plus de 11 m et il pouvait tirer des boulets de plus de 100 kg.

Essais de tirs au trébuchet

(nuage de points : Hauteur (m) en fonction de la Distance (m))

a) Tracez une parabole qui s'ajuste bien à ce nuage de points et déterminez son équation.

b) Que représente l'ordonnée à l'origine de la parabole dans ce contexte? et son abscisse à l'origine?

c) Pour le tournage du film, le trébuchet sera installé sur le bord d'une falaise, 20 m plus haut que sa cible. Estimez, au mètre près, à quelle distance de la falaise devra être placée la cible.

11 Le nombre 1 est un zéro de chacune des fonctions suivantes.

$$f_1(x) = 2x^2 - 3x + 1 \qquad f_2(x) = {}^-4x^2 + x + 3 \qquad f_3(x) = 0{,}5x^2 + 1{,}5x - 2$$

a) Vérifiez que l'image de 1 par ces fonctions est bien égale à 0.

b) Calculez mentalement le deuxième zéro de chacune de ces fonctions. Expliquez comment vous avez procédé.

c) Par tâtonnement, trouvez un nombre entier qui est un zéro de la fonction $g(x) = 3x^2 - 2x - 8$. Déterminez ensuite mentalement le deuxième zéro de cette fonction.

12 À partir de l'information fournie, déterminez le deuxième zéro de chacune des fonctions suivantes. Expliquez comment vous avez procédé.

a) L'un des zéros de la fonction $f(x) = kx^2 + kx - 6$ est 3.

b) L'un des zéros de la fonction $g(x) = kx^2 + 3x + k$ est 2.

c) L'un des zéros de la fonction $h(x) = x^2 + kx + k$ est 1.

13 La table de valeurs ci-dessous présente les records américains obtenus à la course de 100 m chez les femmes en fonction de l'âge des coureuses.

Records américains au 100 m chez les femmes

Âge (années)	10	15	20	27	29	30	38	42	47	51	58	61
Temps record (s)	13,2	11,5	11,2	10,9	10,5	11,5	11,2	12,5	12,7	13,1	14,6	15,8

a) Tracez le nuage de points associé à ces données ainsi que la parabole qui vous semble le mieux s'ajuster à ce nuage.

b) Déterminez la règle de la fonction quadratique qui modélise ces données.

c) Selon ce modèle, quel pourrait être le temps record d'une coureuse de 70 ans au 100 m ?

En 1988, Delorez Florence Griffith Joyner, 29 ans, a pulvérisé par 0,27 s l'ancien record féminin du 100 m avec un temps de 10,49 s, un record qui, plus de 20 ans après, tient encore.

14 Sur la Lune, le 7 février 1971, à la fin de la mission Apollo-14, l'astronaute Alan Shepard a frappé une balle de golf à l'aide d'un fer 6 qu'il avait apporté à l'insu de tous. On ne sait pas exactement ce qu'a été le résultat de ce coup mémorable, mais on sait par contre que la hauteur de la balle (en m) était décrite par une fonction quadratique.

Soit $h(t) = -0,8t^2 + 8t$ cette fonction, où t est le temps écoulé (en s).

a) Tracez le graphique de cette fonction.

b) Quels sont les zéros de cette fonction ? Que représentent-ils dans ce contexte ?

c) En supposant que la vitesse du déplacement horizontal de la balle était de 12 m/s, représentez graphiquement la trajectoire de la balle dans un plan cartésien.

d) Quelle est l'équation de cette trajectoire ?

e) Selon ce modèle, à quelle distance de l'astronaute la balle a-t-elle touché le sol lunaire ?

15 Blanche et Sarah-Lune jouent à se lancer la balle par-dessus le toit de leur maison. À chaque lancer, elles essaient de faire monter la balle le moins haut possible.

Quelques mesures sont indiquées dans l'illustration ci-contre. On peut noter, entre autres, que la balle est lâchée et attrapée à 1,6 m du sol.

a) Représentez cette situation dans un plan cartésien en situant judicieusement le système d'axes.

b) Selon votre représentation, déterminez l'équation de la trajectoire que devrait suivre la balle pour atteindre une hauteur minimale sans que les filles aient besoin de se déplacer.

c) Quelle est cette hauteur minimale ?

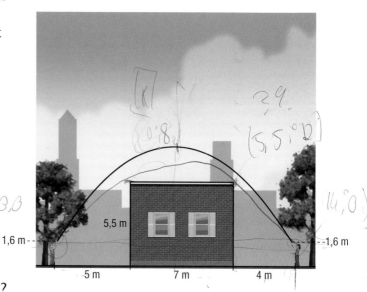

16 La surface d'un liquide en rotation dans un récipient cylindrique prend la forme d'un paraboloïde de révolution. Le schéma sous l'illustration représente une coupe transversale passant par l'axe de révolution au centre de la surface et du récipient pour une certaine vitesse de rotation.

a) La hauteur atteinte par le liquide en un point de sa surface est une fonction quadratique de la distance qui sépare ce point de l'axe de révolution. Quelle est la règle de cette fonction ?

En augmentant la vitesse de rotation, on peut faire descendre le sommet du paraboloïde jusqu'au fond du récipient. Dans ce cas, le paramètre a de la règle de la fonction sera multiplié par 6.

b) À quelle distance du bord du récipient le liquide montera-t-il alors ?

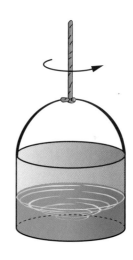

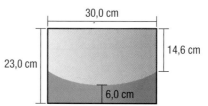

SECTION

4.4 La distance et la fonction quadratique

Cette section est en lien avec la SAÉ 12.

PROBLÈME Le point le plus loin

Au golf, la trajectoire de la balle dans les airs est approximativement parabolique. Tout au long de cette trajectoire, c'est généralement lorsque la balle touche le sol pour la première fois qu'elle se trouve le plus loin de son point de départ.

Départ   Arrivée

Mais il arrive parfois, pour certains coups d'approche par exemple, que le sommet de la parabole soit plus éloigné du point de départ que ne l'est le point d'arrivée.

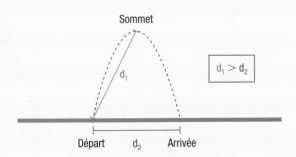

Si l'on représente cette trajectoire dans le plan cartésien en situant le point de départ à l'origine, l'équation de la trajectoire est de la forme

$$y = ax^2 + bx,$$
où $a < 0$ et $b > 0$.

Dans ce cas particulier où le sommet est plus loin du point de départ que ne l'est le point d'arrivée, que peut-on dire de la valeur des paramètres a et b? Énoncez une conjecture, puis démontrez-la.

ACTIVITÉ 1 De plus en plus abstrait

Situation 1

Une passerelle de 7,5 m relie les toits de deux immeubles espacés de 6 m. L'un de ces immeubles a une hauteur de 21,5 m, alors que l'autre mesure 19 m.

a. Représentez cette situation par un schéma.

b. Démontrez qu'il serait possible d'installer une passerelle plus courte pour relier les deux toits. Déterminez la longueur minimale de cette passerelle.

Situation 2

Observez cette représentation de deux poteaux reliés par un câble tendu.

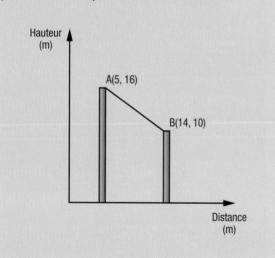

c. Quelle est la longueur de ce câble?

Situation 3

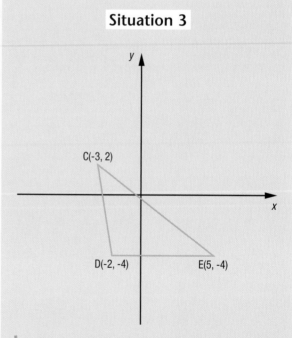

d. Quel est le périmètre du triangle CDE?

Situation 4

Soit les points $P_1(x_1, y_1)$ et $P_2(x_2, y_2)$ dans un plan cartésien.

e. Expliquez comment vous pourriez déterminer la distance entre P_1 et P_2. Au besoin, dans vos explications, utilisez l'expression $d(P_1, P_2)$ pour désigner cette distance.

Qui n'a pas un jour manqué le bateau, ou encore... son autocar?

Marchant vers la route principale à travers un champ, Sabine aperçoit son autocar au loin. À ce moment précis, elle doit parcourir 90 m pour atteindre le point le plus près d'elle sur la route principale, alors que l'autocar se trouve à 255 m de ce même point.

Sabine, partant à la course, se dit alors qu'elle va rater l'autocar, car celui-ci se déplace trois fois plus vite qu'elle.

Voici une représentation de la situation dans un plan cartésien où la route principale est représentée par l'axe des *x*:

L'autocar est un type d'autobus utilisé pour le transport en commun des voyageurs d'une ville à une autre ou pour les excursions touristiques.

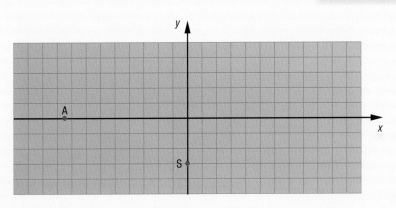

⊢—⊣ 30 m

Il y a quand même un espoir. Sabine (S) pourrait arriver à temps pour prendre l'autocar (A) si elle se dirigeait vers un point P sur la route principale de sorte que:

$$d(A, P) = 3 \times d(S, P).$$

a. Soit (*x*, 0) les coordonnées de ce point P. Quelle expression algébrique représente:

1) d(A, P)?   2) d(S, P)?

b. En élevant au carré chaque membre de l'égalité ci-dessus, traduisez cette situation par une équation de degré 2.

c. Indiquez l'emplacement d'un point sur la route principale vers lequel devrait se diriger Sabine.

ACTIVITÉ 3 À égale distance

Un enseignant se tient debout à 2 m d'un mur de la classe. Il demande à une dizaine d'élèves de se lever en leur donnant la directive suivante.

> Chacun d'entre vous doit se rendre à un endroit dans la classe où il sera situé à égale distance de ce mur et de moi.

a. Représentez cette situation par un schéma. Placez une dizaine de points dans votre schéma pour décrire la position des élèves.

b. Que pouvez-vous dire de l'ensemble des points que vous avez placés? Décrivez les caractéristiques de la ligne que ces points semblent définir.

Dans un plan cartésien, on peut représenter la position de l'enseignant par le point P de coordonnées (0, 2) et le mur de la classe par l'axe des x.

c. Supposons que trois élèves se sont placés à des points dont les abscisses sont respectivement -2, 0 et 2. Quelle est l'ordonnée de chacun de ces points?

d. Déterminez l'ordonnée des points suivants pour qu'ils soient situés à égale distance du point P et de l'axe des x.

1) A(4, y)   2) B(-5, y)   3) C(-9, y)   4) D(12, y)

e. Deux élèves se sont placés à 3 m du mur. Quelle distance les sépare l'un de l'autre?

238 VISION 4

savoirs (4.4)

CONCEPT DE DISTANCE DANS LE PLAN CARTÉSIEN

Certains concepts géométriques peuvent s'exprimer algébriquement lorsque les figures concernées sont inscrites dans un plan cartésien. Il en est ainsi, par exemple, du concept de **distance**.

Distance entre deux points

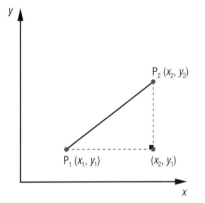

Pour calculer la distance entre deux points P_1 et P_2, qu'on note $d(P_1, P_2)$, on peut utiliser la relation de Pythagore.

Cette relation peut s'exprimer sous la forme suivante :

$$d(P_1, P_2) = \sqrt{(x_2 - x_1)^2 + (y_2 - y_1)^2}$$

On remarque que la distance entre deux points est toujours supérieure ou égale à 0.

> Ex.: Quelle est la mesure du segment AB ayant les extrémités A(-1, -7) et B(2, -3)?
>
> $m \overline{AB} = d(A, B) = \sqrt{(2 - (-1))^2 + ((-3) - (-7))^2} = \sqrt{25} = 5$
>
> La mesure du segment AB est donc de 5 unités.

Cas particuliers

1. Si les deux points P_1 et P_2 ont la même ordonnée, alors l'expression $y_2 - y_1$ est égale à 0 et la relation ci-dessus se ramène à $d(P_1, P_2) = \sqrt{(x_2 - x_1)^2}$.

   Cette dernière égalité peut se réduire simplement à $d(P_1, P_2) = x_2 - x_1$, si $x_2 \geq x_1$. Dans le cas contraire, si $x_2 < x_1$, il faudra écrire $d(P_1, P_2) = x_1 - x_2$ pour que le résultat demeure positif.

2. Si les deux points P_1 et P_2 ont la même abscisse, on aura $d(P_1, P_2) = \sqrt{(y_2 - y_1)^2}$, ce qui se réduit à :

   $d(P_1, P_2) = y_2 - y_1$, si $y_2 \geq y_1$;
   ou à $d(P_1, P_2) = y_1 - y_2$, si $y_2 < y_1$.

Distance entre un point et une droite verticale ou horizontale

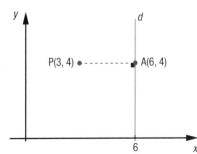

La distance entre un point P et une droite verticale (ou horizontale) est égale à la distance entre le point P et le point de la droite qui a la même ordonnée (ou la même abscisse) que ce point P.

> Ex.: Le point A sur la droite d a la même ordonnée que le point P. La distance entre le point P et la droite d est égale à 3, car $d(P, A) = 6 - 3 = 3$.

APPLICATION DU CONCEPT DE DISTANCE

Certains problèmes de trajectoires ou de repérages liés au concept de distance dans le plan cartésien se traduisent à l'aide d'une équation comprenant une racine carrée. Ce type d'équation peut être transformé en une équation de degré 1 ou 2 en élevant au carré chaque membre de l'égalité.

Ex.: Quel point sur l'axe des x se situe à égale distance des points A(1, 2) et B(5, 8)?

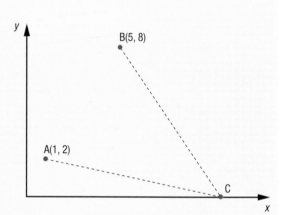

Soit C(x, 0), le point recherché. On a:
d(A, C) = d(B, C).

$$\sqrt{(x-1)^2 + (0-2)^2} = \sqrt{(x-5)^2 + (0-8)^2}$$

En élevant au carré chaque membre de l'égalité, on obtient l'équation:

$$(x-1)^2 + (0-2)^2 = (x-5)^2 + (0-8)^2$$

Et après réduction:

$$x^2 - 2x + 5 = x^2 - 10x + 89$$

En soustrayant x^2 de chaque côté, on obtient une équation de degré 1:

$$-2x + 5 = -10x + 89$$

La résolution donne:

$$x = 10,5$$

Le point C de coordonnées (10,5, 0) est situé à égale distance des points A et B.

DISTANCE ET PARABOLE

La représentation graphique des fonctions quadratiques ainsi que celle de certaines trajectoires utilisent une courbe appelée «parabole». Il est possible de définir précisément une parabole à l'aide du concept de distance.

> Une parabole est une courbe formée de tous les points qui se trouvent à égale distance d'une droite et d'un point qui est situé hors de cette droite. Ce point hors de la droite s'appelle «le foyer de la parabole».

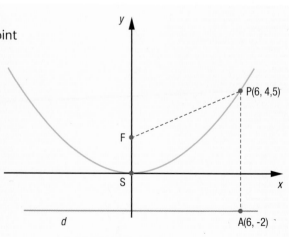

Ex.: La parabole ci-contre est formée de tous les points qui sont situés à égale distance du point F(0, 2) et de la droite d d'équation $y = -2$.

Le sommet S de la parabole se situe entre le point F et la droite.

On peut vérifier, par exemple, que la distance entre le point P(6, 4,5) et la droite d est 6,5, soit 4,5 − (-2).

De même, la distance entre F et P est:
$$d(F, P) = \sqrt{(6-0)^2 + (4,5-2)^2}$$
$$= \sqrt{42,25} = 6,5.$$

1 Les extrémités des segments représentés ci-dessous ont des coordonnées entières. Déterminez la longueur de chacun de ces segments.

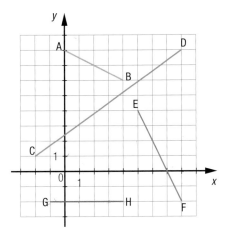

2 Le quadrilatère ABCD représenté ci-contre est un rectangle.

a) Quelle est l'aire de ce rectangle?

b) Quel est son périmètre?

c) Montrez que les diagonales de ce rectangle sont isométriques.

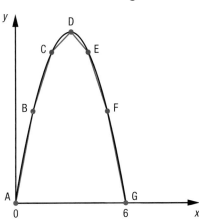

3 Calculez la longueur exacte d'une ligne courbe est en général très complexe, mais il est possible de trouver une approximation en approchant la courbe à l'aide d'une ligne brisée.

Prenez l'exemple d'une trajectoire définie par l'équation $y = -x^2 + 6x$ pour x variant de 0 à 6. Dans le graphique ci-contre, la parabole est approchée par une ligne brisée passant par les points de A à G dont les abscisses sont les nombres entiers de 0 à 6.

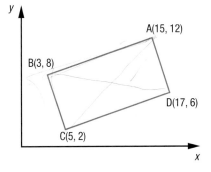

a) Déterminez l'ordonnée de chacun de ces points.

b) Estimez la longueur de la trajectoire en calculant la longueur de la ligne brisée. Arrondissez au centième près.

c) Comment pourriez-vous améliorer cette estimation? Donnez un exemple.

4 Fabien est très fier du saut en planche à neige qu'il a réalisé. La trajectoire de ce saut spectaculaire peut être représentée par l'équation suivante pour les valeurs de x variant de 0 à 9 :

$$y = \frac{-2}{9}x^2 + \frac{4}{3}x$$

a) Représentez cette trajectoire dans un plan cartésien.

b) L'unité étant le mètre, déterminez la distance qu'il a franchie du point de départ ($x = 0$) au point d'arrivée ($x = 9$).

c) Déterminez la distance entre le sommet de la trajectoire et le point d'arrivée de ce saut.

5 Dans un plan cartésien, construisez le triangle ABC dont les sommets ont les coordonnées suivantes : A(0, 0), B(4, 6) et C(14, 0).

a) Déterminez la mesure des côtés de ce triangle.

b) Quel est le plus grand de ces côtés ? Quel est le plus petit ?

c) Tracez les trois médianes AD, BE et CF de ce triangle, puis déterminez leur longueur.

d) Quelle est la plus grande de ces médianes ? Quelle est la plus petite ?

e) Y a-t-il un lien entre les réponses trouvées en b) et d) ? Expliquez votre réponse.

6 Pour trouver les coordonnées du milieu d'un segment, Julie a calculé la moyenne des abscisses et la moyenne des ordonnées des deux extrémités du segment. Elle a obtenu les coordonnées (6, 5). Mais s'agit-il vraiment du point milieu ? Pour s'en assurer, Julie se dit que si M est le point milieu de $\overline{AB}$, alors on doit avoir :

$$d(A, M) = d(B, M) = \frac{1}{2} \times d(A, B)$$

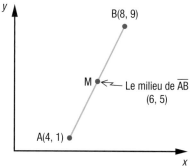

a) Le point M trouvé par Julie vérifie-t-il cette suite d'égalités ? Justifiez votre réponse.

b) Déterminez les coordonnées du milieu du segment dont les extrémités sont C(-9, -12) et D(15, -2). À l'aide du concept de distance comme en a), démontrez que ces coordonnées sont bien celles du point milieu.

7 PONT DE SYDNEY Le célèbre pont du port de Sydney en Australie est constitué d'une arche dont la partie inférieure est de forme parabolique.

Dans la représentation ci-dessous, l'axe des x représente le tablier du pont et l'axe des y est situé à l'un des piliers à l'extrémité de l'arche.

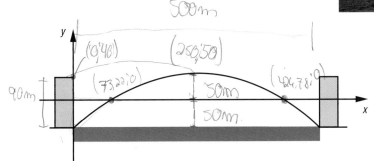

Distance entre les deux piliers	500 m
Distance entre le sommet de l'arche et le tablier du pont	50 m
Distance entre le tablier du pont et l'eau	50 m

a) Dans cette représentation, quelles sont les coordonnées :

   1) du sommet de la parabole ?   2) des deux extrémités de l'arche ?

b) Déterminez l'équation de cette parabole sous la forme canonique.

c) Déterminez les coordonnées des points d'intersection de l'arche avec le tablier du pont. Quelle est la distance entre ces deux points ?

d) Les deux sections de l'arche sous le tablier du pont ont une courbure qui n'est pas très prononcée ; ce sont presque des segments de droite. Estimez la longueur de ces deux sections.

e) Sachant que les piliers ont une hauteur de 90 m à partir du niveau de l'eau, quelle distance un oiseau doit-il franchir pour voler du sommet d'un pilier au sommet de l'arche ?

8 L'emplacement de l'entrée des trois manèges les plus populaires d'un parc d'attractions est représenté dans le quadrillage ci-dessous. Les propriétaires du parc décident d'installer un nouveau manège à égale distance de ces trois entrées. Où devrait se situer ce nouveau manège ?

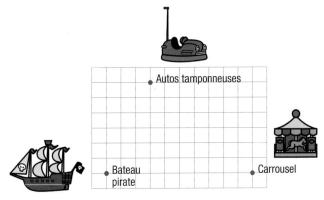

⊢ 20 m

9 Les coordonnées du point A sont (3, 5) et l'abscisse du point B est 6. Déterminez l'ordonnée du point B sachant que la mesure du segment AB est de 5 unités.

10 Mathilde a tracé un carré de 1 unité de côté dans un plan cartésien. À l'intérieur de ce carré, elle a ensuite inscrit le plus grand triangle équilatéral possible.

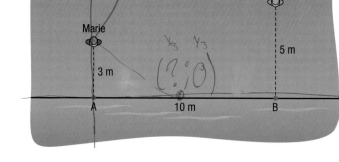

a) Quelle est la mesure des côtés de ce triangle?

b) Quelle est l'aire de ce triangle?

11 Marie et Antoine se trouvent sur une plage, tel qu'il est illustré ci-contre. Ils décident de se rejoindre au bord de l'eau à un endroit qui sera situé à égale distance de leur point de départ respectif.

a) Déterminez leur point de rencontre et situez-le par rapport au point A.

b) Quelle distance les sépare de ce point?

c) Où pourrait se trouver leur point de rencontre s'ils décidaient plutôt de se rejoindre à un endroit au bord de l'eau qui serait situé deux fois plus proche de Marie que d'Antoine?

d) Dans ce cas, quelle est la somme des distances qu'ils auraient à parcourir?

e) Y a-t-il un autre point de rencontre au bord de l'eau pour lequel la somme des distances à parcourir par Marie et Antoine serait inférieure aux précédentes? Justifiez votre réponse.

12 Dans un aéroport, Patrick s'engage sur un tapis roulant. Au même moment, son amie Nancy, qu'il n'a pas vue depuis longtemps, fait de même à l'autre bout du couloir en prenant le tapis roulant adjacent qui se déplace dans l'autre sens. Le couloir mesure 30 m. La vitesse des tapis roulants, qui sont situés à 0,5 m l'un de l'autre, est de 1 m/s.

a) Représentez la situation initiale dans un plan cartésien.

b) Après *t* secondes, quelles seront les positions de Patrick et de Nancy selon la représentation que vous avez faite en a)?

c) En supposant que leur bras mesure 65 cm de long, à quel moment pourront-ils se toucher la main?

13 RADIOTÉLESCOPE Avec ses 100 m de diamètre, le radiotélescope d'Effelsberg, en Allemagne, est l'un des plus grands radiotélescopes de forme parabolique du monde. On a représenté une coupe transversale de celui-ci dans le plan cartésien ci-dessous.

Le radiotélescope d'Effelsberg

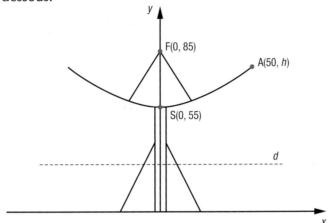

L'axe des x représente le niveau du sol. L'unité du plan cartésien correspond à 1 m dans la réalité. Dans cette représentation, chaque point de la parabole est situé à égale distance du foyer F et d'une droite d tracée en pointillé dont l'équation est y = 25.

Déterminez la hauteur h du point A.

14 Le sommet S de la parabole d'équation $y = x^2$ se situe à l'origine du plan cartésien. Cette parabole passe aussi par le point de coordonnées (1, 1). Tous les points de la parabole sont situés à égale distance du foyer F et de la droite horizontale d tracée en rouge.

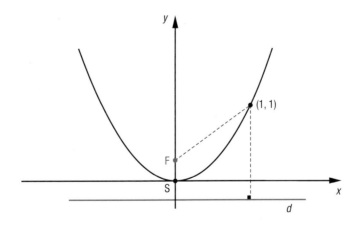

a) Si F(0, c) est le foyer de la parabole, on peut montrer que l'équation de la droite tracée en rouge est y = ⁻c. À l'aide de cette information, déterminez la valeur de c.

b) On trace une droite parallèle à l'axe des x qui passe par le foyer. Cette droite coupe la parabole aux points A et B. Quelle est la longueur du segment AB?

c) Quel est le rapport de la longueur du segment AB à la distance entre le foyer et le sommet de la parabole?

d) Le rapport trouvé en c) serait-il le même pour une autre parabole? Justifiez votre réponse.

Chronique du
passé
Jérôme Cardan

Un savant de la Renaissance

Gerolamo Cardano
(1501-1576)

Jérôme Cardan est le nom francisé de Gerolamo Cardano, né à Pavie, en 1501. Mathématicien, médecin, homme de science, il s'intéresse à plusieurs domaines. On lui doit, entre autres, l'invention du joint de cardan, que l'on trouve encore aujourd'hui sur les voitures, ainsi qu'une méthode de cryptographie. En mathématiques, son principal apport a été de s'intéresser à la résolution des équations.

La résolution de l'équation de degré 3

À l'époque de Cardan, il était courant de voir les mathématiciens se lancer des défis pour l'honneur et l'argent. L'un de ces défis consistait à résoudre des équations de degré 3.

Depuis les travaux du mathématicien arabe Al-Khawarizmi, on savait comment résoudre toutes les équations de degré 2, mais personne jusqu'alors n'avait réussi à trouver un algorithme général pour celles de degré 3.
Un mathématicien nommé Niccolo Fontana, mieux connu sous le surnom de Tartaglia, était célèbre pour sa capacité à résoudre de telles équations. Il gagnait facilement tous les défis qui lui étaient lancés.

Intrigué, Cardan le rencontre et réussit à lui soutirer son secret en lui faisant la promesse de ne pas le divulguer. Promesse non tenue. Après avoir généralisé la méthode de Tartaglia, Cardan publie ses résultats en 1545 dans son œuvre maîtresse, *Ars Magna* (*Du grand art*). Dans cet ouvrage, il démontre que l'une des solutions de l'équation $x^3 = px + q$, où p et q sont des nombres positifs, est donnée par la formule suivante :

$$\sqrt[3]{\frac{q}{2} + \sqrt{\left(\frac{q}{2}\right)^2 - \left(\frac{p}{3}\right)^3}} + \sqrt[3]{\frac{q}{2} - \sqrt{\left(\frac{q}{2}\right)^2 - \left(\frac{p}{3}\right)^3}}$$

Niccolo Fontana, dit Tartaglia (v. 1499-1557). Il est possible que Tartaglia n'ait pas vraiment découvert la méthode qui l'a rendu célèbre. Cette méthode aurait été développée par un certain Scipione del Ferro (1465-1526), un autre mathématicien italien.

1. L'équation $x^3 - 39x - 200 = 0$ a une seule solution réelle.

a) Exprimez cette équation sous la forme $x^3 = px + q$, puis utilisez la formule de Cardan pour trouver cette solution. Au besoin, arrondissez au dix-millième près.

b) Démontrez que cette équation n'a pas d'autres solutions réelles.

Des nombres impossibles

Il arrive parfois que la formule de Cardan semble inapplicable, car on doit y extraire la racine carrée d'un nombre négatif. C'est le cas, par exemple, si l'on essaie de résoudre l'équation $x^3 = 12x + 14$. Dans ce cas, $p = 12$ et $q = 14$.

On peut alors constater que les expressions sous les radicaux des racines cubiques sont respectivement $7 + \sqrt{-15}$ et $7 - \sqrt{-15}$.

Sans résoudre totalement ce problème, Cardan a quand même l'idée – qu'il trouve lui-même un peu saugrenue – d'effectuer les calculs avec ces nombres impossibles comme s'ils existaient vraiment. Il constate alors que la somme des deux expressions ci-dessus est 14 et que leur produit est 64. Il découvre avec étonnement que des opérations ordinaires effectuées sur deux nombres impossibles peuvent donner des réponses tout à fait réelles !

> Un *nombre complexe* est un nombre de la forme $a + bi$, où a et b sont des nombres réels et $i^2 = -1$.

Or, ces nombres « impossibles », que nous appelons aujourd'hui « nombres complexes », ont une très grande importance en mathématiques et ont de multiples applications, en physique notamment. Cardan a le grand mérite d'avoir été le premier à oser les manipuler.

Des solutions multiples

Cardan a aussi eu le mérite d'avoir compris l'importance des solutions négatives des équations.

Par exemple, dans son livre *Ars Magna*, il fait remarquer qu'il existe deux racines carrées d'un nombre, une positive et une négative. De façon plus générale, il montre que les équations de degré supérieur à 1 peuvent avoir plusieurs solutions et que ces solutions peuvent être positives ou négatives.

Les travaux de Cardan sont considérés comme un pas important dans la reconnaissance pleine et entière des quantités négatives en tant que nombres.

---

2. a) Montrez que le produit de $7 + \sqrt{-15}$ et $7 - \sqrt{-15}$ est bien 64. Expliquez votre raisonnement.

b) En appliquant de nouveau ce raisonnement, calculez le produit des nombres complexes $2 + 3i$ et $2 - 3i$.

3. Cardan s'est également intéressé aux équations de degré 4. Certaines de ces équations sont plus faciles à résoudre que d'autres ; par exemple l'équation $x^4 - 13x^2 + 36 = 0$.

a) En posant $y = x^2$, transformez cette équation en une équation de degré 2.

b) Déduisez de a) les quatre solutions de l'équation initiale.

c) À l'aide d'une calculatrice à affichage graphique, représentez graphiquement la fonction $f(x) = x^4 - 13x^2 + 36$. Pour quelles valeurs de x cette fonction est-elle négative ?

Le monde du travail

Les vulgarisateurs scientifiques

Des sciences pour le grand public

Vulgariser des phénomènes scientifiques n'est pas toujours simple. Les vulgarisateurs scientifiques doivent être capables de transmettre une information rigoureuse tout en l'adaptant à leur auditoire. Ainsi, il ne leur suffit pas de bien connaître le sujet abordé, ces professionnels doivent également exceller dans l'art de la communication. L'astrophysicien Hubert Reeves, le politicien Al Gore et la biologiste Claude Benoit, pour ne nommer qu'eux, sont de brillants vulgarisateurs scientifiques et de fins communicateurs.

C'est à l'aide du film *Une vérité qui dérange* qu'Al Gore a su rendre accessible au grand public la problématique du réchauffement climatique.

Les sciences, un passage vers la vulgarisation scientifique

Le champ d'action des sciences ne se limite pas aux laboratoires. Les sciences, telles que la chimie, la physique et la biologie, peuvent mener à un autre domaine, soit celui de la communication. Les médias (télévision, Internet, journaux, revues, etc.) servent souvent de véhicule à la vulgarisation des sciences.

Pour sa part, c'est en mettant sur pied des lieux tels que le Biodôme et le Centre des sciences de Montréal, ainsi que le Musée de la civilisation de Québec que la biologiste Claude Benoit a su exploiter ses compétences de vulgarisatrice scientifique.

En 2004, Claude Benoit a été lauréate de la médaille McNeil pour avoir fait preuve d'une habileté éminente à promouvoir et à diffuser la connaissance scientifique auprès des étudiants et du public.

1. Au Biodôme, on s'apprête à créer un nouvel environnement de vie pour les loutres de rivière. On prévoit aménager quatre terriers tout autour d'un point d'eau, mais non sans quelques contraintes.

- Les quatre terriers doivent se trouver à 30 m du point d'eau.

- Chacun des terriers doit se trouver à une distance d'au moins 20 m de la limite du terrain et à plus de 30 m l'un de l'autre.

Proposez un emplacement pour ces quatre terriers. Montrez que votre proposition respecte bien ces contraintes en expliquant clairement votre démarche.

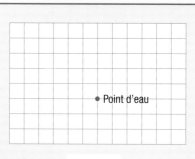

Point d'eau

⊢⟶ 10 m

> « Je crois que la communication du savoir est au moins aussi importante que l'avancement des connaissances : il est malsain et parfois dangereux de cultiver le secret mandarinal autour de la science. »
>
> Hubert Reeves

Quand l'astrophysicien devient vulgarisateur

L'une des préoccupations d'Hubert Reeves est le réchauffement climatique. Depuis quelques années, il profite de plusieurs tribunes pour attirer l'attention du public sur le fait que notre planète se réchauffe. Dans des entrevues données aux médias en 2007 et diffusées dans Internet, il signale que la température de la planète a augmenté d'environ 1 °C depuis 50 ans. Il mentionne également que le principal effet de ce réchauffement, tel que l'avaient prévu les modèles mathématiques, est une déstabilisation des climats.

Cette déstabilisation des climats aura notamment une incidence sur l'agriculture et par voie de conséquence, sur l'être humain.

 2. Une équipe américaine a analysé la qualité du raisin produit (notée en %) selon la température moyenne (°C) observée durant la croissance des vignes. Ils ont ainsi remarqué que la température moyenne avait un impact sur la qualité du raisin.

Modélisez ce nuage de points à l'aide d'une fonction quadratique. Rédigez ensuite un article de 100 à 150 mots, destiné à une revue scientifique pour les jeunes âgés de 12 à 18 ans, qui explique à l'aide de cette fonction l'effet que peuvent avoir les variations de température sur la qualité du raisin produit. Prenez soin de justifier vos affirmations à l'aide de données numériques pertinentes issues de votre modèle.

Qualité du raisin

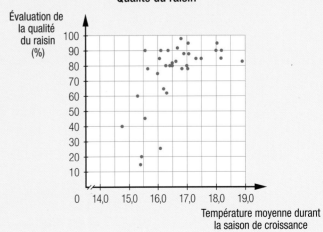

Évaluation de la qualité du raisin (%)

Température moyenne durant la saison de croissance (°C)

1 Rachel a affiché le graphique de la fonction $y = 2x^2 - 7x + 3$ sur sa calculatrice. Déterminez l'équation générale des courbes que l'on obtient en appliquant au graphique de Rachel les transformations géométriques suivantes.

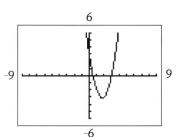

a) Une réflexion par rapport à l'axe des x.

b) Une réflexion par rapport à l'axe des y.

c) Une rotation de 180° autour de l'origine.

d) Une translation de 3 unités vers la gauche.

e) Une translation de 2 unités vers le bas.

f) Une translation de 4 unités vers la droite et de 3 unités vers le haut.

2 Au cours d'un tournoi d'échecs, le nombre de parties disputées en fonction du nombre de joueurs suit la règle d'une fonction quadratique. Dans un tournoi réunissant 12 joueurs, il s'est disputé 132 parties. S'il y avait eu 2 joueurs de plus, le tournoi aurait comporté 50 parties supplémentaires.

a) Déterminez la règle de cette fonction, sachant qu'elle est valide peu importe le nombre de joueurs. Expliquez votre réponse à l'aide d'un schéma.

b) Combien de joueurs étaient présents à un tournoi où 380 parties ont été disputées?

c) Durant un tournoi où au plus 10 joueurs étaient présents, il s'est disputé plus de 40 parties. Combien de parties ont pu y être disputées?

Alexandre Lesiège est un grand maître international d'échecs. Dans sa jeunesse, il a remporté trois fois le titre mondial dans la catégorie cadet.

3 Soit les fonctions quadratiques suivantes.

① $f(x) = x^2 + kx + 1$ **②** $f(x) = x^2 + kx + (k + 3)$ **③** $f(x) = kx^2 + x + (k + 2)$

Déterminez les valeurs de k pour lesquelles ces fonctions :

a) ont deux zéros;   b) ont un seul zéro;   c) n'ont aucun zéro.

4 Au parc des Grands Jardins, on désire développer une nouvelle section destinée à la randonnée et au camping. Six nouveaux sites de camping sont prévus. Le plan ci-dessous montre leur emplacement.

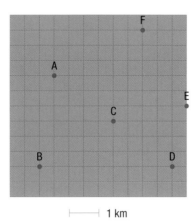

├──────┤ 1 km

Les gestionnaires du parc souhaitent que l'effet sur l'environnement soit minimisé. C'est pourquoi ils désirent que le chemin qui reliera ces sites soit le plus court possible.

Tout en respectant les préoccupations des gestionnaires, proposez un chemin qui permettrait aux randonneurs de se déplacer d'un emplacement à l'autre. Quelle est la longueur du chemin que vous proposez?

5 Une fusée pyrotechnique est lancée à partir du sol et explose à une hauteur de 60 m. La hauteur de la fusée par rapport au sol (en m) est déterminée en fonction du temps écoulé (en s) depuis le lancement. La règle de la fonction est $h(t) = -5t^2 + 40t$.

a) Si la fusée a explosé lors de son ascension :

   1) après combien de temps a-t-elle explosé?

   2) à quelle hauteur se trouvait-elle après 0,5 s? après 1 s? après 2 s?

b) Si la fusée a plutôt explosé lors de sa descente :

   1) après combien de temps a-t-elle explosé?

   2) quelle hauteur maximale a-t-elle atteinte?

6 Soit $f(x) = x^2 + bx + 3$.

a) Déterminez les coordonnées du sommet représentant la fonction pour les valeurs suivantes de b.

   1) $b = -4$ 2) $b = -2$ 3) $b = 0$ 4) $b = 2$ 5) $b = 4$

b) Quelle est l'équation de la parabole passant par ces différents sommets?

c) Y a-t-il un lien entre l'équation trouvée en b) et la règle de la fonction f?

d) Qu'en serait-il si la règle de la fonction était différente? Émettez une conjecture et démontrez-la.

7 Dans la pratique du parkour, un traceur doit sauter du toit d'un immeuble à un autre toit en contrebas. Lorsqu'il est au sol, ce traceur est en mesure de sauter sur une distance de 4 m tout en atteignant, au milieu de sa trajectoire, une hauteur de 1 m.

Le parkour est l'art de se déplacer du point A au point B en cherchant l'efficacité dans le franchissement des obstacles. On nomme traceurs les personnes qui pratiquent ce sport.

a) Ce traceur peut-il en toute sécurité effectuer ce saut entre deux immeubles si ceux-ci sont distants de 5 m et si le second est situé 3 m plus bas que le premier? Justifiez votre réponse.

b) Quelle distance y aura-t-il entre son point de départ et son point d'arrivée?

8 Les Harlem Globetrotters sont des joueurs qui font du basketball un spectacle. Au cours d'un numéro spectaculaire, l'un des joueurs exécute des tirs au panier à partir du centre du terrain. Son tir extrêmement précis atteint toujours la hauteur de 6,10 m et fait pénétrer le ballon dans le panier par le centre de l'anneau.

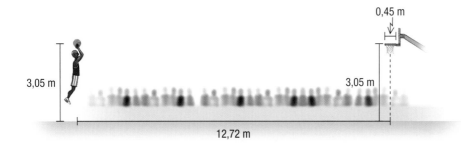

C'est en partie grâce aux Harlem Globetrotters que le grand public a découvert le basketball. L'équipe, qui existe depuis plus de 80 ans, détient la meilleure performance du sport professionnel: au cours de son histoire, sur 22 500 parties jouées, elle n'en a perdu que 345.

a) À quelle distance du centre du terrain la hauteur maximale du ballon est-elle atteinte?

b) En prenant le centre du terrain comme origine d'un plan cartésien, déterminez l'équation qui décrit la trajectoire du ballon.

c) Le ballon a un diamètre de 24 cm. Au moment où le centre du ballon passe au-dessus de l'anneau, quelle distance sépare le ballon de l'anneau?

9 Une compagnie aérienne demande 1000 $ par billet pour transporter 200 passagers d'une ville à une autre. La compagnie a calculé que pour chaque groupe supplémentaire de 5 personnes, elle peut offrir une réduction de 10 $ par billet. Malgré cette réduction, la compagnie désire obtenir un revenu supérieur à 225 000 $ pour ce vol.

Sachant que *n* représente le nombre de groupes supplémentaires de 5 personnes, répondez aux questions suivantes.

Revenus d'une compagnie aérienne

Nombre de passagers	Prix du billet ($)	Revenu de la compagnie ($)
200	1000	200 × 1000
205	990	205 × 990
210	980	210 × 980
215	970	215 × 970
220	960	220 × 960

a) Montrez que cette situation peut se traduire par $-50n^2 + 3000n - 25\,000 > 0$.

b) Avec cette politique de réduction des prix, la compagnie aérienne pourrait-elle atteindre des revenus de 225 000 $ comme elle le désire? Si c'est le cas, déterminez le nombre de passagers qu'elle doit transporter pour y arriver. Sinon, expliquez pourquoi elle ne peut pas atteindre son objectif.

10 Amélie a assisté à une conférence grand public sur la vie sous-marine. Elle y a appris que la température des fonds marins est de 4 °C. Pourquoi? C'est bien simple: c'est à cette température que la masse volumique de l'eau est la plus élevée. À 4 °C, l'eau a donc tendance à «couler»!

À la suite de cette conférence, Amélie a approfondi ses recherches et a trouvé les résultats présentés ci-contre concernant la masse volumique de l'eau.

Masse volumique de l'eau

Température (°C)	Masse volumique (g/mL)
4,0	0,999973
4,5	0,999972
5,0	0,999965
5,5	0,999955
6,0	0,999941
6,5	0,999924
7,0	0,999902
7,5	0,999877
8,0	0,999849
8,5	0,999817
9,0	0,999781
9,5	0,999742
10,0	0,999700

a) Représentez ces données par un nuage de points et tracez la parabole qui semble le mieux s'ajuster aux données.

b) Déterminez la forme générale de la règle de cette fonction quadratique.

c) Que représente le paramètre c de cette règle?

d) Votre modèle est-il valable pour toutes les températures?

De nombreuses espèces de poissons et d'animaux marins vivant dans les grandes profondeurs possèdent des organes bioluminescents capables de produire de la lumière. Ce petit calmar, appelé *cranchia scabra*, vit dans les eaux du golfe du Mexique. Chaque œil est composé de 14 cellules luminescentes qui produisent une lumière verdâtre ou bleutée.

11 La technique à utiliser lors de l'amorti au tennis dépend de la distance qui sépare le joueur du filet. Lorsqu'on effectue un amorti court, la balle doit atteindre sa hauteur maximale au moment où elle franchit le filet. Dans le cas d'un amorti long, la balle doit atteindre sa hauteur maximale bien avant de franchir le filet.

Roger Federer, l'un des meilleurs joueurs de tennis au monde, excelle dans tous les aspects du jeu.

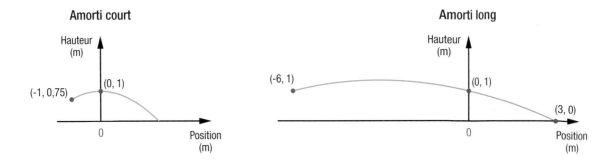

Dans les deux graphiques ci-dessus, la trajectoire de la balle est définie par rapport à la position du filet, associée à l'axe vertical.

a) Déterminez l'équation de chaque trajectoire sous la forme générale.

b) À quelle distance du filet est tombé l'amorti court?

c) Quelle hauteur maximale la balle a-t-elle atteinte dans l'amorti long?

d) Pour chaque type d'amorti, calculez la distance entre le point d'impact de la balle avec la raquette et le point de chute de la balle sur le terrain. Combien de fois la distance est-elle plus grande dans l'amorti long?

12 En supposant que la variable x représente un nombre positif, résolvez chacune des inéquations suivantes.

a) $\sqrt{x} > x$

b) $\sqrt{x} \leq \dfrac{x}{2}$

c) $\sqrt{x} \leq \dfrac{x+1}{2}$

13 Un réservoir de forme cubique a une paroi dont l'épaisseur est de 0,5 cm. Soit x la mesure de ses arêtes extérieures.

a) Quelle expression algébrique représente la capacité du réservoir exprimée en centimètres cubes?

b) Quelle doit être la mesure des arêtes extérieures pour que la capacité de ce cube se situe entre 1 et 2 litres?

14 Dax est dans la nacelle d'une montgolfière qui s'élève dans les airs depuis 2 s à une vitesse de 2 m/s. Son ami Raoul se rend alors compte que Dax a oublié sa bouteille d'eau au sol. Il la lui lance verticalement à une vitesse de 12 m/s. Tant que la bouteille s'approche de Dax, on peut représenter cette situation par la fonction $d(t) = 5t^2 - 10t + 4$, où $d(t)$ représente la distance (en m) séparant Dax de la bouteille et t, le temps écoulé (en s) depuis le lancer de Raoul.

a) Dax aura-t-il la possibilité d'attraper la bouteille? Justifiez votre réponse.

b) Si la bouteille avait été lancée 3 s après le départ de la montgolfière, votre réponse en a) aurait-elle été la même? Justifiez votre réponse.

La montgolfière est une invention des frères Montgolfier. Après avoir effectué plusieurs vols captifs, ils décidèrent d'entreprendre un vol humain. Un volontaire se proposa, mais l'entreprise fut jugée trop risquée, car on ne connaissait pas les effets des variations d'altitude sur le corps humain. Pour ce premier vol, en 1783, on choisit donc un coq, un canard et un mouton. Les animaux furent récupérés sains et saufs.

15 Une lance d'incendie peut propulser son jet d'eau à une hauteur maximale de 18 m. Lorsque la lance est placée à 50 m de l'immeuble en flammes, l'eau touche le mur à 3 m du sol, soit à la même hauteur que l'extrémité de la lance. L'immeuble a une hauteur de 16 m et une largeur de 8 m.

a) À quelles distances de l'immeuble peut-on placer la lance pour que l'eau atteigne le mur?

b) Et pour qu'elle arrose le toit?

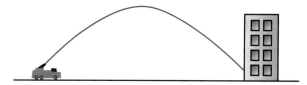

16 Bibiane a représenté, dans un même graphique, deux fonctions quadratiques ayant le même axe de symétrie et la même ouverture. Elle a alors relié les deux points d'intersection et les deux sommets des paraboles de façon à tracer un losange.

$$f_1(x) = 0{,}5x^2 - 4x + 8$$
$$f_2(x) = -0{,}5x^2 + 4x$$

a) Écrivez la règle des fonctions f_1 et f_2 sous la forme canonique.

b) Déterminez les coordonnées des points qui représentent les sommets du quadrilatère.

c) Calculez le périmètre et l'aire de ce losange.

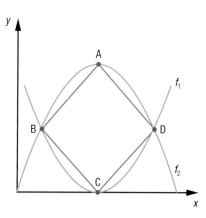

17 Dans un parc d'attractions, un jeu d'adresse consiste à faire rebondir une balle sur le sol de façon qu'elle tombe dans un panier et y reste. La difficulté du jeu réside dans le fait que la balle peut facilement rebondir hors du panier. Voici le tir gagnant exécuté par Florence :

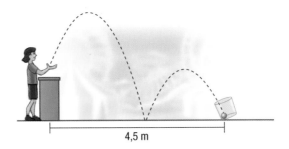

4,5 m

La balle a été lancée d'une hauteur de 1,5 m. Un mètre plus loin, elle a atteint sa hauteur maximale, soit 2,7 m. Sachant que la trajectoire suivie est constituée de deux courbes paraboliques ayant la même ouverture, déterminez la hauteur maximale atteinte par la balle après le rebond.

18 Un train avec fenêtres panoramiques se déplace en ligne droite à une vitesse uniforme de 20 m/s. Une personne, se tenant debout dans le train, lance une balle verticalement dans les airs et la rattrape à la même hauteur 1,2 s plus tard. Au même moment, un cultivateur dans son champ regarde le train passer.

Sachant que la hauteur de la balle (en m) par rapport au bord de la fenêtre est approximativement donnée par la fonction $h(t) = -5t^2 + 4t + 0{,}2$, où t est le temps écoulé (en s), décrivez le plus précisément possible la trajectoire de la balle, telle que vue par le cultivateur.

19 ODEILLO Le four solaire d'Odeillo, dans le sud de la France, est l'un des plus grands fours solaires du monde. En concentrant en son foyer l'énergie reçue du Soleil, il peut rapidement atteindre une température supérieure à 3000 °C.

Les fours solaires permettent d'étudier et de mettre au point des matériaux résistant à de très hautes températures, tels les matériaux destinés à l'industrie aérospatiale.

Comme le montre le schéma ci-dessous, les miroirs orientables réfléchissent les rayons solaires vers le miroir parabolique qui les redirige à son tour vers le foyer.

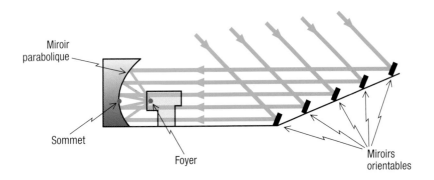

Miroir parabolique

Sommet

Foyer

Miroirs orientables

Voici une estimation de quelques caractéristiques du miroir parabolique :

- hauteur du sommet et du foyer : 12 m ;
- hauteur du point le plus élevé du miroir : 32 m ;
- distance entre le sommet et le foyer : 18 m.

En tenant compte des propriétés de la parabole, déterminez la distance entre le point le plus haut et le point le plus bas du miroir.

20 Par définition, le produit d'un nombre et de son inverse est toujours égal à 1. Par exemple, $\frac{2}{3}$ est l'inverse de $\frac{3}{2}$ et $\frac{2}{3} \times \frac{3}{2} = 1$. Que pouvez-vous dire de la somme d'un nombre et de son inverse ? Énoncez une conjecture à ce sujet et démontrez-la.

21 Lysandre habite un chalet au bord d'une rivière où il y a une plage située à 60 m en aval. Durant l'été, lorsque le courant de la rivière est négligeable, il lui faut environ 1 min pour s'y rendre en canot ou en revenir. Au printemps, le courant est plus fort qu'en été et le temps de l'aller est alors plus court, mais le temps de retour est beaucoup plus long.

Quelle doit être la vitesse du courant pour que Lysandre puisse faire l'aller-retour à la plage en moins de 3 min?

22 Boris est aux prises avec le problème suivant.

> Quelles sont les coordonnées du sommet de la parabole représentant la fonction quadratique dont l'ordonnée à l'origine est 3 et les zéros sont 2 et 6?

Après un long calcul, Boris a trouvé la bonne réponse, soit (4, ⁻1). Comme il n'aime pas beaucoup calculer, il se dit que ce serait bien d'avoir une formule pour déterminer ces coordonnées.

Quelle pourrait être cette formule qui donne les coordonnées du sommet à partir de l'ordonnée à l'origine c et des zéros x_1 et x_2 d'une fonction quadratique?

23 Soit s et t, deux zéros irrationnels d'une fonction quadratique dont les coefficients sont des nombres entiers. Sachant que $s < t$ et que $s^2 + 2t = 6$, montrez que $t^2 + 2s = 6$.

24 Une personne roule en voiture à 90 km/h (ou 25 m/s), lorsqu'elle voit le panneau ci-contre au bord de la route. Les lumières clignotantes du panneau annoncent qu'à l'intersection, 300 m plus loin, le feu de circulation est rouge. Cette personne estime que le feu passera au vert dans 20 s. Elle retire alors son pied de l'accélérateur et, sans freiner, elle laisse sa voiture décélérer en espérant que le feu passera au vert avant qu'elle n'arrive à l'intersection, où aucun autre véhicule n'attend.

En supposant que la décélération est constante, la distance (en m) qui sépare la voiture de l'intersection sera décrite par une fonction de la forme $d(t) = at^2 - 25t + 300$, où t est le temps écoulé (en s). Le paramètre a dépend de la décélération de la voiture.

Est-il possible que cette personne n'ait pas besoin de freiner ni d'accélérer de nouveau avant que le feu ne passe au vert ? Justifiez votre réponse.

25 Sur une table de billard, on frappe deux boules en même temps dans des directions perpendiculaires. Les distances initiales entre le centre des boules et le point de croisement de leur trajectoire sont respectivement de 2,1 m et 1,2 m.

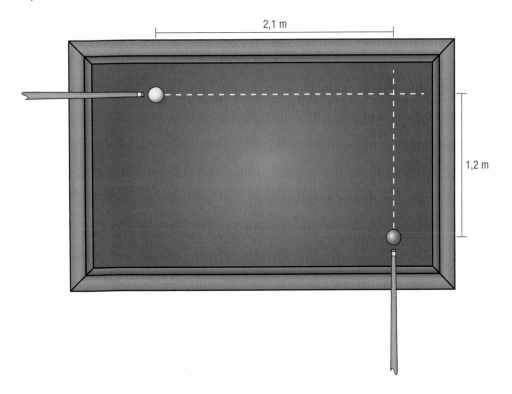

Les deux boules ont un diamètre de 6 cm. La vitesse de la boule blanche est de 0,8 m/s et celle de la boule rouge, de 0,5 m/s.

Avant d'atteindre le bord de la table, les deux boules se toucheront-elles ? Sinon, à quel moment seront-elles le plus près l'une de l'autre ?

RÉPERTOIRE DES SAÉ

TABLE DES MATIÈRES

VISI①n

Alors, heureux ou non?

○ Mise en situation

Depuis longtemps, on s'attarde à évaluer les pays selon leur démographie, les religions qu'on y pratique, la croissance de leur population, ou encore l'espérance de vie, le revenu ou la scolarité des gens qui y vivent. Mais tout citoyen du monde n'aspire-t-il pas avant tout au bonheur?

Le bonheur est un sujet de réflexion depuis l'Antiquité; toutefois il n'est que depuis peu le sujet d'études scientifiques. Des biologistes, des psychologues, des chimistes, des sociologues et même des économistes s'y intéressent maintenant.

Et vous, avez-vous l'impression que tout le monde peut être heureux?

Croyez-vous avoir une influence sur votre propre quête du bonheur?

Pensez-vous que la science arrivera un jour à expliquer le bonheur?

Cette SAÉ est en lien avec la section 1.1.

○ SAÉ 1

Le bonheur planétaire

Dans nos pays occidentaux, le bonheur est souvent associé à la consommation. Et qui dit consommation dit aussi utilisation des ressources de la planète, ressources qui sont limitées. Si chaque personne sur la Terre consommait autant que la moyenne des Canadiens, il faudrait au moins 3,6 planètes pour soutenir mondialement cette consommation. C'est pourquoi on dira que l'*empreinte écologique* associée au Canada est de 3,6.

En comparaison, l'empreinte écologique associée au Bhoutan est de 0,7. Si tout le monde vivait comme la moyenne des Bhoutanais, les ressources de la planète seraient utilisées à 70 % seulement. Mais alors, une question se pose : Les personnes qui vivent au Bhoutan sont-elles moins heureuses que celles qui habitent au Canada?

Des études ont été menées afin de mesurer le bonheur dans les différents pays du monde. Sur la fiche qui vous sera remise, vous trouverez des données portant sur l'indice de bonheur et l'empreinte écologique associés à 178 pays.

Rédigez un rapport qui fait état des questions suivantes :
- Existe-t-il, à l'échelle mondiale, un lien entre l'empreinte écologique et le bonheur?
- Si oui, quelles sont les caractéristiques de ce lien et comment pourrait-on l'expliquer?

Comparez vos conclusions avec celles de l'un ou l'une de vos camarades de classe.

Cette SAÉ est en lien avec la section 1.2.

Les variables du bonheur

La sensation du bonheur semble liée au déroulement imprévisible des événements qui remplissent notre vie. Et pourtant… Regardez les jeunes autour de vous. La plupart d'entre eux se disent heureux, mais pour quelques-uns, le bonheur ne semble qu'un rêve inaccessible. On aimerait bien pouvoir les aider. En fait, on aimerait bien pouvoir améliorer le bonheur de tous. Mais comment intervenir ?

Posons-nous la question comme le font les psychologues et les médecins : Qu'est-ce qui détermine si l'on est heureux ou pas ? Voici différents caractères quantitatifs qui sont susceptibles d'avoir un lien positif ou négatif avec le bonheur à l'adolescence.

- Le revenu disponible
- Le nombre d'amis
- Le temps consacré au travail

- La réussite scolaire
- Le temps consacré aux activités physiques

Y a-t-il d'autres variables qui peuvent avoir un lien avec le bonheur ? Discutez-en en classe.

Parmi toutes les variables explicatives proposées, choisissez-en au moins deux. Votre tâche consiste à déterminer précisément laquelle de ces variables a la corrélation la plus forte avec le bonheur à partir des réponses données à un questionnaire par les élèves de la classe. Vous devez interpréter les résultats obtenus et tenter de les expliquer.

À la suite de votre étude, proposez des pistes d'intervention pour améliorer la qualité du bonheur des élèves de votre école.

Répondez d'abord, de façon anonyme, au questionnaire qu'on vous remettra. Il vous permettra de calculer votre indice de bonheur et de fournir des renseignements personnels aux autres élèves sur les différentes variables explicatives.

Cette SAÉ est en lien avec la section 1.3.

CD2

L'argent fait-il le bonheur ?

Un vieux dicton bien connu dit que «l'argent ne fait pas le bonheur». Certains affirment que l'argent contribue au bonheur. D'autres sont d'avis que la fortune n'est pas tout et qu'elle peut même s'accompagner d'une grande détresse. Des économistes se sont penchés sur la question et ont tenté d'y voir plus clair. Suivons leurs traces et examinons ce qui se passe aux États-Unis, le pays considéré par plusieurs comme le plus riche du monde.

Revenu et bonheur chez les Américains (1996)*

Revenu annuel moyen ($)	Indice de bonheur (coté de 1 à 3) (3 signifie «très heureux ou très heureuse»)
3 300	1,94
7 000	2,03
10 000	2,07
13 400	2,15
17 100	2,19
20 600	2,29
24 300	2,20
29 600	2,24
39 700	2,30
70 900	2,32

Évolution du revenu et du bonheur aux États-Unis

Année	Revenu annuel par personne ($)	Répondants qui se disent très heureux (%)
1946	1 200	31
1951	1 500	38
1956	1 900	43
1961	2 200	40
1966	2 800	37
1971	3 900	36
1976	5 900	34
1981	9 900	32
1986	14 400	31
1991	19 200	31
1996	23 600	30

* Données obtenues à partir d'un échantillon de la population répartie selon les revenus en 10 groupes de même dimension.

Votre tâche consiste à déterminer la relation pouvant exister entre le bonheur et l'argent à l'aide des données de l'un des tableaux ci-dessus. Vous devez décrire précisément cette relation en répondant, entre autres, aux deux questions suivantes :

• Est-il possible de modéliser cette relation à l'aide d'une droite ?
• Est-ce préférable d'utiliser un autre modèle ?

Justifiez vos réponses à l'aide d'arguments mathématiques.

VISI②N

Citius, altius, fortius

○ **Mise en situation**

Plus vite, plus haut, plus fort, telle est la devise des Jeux olympiques.
Un centième de seconde, un centimètre ou un kilogramme peut faire la différence entre une médaille d'or, d'argent ou de bronze, entre la gloire et l'anonymat.

Certains pays utilisent maintenant la science pour créer de nouveaux champions. Les grandes nations du sport ont systématiquement recours aux méthodes scientifiques qui permettent une meilleure planification, une meilleure exécution et un meilleur contrôle de l'entraînement et de la compétition. Les mathématiques ne servent pas qu'à comptabiliser les performances. Elles servent aussi à analyser ces performances physiques à l'aide de modèles dans le but de repousser les limites de la machine humaine.

Selon vous, en quoi les différentes sciences peuvent-elles contribuer à améliorer les performances des athlètes?

Cette SAÉ est en lien avec la section 2.1.

○ SAÉ 4

CD2

Une vraie machine

En observant les athlètes, on a l'impression que le corps humain est une vraie machine à performer. Cependant, il faut connaître cette machine et savoir l'utiliser efficacement. C'est là que la modélisation et la science entrent en jeu!

1. La technique « coude en l'air » du nageur Ian Thorpe

Observez la hauteur du coude selon le temps écoulé.

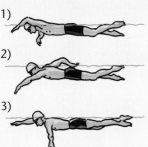

2. La course de 100 m de Donovan Bailey

Dès le départ, sa vitesse est passée de 0 à 5 m/s. À mi-course, il avait atteint une vitesse supérieure à 11 m/s qu'il a su maintenir le reste de la course pour établir un nouveau record olympique de 9,84 s.

3. Le marathon de Gabriela Andersen-Scheiss

À Los Angeles, en 1984, elle a traversé à grand-peine la ligne d'arrivée. Sa détermination met en évidence le lien existant entre la quantité d'énergie dépensée et la vitesse.

Vitesse (m/min)	105	125	185	225	305	345	385
Coût énergétique (kcal/kg/km)	1,06	1,046	1,028	1,027	1,038	1,049	1,062

Déterminez le modèle graphique le plus adéquat pour décrire le lien existant entre les variables considérées dans chacune des situations décrites ci-dessus. Choisissez ensuite un autre exploit sportif qui met en jeu deux variables et effectuez une recherche de données pertinentes afin de répondre aux questions suivantes :

• L'un des modèles associés aux trois situations présentées peut-il servir à modéliser la nouvelle situation que vous avez choisie? Justifiez votre réponse.

• En quoi le modèle le plus adéquat pour cette nouvelle situation est-il différent des modèles associés aux trois situations précédentes?

Cette SAÉ est en lien avec la section 2.2.

Planifier un plongeon parfait

Le degré de difficulté d'un plongeon dépend du nombre et de la variété des figures qu'il comporte. La capacité d'exécuter vite et bien ces différentes figures, tout en effectuant une entrée impeccable dans l'eau, est la marque des grands champions.

Même de la tour de 10 m, le temps nécessaire pour compléter un plongeon, une fois dans les airs, est très limité. L'illustration ci-contre montre un plongeur exécutant une demi-vrille suivie d'un périlleux et demi groupé. Un photographe a pris une série de photos en rafale de ce plongeon. L'intervalle entre chaque pose est de 0,2 s. Le point rouge représente le centre de gravité du plongeur.

Alexandre Despatie, médaillé d'argent au tremplin de 3 m à Athènes, en 2004.

Figures et temps d'exécution

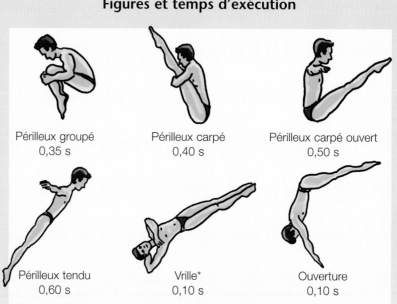

Périlleux groupé
0,35 s

Périlleux carpé
0,40 s

Périlleux carpé ouvert
0,50 s

Périlleux tendu
0,60 s

Vrille*
0,10 s

Ouverture
0,10 s

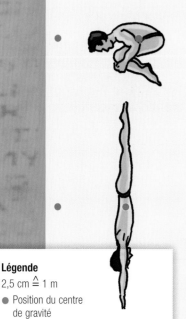

Légende

2,5 cm ≙ 1 m

● Position du centre de gravité

* La vrille s'exécute durant un périlleux tendu. Chaque vrille ajoute 0,1 s à l'exécution. Un plongeur peut exécuter un maximum de 3 vrilles par périlleux tendu.

Votre tâche consiste à élaborer un autre plongeon réalisable de la tour de 10 m en décrivant la suite de figures qu'il comporte. Pour ne rien laisser au hasard, précisez la hauteur du centre de gravité du plongeur et le temps écoulé que l'on devrait observer à la fin de chacune de ces figures pour obtenir un plongeon parfait.

O SAÉ 6

CD3

Les mathématiques de l'endurance

L'entraînement est une composante essentielle du développement de l'athlète. Pour définir un programme d'entraînement personnalisé, il est courant de mesurer d'abord les capacités physiques de l'athlète au cours d'un effort soutenu. Plusieurs tests d'endurance permettent de faire de telles mesures.

Cette SAÉ est en lien avec la section 2.3.

Le test développé par Luc Léger est utilisé pour déterminer la capacité aérobique maximale d'une personne (VO_2 max).

Un test très connu, la course navette, a été mis au point par le physiologiste québécois Luc Léger. Pour réaliser ce test, on installe des bornes à égales distances sur une piste. On demande à la personne de courir en maintenant une vitesse constante entre deux bornes. À intervalles réguliers, on augmente la vitesse visée. Ainsi, de palier en palier, la personne doit courir de plus en plus vite jusqu'à ce qu'elle ne puisse plus soutenir le rythme et s'arrête, épuisée. Le palier maximal atteint est la mesure recherchée.

Comme Luc Léger, concevez un test d'endurance par paliers qui pourrait être réalisé en programmant un tapis roulant. Le test doit respecter les normes suivantes :

- Durant chacun des paliers, de durée identique, la vitesse du tapis sera constante.
- D'un palier à l'autre, l'augmentation instantanée de la vitesse sera toujours la même.
- Le test sera composé d'au moins 12 paliers, le premier étant à la portée de tous et le dernier, difficilement atteignable.
- Le test durera au maximum 20 min et la distance totale parcourue par l'athlète ne dépassera pas 4 km.

Décrivez les caractéristiques de votre test en indiquant la durée et la vitesse associées à chaque palier à l'aide d'une table de valeurs, d'un graphique et d'une équation. Montrez ensuite que votre test satisfait aux normes ci-dessus.

Un monde de calculs

● Mise en situation

Les ascenseurs que nous empruntons, les feux qui régulent la circulation dans nos villes, le GPS que nous utilisons en randonnée, l'avion qui décolle vers notre destination de voyage, ou encore le bras canadien qui permet de réparer la Station spatiale internationale sont tous des exemples de l'ingéniosité de l'homme et de la femme modernes.

Lorsqu'on s'intéresse aux grandes réalisations des ingénieurs, on constate évidemment qu'elles découlent de nombreux calculs mathématiques. Ces calculs permettent souvent d'arriver à des solutions optimales, solutions qui tantôt minimisent les coûts, l'énergie nécessaire ou l'espace occupé, tantôt maximisent la précision, l'efficacité ou encore la résistance.

Le fonctionnement des appareils et des mécanismes qui vous entourent vous intéresse-t-il?

En plus de leur grande compétence en calcul, qu'est-ce qui caractérise, selon vous, les bons ingénieurs?

Cette SAÉ est en lien avec la section 3.1.

Les ingénieurs en aéronautique tentent toujours de s'inspirer des ailes de la chauve-souris : une rapidité maximale pour une énergie minimale.

O SAÉ 7

CD2

La contribution de la nature

Les ingénieurs sont appelés à résoudre des problèmes liés à la conception, à la réalisation et à la mise en œuvre de produits, de systèmes ou de services. La nature leur sert parfois de source d'inspiration pour trouver des solutions optimales à ces problèmes.

L'éponge marine a inspiré les ingénieurs en bâtiment à la recherche de rigidité et de stabilité.

Par exemple, quelle forme ayant la plus petite surface possible permet de délimiter un espace donné ? Pour analyser ce type de problème, un ingénieur ou une ingénieure pourrait avoir l'idée d'observer la forme que prend une bulle de savon en état d'apesanteur.

Imaginons-nous dans la Station spatiale internationale, en train de réaliser l'expérience suivante. On place une bulle de savon ayant un volume de 100 cm³ dans un cube transparent de 10 cm d'arête. La bulle se colle à la paroi du cube de sorte que la surface de contact avec l'air soit la plus petite possible, afin de minimiser la tension de surface.

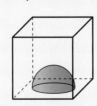

Quelle forme devrait prendre la bulle sur la paroi du cube : un prisme à base carrée, un prisme à base triangulaire, une demi-sphère peut-être ?

Dans les exemples précédents, la forme créée n'est pas optimale. La surface de la pellicule de savon pourrait être plus petite. Quelle forme pourrait prendre la bulle sur la paroi du cube afin que la pellicule de savon ait une aire plus petite que celles citées en exemple ?

Si l'on désirait plutôt délimiter un espace de 200 cm³, la forme que vous avez trouvée précédemment permettrait-elle toujours d'obtenir la pellicule de savon ayant la plus petite aire ?

Cette SAÉ est en lien avec la section 3.2.

De l'ingéniosité en réserve

En mathématiques, la surface des solides n'a aucune épaisseur. Cependant, les ingénieurs qui doivent concevoir un réservoir d'une capacité donnée doivent inclure dans leurs calculs l'épaisseur de la paroi. Selon les applications du réservoir, ils privilégieront différentes formes, épaisseurs et dimensions. Pour éviter d'avoir à tout recalculer chaque fois, il est utile de déterminer une formule générale pour un type de réservoir donné.

Par exemple, la capacité de tous les réservoirs cubiques peut se calculer par la formule $(a - 2x)^3$, où a est la mesure d'une arête du réservoir et x est son épaisseur.

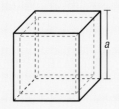

Les deux réservoirs ci-dessous de x unités d'épaisseur sont composés de demi-boules, de cylindres et de prismes droits.

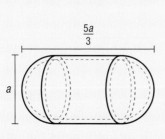

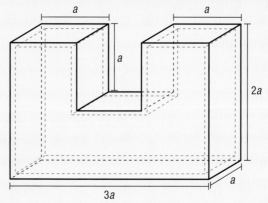

Proposez à votre groupe classe un autre réservoir de ce type dans lequel toutes les dimensions extérieures sont exprimées à l'aide de la seule variable a.

Votre tâche consiste à choisir l'un de ces réservoirs et à exprimer le plus simplement possible sa capacité, le volume de sa paroi et le rapport entre la capacité de ce réservoir et celle du réservoir cubique.

Comparez ensuite vos expressions avec celles d'un ou une camarade qui a choisi le même réservoir que vous. Les expressions que vous obtenez sont-elles équivalentes ? Comprenez-vous facilement la démarche de l'autre ? À la suite de cet échange, améliorez votre solution.

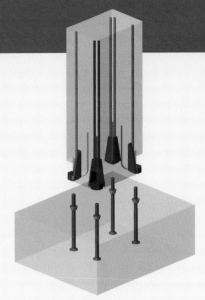

Socle en béton

Lorsqu'un poteau est placé sur un socle en béton, des points d'ancrage sont fixés au milieu de ce socle pour maintenir le tout en place. Les points d'ancrage doivent être suffisamment éloignés du bord pour assurer leur stabilité en cas de fissure ou d'effritement. Ce socle en béton peut prendre différentes formes. C'est généralement un prisme ou un cylindre dont les faces latérales sont enfouies dans le sol.

Imaginez la situation suivante. Vous travaillez dans une firme de génie civil. On vous demande de concevoir le socle sur lequel sera placé un lampadaire. Il y aura quatre points d'ancrage situés au sommet d'un carré de 1 m de côté.

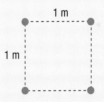

En tenant compte de différentes contraintes, vous avez déterminé que le socle en béton aura un volume de 12,5 m³ et une hauteur de 2 m. Vous avez le choix entre un prisme à base carrée et un cylindre circulaire.

Laquelle de ces deux formes devriez-vous choisir si vous voulez maximiser la distance entre chaque point d'ancrage et le bord du solide ? La réponse serait-elle la même si l'aire de la base du solide était plus grande ? Existe-t-il une autre forme qui permet d'augmenter encore cette distance pour un volume de 12,5 m³ ? Si oui, tracez un plan du socle en y indiquant les mesures pertinentes.

Visite au Centre des sciences

Mise en situation

Dans toutes les grandes villes du monde, des musées consacrés à la science rendent compte du développement de la science et de la technologie en présentant des expositions généralement interactives qui s'adressent à un public de tous âges.

Monter de telles expositions nécessite un grand talent de vulgarisateur ou de vulgarisatrice. Il faut connaître à fond le sujet traité et pouvoir s'exprimer dans un langage clair, accessible aux interlocuteurs visés, sans trahir la réalité que l'on veut expliquer. Mais un problème se pose parfois : le langage privilégié de la science, c'est d'abord et avant tout les mathématiques. Dans de nombreux domaines, pour bien faire comprendre les phénomènes scientifiques, on doit les expliquer à l'aide de figures géométriques, de formules ou d'équations qui ne sont pas à la portée de tous.

Vous est-il déjà arrivé de ne pas comprendre des explications de nature scientifique parce que vous n'aviez pas les connaissances mathématiques nécessaires ?

Croyez-vous avoir les aptitudes requises pour devenir un bon vulgarisateur ou une bonne vulgarisatrice scientifique ?

Cette SAÉ est en lien avec les sections 4.1 et 4.2.

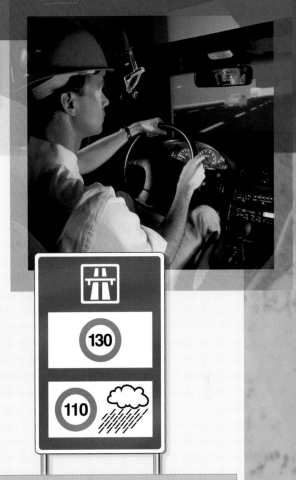

CD2 **La sécurité routière**

La vitesse au volant constitue l'une des principales causes d'accidents de la route. C'est pourquoi le Centre des sciences présente à ses visiteurs un simulateur de vitesse qui fait réfléchir en toute sécurité ceux qui ont le «pied pesant».

Sur le bord d'une autoroute française, on peut voir le panneau ci-contre. Le pictogramme indique qu'il est plus sécuritaire de diminuer la vitesse sur une chaussée mouillée.

Toutefois, une question se pose : Y a-t-il lieu de mettre en doute cette information concernant la vitesse maximale de son véhicule sur une chaussée mouillée?

Pour bien faire comprendre l'ensemble de la question aux visiteurs, le Centre des sciences présente l'information suivante.

La distance d'arrêt d'une voiture (D_A) est constituée de deux parties, soit la distance de réaction (D_R) et la distance de freinage (D_F).

$$D_A = D_R + D_F$$

Distance nécessaire pour arrêter — Distance parcourue avant que l'automobiliste ne réagisse et freine — Distance du freinage

- Le temps de réaction moyen de l'automobiliste avant de freiner à la vue d'un obstacle est de 1,3 s.
- La distance de freinage (D_F) est proportionnelle au carré de la vitesse initiale et le coefficient de proportionnalité est $\frac{1}{2a}$, où a représente la décélération de la voiture variant :
  - de 5 à 8 m/s^2 sur une chaussée sèche;
  - de 3,4 à 5,5 m/s^2 sur une chaussée mouillée.

Près de 40 % des décès sur les routes sont liés à la vitesse au volant.

Si un panneau de signalisation d'une route du Québec indique que la vitesse maximale permise est de 90 km/h sur une chaussée sèche, quelle vitesse maximale devrait y être permise sur une chaussée mouillée? Émettez une conjecture et démontrez-la.

Cette SAÉ est en lien avec la section 4.3.

La science du cirque

Dans le cadre d'une exposition sur la science du cirque, le Centre des sciences offre à ses visiteurs un numéro d'homme-obus. Ce numéro très dangereux nécessite une grande préparation où tout doit être soigneusement calculé afin de permettre une exécution sécuritaire.

Lors de ses représentations au Centre des sciences de l'Ontario, l'homme-obus David Smith s'est élevé à plus de 21 m dans les airs avant de retomber dans un filet installé à 45 m de son canon.

Bien que spectaculaire, le numéro de l'homme-obus s'est très peu renouvelé depuis sa première présentation, en 1871. Afin de pimenter le numéro, un homme-obus désire traverser un cerceau enflammé durant son envol. Pour simuler cette situation, le Centre des sciences propose à ses jeunes visiteurs l'activité suivante.

Peux-tu faire passer l'homme-obus par le cerceau enflammé ?

Place l'anneau et le filet à ta convenance dans leur zone respective, puis, debout derrière la ligne rouge, tente de lancer la balle dans le filet afin de simuler le numéro de l'homme-obus.

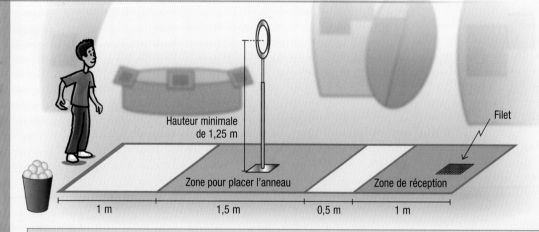

Hauteur minimale de 1,25 m

Filet

Zone pour placer l'anneau

Zone de réception

1 m   1,5 m   0,5 m   1 m

Votre tâche consiste à déterminer l'emplacement et la hauteur du centre de l'anneau, ainsi que l'emplacement du filet, puis à décrire la trajectoire idéale que devrait suivre la balle pour traverser l'anneau et tomber dans le filet. Tentez ensuite de réaliser ce tir. À la suite de vos essais, suggérez une mise en place des appareils pour le numéro de l'homme-obus.

◯ SAÉ 12

Paraboles et chuchotements

Dans la salle consacrée au son du Centre des sciences, deux disques identiques de forme parabolique se font face. Si une personne chuchote devant l'un des disques, une autre personne, placée devant l'autre disque, l'entendra parfaitement bien, même si ces deux personnes se tournent le dos et se situent à une grande distance l'une de l'autre. Comment est-ce possible ?

Voici quelques mesures concernant cette installation composée de deux réflecteurs paraboliques, ainsi que l'affiche explicative qui l'accompagne :

20 m

2 m

0,4 m

Allo !

Lorsque tu chuchotes à l'un des foyers, tu émets une onde sonore qui se dirige vers le réflecteur parabolique.

Toutes les parties de l'onde qui touchent le réflecteur sont réfléchies en ligne droite vers le second réflecteur parabolique.

Allo !

L'onde sonore est enfin réfléchie vers le foyer de ce réflecteur. Le son est intégralement reconstitué en ce point précis, car toutes les parties de l'onde y arrivent en même temps.

Si toutes les parties réfléchies de l'onde sonore arrivent en même temps au foyer du second réflecteur, c'est que la distance totale qu'elles parcourent est la même. Votre tâche consiste à préparer un document qui explique mathématiquement ce phénomène en reformulant le tout en termes de distance parcourue, compte tenu des propriétés des paraboles. Dans votre document, vous devez notamment situer de façon précise les endroits où doivent se placer les deux personnes pour que les chuchotements de l'une d'elles soient entendus par l'autre.

ALBUM
TABLE DES MATIÈRES

Calculatrice graphique

Divers types de calculs

Il est possible d'effectuer des calculs scientifiques et d'évaluer numériquement des expressions algébriques et des expressions logiques.

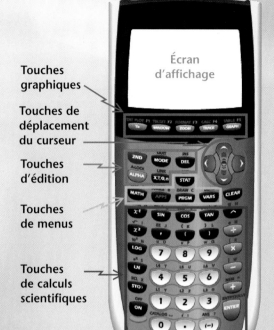

Écran d'affichage

Touches graphiques

Touches de déplacement du curseur

Touches d'édition

Touches de menus

Touches de calculs scientifiques

Calculs scientifiques

```
5-3*8
              -19
³√(27)
               3
π*5²
      78.53981634
```

Expressions logiques

```
1/3=0.3
               0
³√(216)=6
               1
6²+7²>8²
               1
```

Expressions algébriques

```
5→X
               5
-2→Y
              -2
5X-2Y²
              17
```

Affichage d'une table de valeurs et d'un graphique

1. Éditer la règle.

```
Graph1 Graph2 Graph3
\Y1■0.5X²-2
\Y2=
\Y3=
\Y4=
\Y5=
\Y6=
\Y7=
```

- Cet écran permet d'éditer la règle d'une fonction où y est la variable dépendante et x, la variable indépendante.

2. Définir l'affichage.

```
DÉFINIR TABLE
DébTbl=-3
Pas=1
Valeurs:Auto Dem
Calculs:Auto Dem
```

- Cet écran permet de définir l'affichage d'une table de valeurs en y indiquant la valeur de départ de x et le pas de variation en x.

3. Afficher la table de valeurs.

```
X    Y1
-3   2.5
-2   0
-1   -1.5
0    -2
1    -1.5
2    0
3    2.5
X=-3
```

- Cet écran permet d'afficher la table de valeurs de la règle définie à l'écran d'édition des fonctions.

4. Définir l'affichage.

```
FENÊTRE
 Xmin=-6
 Xmax=6
 Xgrad=1
 Ymin=-4
 Ymax=4
 Ygrad=1
 Xres=1
```

- Cet écran permet de définir l'affichage de l'écran graphique en délimitant la portion désirée du plan cartésien : Xgrad correspond au pas de graduation de l'axe des abscisses et Ygrad à celui des ordonnées.

5. Afficher le graphique.

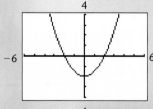

- Cet écran permet d'afficher le graphique de la règle définie à l'écran d'édition des fonctions.

6. Analyser la fonction.

```
CALCULS
1:valeur
2:zéro
3:minimum
4:maximum
5:intersect
6:dy/dx
7:∫f(x)dx
```

- Cet écran permet d'afficher certaines valeurs associées à la fonction dont on a tracé le graphique.

Affichage de plusieurs courbes

1. Éditer les règles.

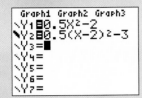

2. Afficher le graphique.

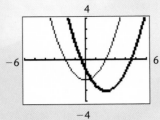

3. Comparer les courbes.

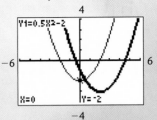

- Il est possible d'éditer sur un même écran les règles de plusieurs fonctions. Au besoin, on peut modifier l'aspect (trait normal, gras ou pointillé, par exemple) d'une courbe associée à une règle.

- Sur un seul écran, s'affiche alors le graphique de toutes les règles qui ont été définies.

- Au besoin, il est possible de déplacer le curseur le long des courbes tout en visualisant ses coordonnées.

Affichage d'un nuage de points, régression et corrélation

1. Entrée des données.

2. Choix du diagramme.

3. Affichage du diagramme.

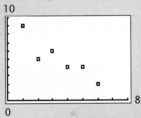

- Cet écran permet d'entrer les données d'une distribution. Pour une distribution à deux caractères, l'entrée des données se fait sur deux colonnes.

- Cet écran permet de choisir le type de diagramme statistique.

- Après avoir défini les dimensions de la fenêtre, cet écran permet d'afficher le nuage de points.

4. Calculs statistiques et régression.

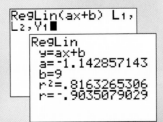

5. Équation de la droite.

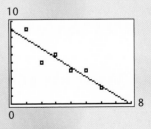

6. Affichage de la droite.

- Ce menu permet d'accéder à différents calculs statistiques dont celui de l'équation de la droite de régression des moindres carrés.

- Ces écrans permettent d'obtenir l'équation de la droite de régression ainsi que le coefficient de corrélation linéaire.

- La droite de régression peut être affichée à même le graphique représentant le nuage de points.

Tableur

Un tableur est aussi appelé un chiffrier électronique. Ce type de logiciel permet d'effectuer des calculs sur des nombres entrés dans des cellules. On utilise principalement le tableur pour réaliser des calculs de façon automatique sur un grand nombre de données, construire des tableaux et tracer des graphiques.

Interface du tableur

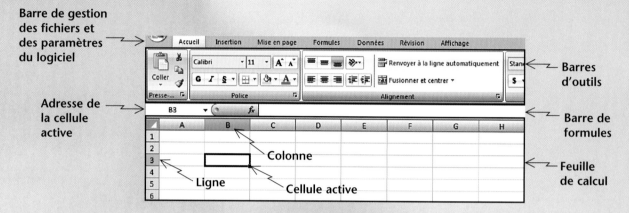

Qu'est-ce qu'une cellule ?

Une cellule est l'intersection entre une colonne et une ligne. Une colonne est désignée par une lettre et une ligne est désignée par un nombre. Ainsi, la première cellule en haut à gauche est nommée A1.

Entrée de nombres, de texte et de formules dans les cellules

On peut entrer un nombre, un texte ou une formule dans une cellule après avoir cliqué dessus. L'utilisation d'une formule permet de faire des calculs à partir de nombres déjà entrés dans des cellules. Pour entrer une formule dans une cellule, il suffit de sélectionner celle-ci, puis de commencer la saisie par le symbole « = ».

Exemple :
La colonne A et la colonne B contiennent les données d'une distribution à deux caractères sur lesquelles on désire effectuer des calculs.

	A	B	C	D	
1	Longueur du fémur (cm)	Taille de la personne (cm)			
2	36,1	148	Longueur moyenne des fémurs (en cm)	44,9	→ =MOYENNE(A2:A11)
3	39,5	152			
4	37,5	157	Taille moyenne des personnes (en cm)	168	→ =MOYENNE(B2:B11)
5	42,6	162			
6	45,8	167	Médiane des longueurs du fémur	45,4	→ =MEDIANE(A2:A11)
7	45,0	172			
8	49,4	176	Médiane des tailles des personnes	169,5	→ =MEDIANE(B2:B11)
9	50,4	179			
10	52,0	180	Coefficient de corrélation	0,9548	→ =COEFFICIENT.CORRELATION(A2:A11;B2:B11)
11	50,4	187			

Dans un tableur, certaines fonctions prédéfinies permettent de calculer la somme, la moyenne, la médiane et le coefficient de corrélation d'un ensemble de données.

Comment tracer un graphique et une droite de régression

1) **Sélection de la plage de données**

2) **Choix du graphique**

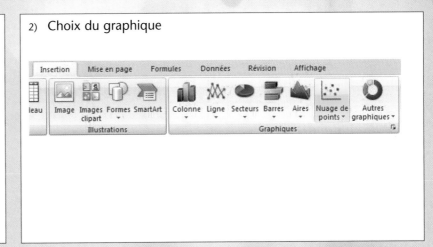

3) **Choix des options du graphique**

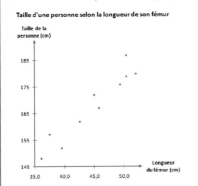

Après avoir tracé le graphique, on peut en modifier les différents éléments en cliquant sur le graphique et en utilisant le menu Disposition.

4) **Ajout d'une droite de régression et affichage de l'équation sur le graphique**

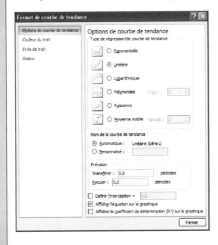

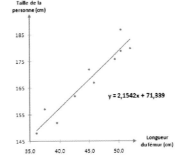

$y = 2,1542x + 71,339$

L'option Courbe de tendance du menu Disposition permet d'ajouter une droite de régression et d'en afficher l'équation.

Logiciel de géométrie dynamique

Un logiciel de géométrie dynamique permet de tracer et de déplacer différents objets dans un espace de travail. L'aspect dynamique de ce type de logiciel permet d'explorer et de vérifier des propriétés géométriques, et de valider des constructions.

L'espace de travail et les outils

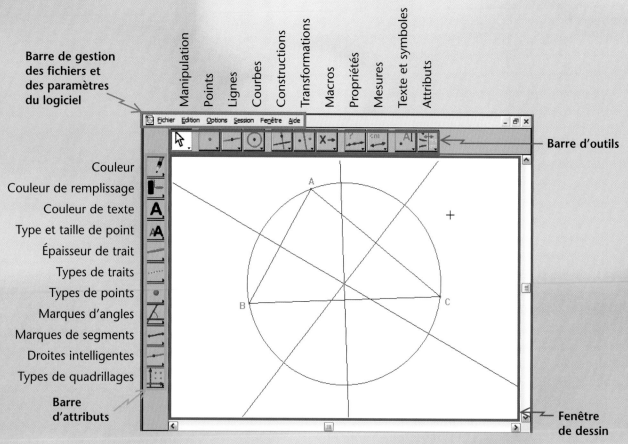

Une exploration géométrique

Un triangle est inscrit dans un cercle. L'un des côtés du triangle correspond à un diamètre du cercle. Afin d'explorer les particularités de ce triangle, on effectue la construction ci-dessous. Pour vérifier si le triangle ABC est rectangle, on peut afficher la mesure de l'angle C, vérifier si la relation de Pythagore est respectée d'après les mesures des côtés du triangle ou demander au logiciel si les côtés AC et BC sont perpendiculaires. En déplaçant le point C sur le cercle ou en modifiant la grosseur du cercle, on remarque que l'angle C demeure toujours droit.

	1. Construire un segment AB et afficher son point milieu.
	2. Construire un cercle dont le segment AB est un diamètre.
	3. Construire le triangle ABC inscrit dans le cercle.
	4. Afficher les mesures des trois côtés du triangle et la mesure de l'angle C.
	5. Vérifier la perpendicularité des côtés AC et BC.

90,0°
4,00 cm
3,00 cm
5,00 cm
Les objets sont perpendiculaires.

Une exploration graphique

Afin de connaître le lien entre les paramètres d'une fonction quadratique et ses propriétés, on effectue la construction ci-dessous. Les étapes **1** à **3** de cette construction visent à représenter graphiquement la fonction pour des valeurs des paramètres a, h et k que l'on peut faire varier par la suite. L'étape **4** met en évidence les coordonnées à l'origine. Les étapes **5** et **6** permettent de tracer l'axe de symétrie et de déterminer les coordonnées du sommet. Pour faire varier les paramètres, il suffit de sélectionner l'un des nombres créés. Une fenêtre avec des flèches apparaît alors. En modifiant la valeur du paramètre, on peut observer les changements dans la forme et la position de la courbe.

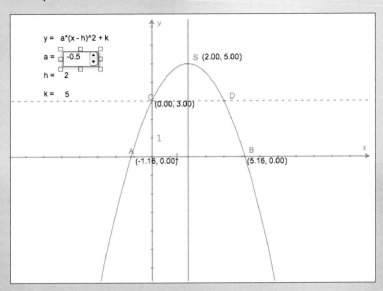

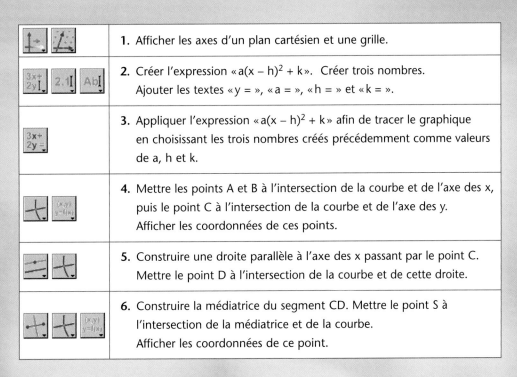

	1. Afficher les axes d'un plan cartésien et une grille.
	2. Créer l'expression « $a(x - h)^2 + k$ ». Créer trois nombres. Ajouter les textes « y = », « a = », « h = » et « k = ».
	3. Appliquer l'expression « $a(x - h)^2 + k$ » afin de tracer le graphique en choisissant les trois nombres créés précédemment comme valeurs de a, h et k.
	4. Mettre les points A et B à l'intersection de la courbe et de l'axe des x, puis le point C à l'intersection de la courbe et de l'axe des y. Afficher les coordonnées de ces points.
	5. Construire une droite parallèle à l'axe des x passant par le point C. Mettre le point D à l'intersection de la courbe et de cette droite.
	6. Construire la médiatrice du segment CD. Mettre le point S à l'intersection de la médiatrice et de la courbe. Afficher les coordonnées de ce point.

Notations et symboles

Notation et symbole	Signification
{ }	Accolades. Utilisées pour énumérer les éléments faisant partie d'un ensemble.
$\mathbb{N}$	Ensemble des nombres naturels
$\mathbb{Z}$	Ensemble des nombres entiers
$\mathbb{Q}$	Ensemble des nombres rationnels
$\mathbb{Q}'$	Ensemble des nombres irrationnels
$\mathbb{R}$	Ensemble des nombres réels
$\cup$	Union d'ensembles
$\cap$	Intersection d'ensembles
$\varnothing$ ou { }	Ensemble vide
$\neq$	… n'est pas égal à… ou … est différent de…
$<$	… est inférieur à…
$>$	… est supérieur à…
$\leq$	… est inférieur ou égal à…
$\geq$	… est supérieur ou égal à…
$[a, b]$	Intervalle incluant a et b
$[a, b[$	Intervalle incluant a et excluant b
$]a, b]$	Intervalle excluant a et incluant b
$]a, b[$	Intervalle excluant a et b
∞	Infini
(a, b)	Couple de valeurs a et b
$f(x)$	Image de x par la fonction f (se lit « f de x »)
$x \mapsto f(x)$	x a pour image $f(x)$
Δy	Variation de y (se lit « delta y »)
$[x]$	Partie entière de x ou plus grand entier inférieur ou égal à x

Notation et symbole	Signification
( )	Parenthèses. Indiquent les opérations à effectuer en premier.
$-a$	Opposé du nombre a
$\frac{1}{a}$ ou a^{-1}	Inverse de a
a^2	La deuxième puissance de a ou a au carré
a^3	La troisième puissance de a ou a au cube
$\sqrt{a}$	Racine carrée de a
$\sqrt[3]{a}$	Racine cubique de a
%	Pourcentage
$a : b$	Rapport de a à b
≈	… est à peu près égal à…
π	Rapport de la circonférence d'un cercle à son diamètre (se lit « pi »)
°	Degré. Unité de mesure des angles.
m $\overline{AB}$	Mesure du segment AB
d(A,B)	Distance de A à B
m ∠	Mesure d'un angle
m $\overparen{AB}$	Mesure de l'arc de cercle AB
//	… est parallèle à…
⊥	… est perpendiculaire à…
⌐	Désigne un angle droit dans une figure géométrique plane.
Δ ABC	Triangle ABC
≅	… est isométrique à…
~	… est semblable à…
$\triangleq$	… correspond à…
Méd	Médiane d'une distribution
$\overline{X}$	Moyenne arithmétique de X

Énoncés de géométrie

Énoncé	Exemple
1. Si deux droites sont parallèles à une troisième, alors elles sont aussi parallèles entre elles.	Si d_1 // d_2 et d_2 // d_3, alors d_1 // d_3.
2. Si deux droites sont perpendiculaires à une troisième, alors elles sont parallèles.	Si $d_1 \perp d_3$ et $d_2 \perp d_3$, alors d_1 // d_2.
3. Si deux droites sont parallèles, toute perpendiculaire à l'une d'elles est perpendiculaire à l'autre.	Si d_1 // d_2 et $d_3 \perp d_2$, alors $d_3 \perp d_1$.
4. Des angles adjacents dont les côtés extérieurs sont en ligne droite sont supplémentaires.	Les points A, B et D sont alignés. $\angle$ ABC et $\angle$ CBD sont adjacents et supplémentaires.
5. Des angles adjacents dont les côtés extérieurs sont perpendiculaires sont complémentaires.	$\overline{AB} \perp \overline{BD}$. $\angle$ ABC et $\angle$ CBD sont adjacents et complémentaires.
6. Les angles opposés par le sommet sont isométriques.	$\angle 1 \cong \angle 3$ $\angle 2 \cong \angle 4$
7. Si une droite coupe deux droites parallèles, alors les angles alternes-internes, alternes-externes et correspondants sont respectivement isométriques.	Si d_1 // d_2, alors les angles 1, 3, 5 et 7 sont isométriques, et les angles 2, 4, 6 et 8 sont isométriques.
8. Dans le cas d'une droite coupant deux droites, si deux angles correspondants (ou alternes-internes, ou encore alternes-externes) sont isométriques, alors ils sont formés par des droites parallèles coupées par une sécante.	Dans la figure de l'énoncé 7, si les angles 1, 3, 5 et 7 sont isométriques et les angles 2, 4, 6 et 8 sont isométriques, alors d_1 // d_2.
9. Si une droite coupe deux droites parallèles, alors les paires d'angles internes situées du même côté de la sécante sont supplémentaires.	Si d_1 // d_2, alors m $\angle 1$ + m $\angle 2$ = 180° et m $\angle 3$ + m $\angle 4$ = 180°.

	Énoncé	Exemple
10.	La somme des mesures des angles intérieurs d'un triangle est 180°.	$m \angle 1 + m \angle 2 + m \angle 3 = 180°$
11.	Les éléments homologues de figures planes ou de solides isométriques ont la même mesure.	$\overline{AD} \cong \overline{A'D'}$, $\overline{CD} \cong \overline{C'D'}$, $\overline{BC} \cong \overline{B'C'}$, $\overline{AB} \cong \overline{A'B'}$ $\angle A \cong \angle A'$, $\angle B \cong \angle B'$, $\angle C \cong \angle C'$, $\angle D \cong \angle D'$
12.	Dans tout triangle isocèle, les angles opposés aux côtés isométriques sont isométriques.	Dans un triangle isocèle ABC : $\overline{AB} \cong \overline{AC}$ $\angle C \cong \angle B$
13.	L'axe de symétrie d'un triangle isocèle supporte une médiane, une médiatrice, une bissectrice et une hauteur de ce triangle.	Axe de symétrie du triangle ABC
14.	Les côtés opposés d'un parallélogramme sont isométriques.	Dans un parallélogramme ABCD : $\overline{AB} \cong \overline{CD}$ et $\overline{AD} \cong \overline{BC}$
15.	Les diagonales d'un parallélogramme se coupent en leur milieu.	Dans un parallélogramme ABCD : $\overline{AE} \cong \overline{EC}$ et $\overline{DE} \cong \overline{EB}$
16.	Les angles opposés d'un parallélogramme sont isométriques.	Dans un parallélogramme ABCD : $\angle A \cong \angle C$ et $\angle B \cong \angle D$
17.	Dans un parallélogramme, la somme des mesures de deux angles consécutifs est 180°.	Dans un parallélogramme ABCD : $m \angle 1 + m \angle 2 = 180°$ $m \angle 2 + m \angle 3 = 180°$ $m \angle 3 + m \angle 4 = 180°$ $m \angle 4 + m \angle 1 = 180°$
18.	Les diagonales d'un rectangle sont isométriques.	Dans un rectangle ABCD : $\overline{AC} \cong \overline{BD}$
19.	Les diagonales d'un losange sont perpendiculaires.	Dans un losange ABCD : $\overline{AC} \perp \overline{BD}$
20.	La mesure d'un angle extérieur d'un triangle est égale à la somme des mesures des angles intérieurs qui ne lui sont pas adjacents.	$m \angle 3 = m \angle 1 + m \angle 2$

	Énoncé	Exemple
21.	Dans un triangle, au plus grand angle est opposé le plus grand côté.	Dans le triangle ABC, le plus grand angle est A, donc le plus grand côté est BC.
22.	Dans un triangle, au plus petit angle est opposé le plus petit côté.	Dans le triangle ABC, le plus petit angle est B, donc le plus petit côté est AC.
23.	La somme des mesures de deux côtés d'un triangle est toujours supérieure à la mesure du troisième côté.	$2 + 5 > 4$ $2 + 4 > 5$ $4 + 5 > 2$
24.	La somme des mesures des angles intérieurs d'un quadrilatère est 360°.	$m \angle 1 + m \angle 2 + m \angle 3 + m \angle 4 = 360°$
25.	La somme des mesures des angles intérieurs d'un polygone à n côtés est $n \times 180° - 360°$ ou $(n - 2) \times 180°$.	$n \times 180° - 360°$ ou $(n - 2) \times 180°$
26.	La somme des mesures des angles extérieurs d'un polygone convexe est 360°.	$m \angle 1 + m \angle 2 + m \angle 3 +$ $m \angle 4 + m \angle 5 + m \angle 6 = 360°$
27.	Les angles homologues des figures planes ou des solides semblables sont isométriques et les mesures des côtés homologues sont proportionnelles.	Le triangle ABC est semblable au triangle A'B'C' : $\angle A \cong \angle A'$ $\angle B \cong \angle B'$ $\angle C \cong \angle C'$ $\dfrac{m\ \overline{A'B'}}{m\ \overline{AB}} = \dfrac{m\ \overline{B'C'}}{m\ \overline{BC}} = \dfrac{m\ \overline{A'C'}}{m\ \overline{AC}}$
28.	Dans des figures planes semblables, le rapport entre les aires est égal au carré du rapport de similitude.	Dans les figures de l'énoncé 27, $\dfrac{m\ \overline{A'B'}}{m\ \overline{AB}} = \dfrac{m\ \overline{B'C'}}{m\ \overline{BC}} = \dfrac{m\ \overline{A'C'}}{m\ \overline{AC}} = k$ ← Rapport de similitude $\dfrac{\text{aire du triangle A'B'C'}}{\text{aire du triangle ABC}} = k^2$
29.	Trois points non alignés déterminent un et un seul cercle.	Il existe un seul cercle passant par les points A, B et C.
30.	Toutes les médiatrices des cordes d'un cercle se rencontrent au centre de ce cercle.	d_1 et d_2 sont respectivement les médiatrices des cordes AB et CD. Le point d'intersection M de ces médiatrices correspond au centre du cercle.

	Énoncé	Exemple
31.	Tous les diamètres d'un cercle sont isométriques.	$\overline{AD}$, $\overline{BE}$ et $\overline{CF}$ sont des diamètres du cercle de centre O. $\overline{AD} \cong \overline{BE} \cong \overline{CF}$
32.	Dans un cercle, la mesure du rayon est égale à la demi-mesure du diamètre.	$\overline{AB}$ est un diamètre du cercle de centre O. m $\overline{OA} = \frac{1}{2}$ m $\overline{AB}$
33.	Dans un cercle, le rapport de la circonférence au diamètre est une constante que l'on note π.	$\frac{C}{d} = \pi$
34.	Dans un cercle, l'angle au centre a la même mesure en degrés que celle de l'arc compris entre ses côtés.	Dans le cercle de centre O, m $\angle$ AOB = m $\widehat{AB}$ exprimées en degrés.
35.	Dans un cercle, le rapport des mesures de deux angles au centre est égal au rapport des mesures des arcs interceptés entre leurs côtés.	$\frac{\text{m} \angle \text{AOB}}{\text{m} \angle \text{COD}} = \frac{\text{m} \widehat{AB}}{\text{m} \widehat{CD}}$
36.	Dans un disque, le rapport des aires de deux secteurs est égal au rapport des mesures des angles au centre de ces secteurs.	$\frac{\text{aire du secteur AOB}}{\text{aire du secteur COD}} = \frac{\text{m} \angle \text{AOB}}{\text{m} \angle \text{COD}}$
37.	Dans des solides semblables : • le rapport entre les aires des faces homologues est égal au carré du rapport de similitude ; • le rapport entre les volumes est égal au cube du rapport de similitude.	Si les deux solides sont semblables : Alors, rapport de similitude = 2 Rapport des aires = 2^2 = 4 Rapport des volumes = 2^3 = 8
38.	Dans un triangle rectangle, le carré de la mesure de l'hypoténuse égale la somme des carrés des mesures des autres côtés.	Dans le triangle rectangle ABC, $c^2 = a^2 + b^2$.
39.	Si un triangle est tel que le carré de la mesure d'un côté est égal à la somme des carrés des mesures des autres, alors il est rectangle.	Un triangle ayant des côtés de 5 cm, 12 cm et 13 cm est rectangle, car $13^2 = 12^2 + 5^2$.

Repères

A

Abscisse
Nombre qui correspond à la première coordonnée d'un point dans un plan cartésien.
Ex.: L'abscisse du point (5, −2) est 5.

Abscisse à l'origine, p. 70

Aire d'un cône circulaire droit
$$A_{\text{cône circulaire droit}} = \pi r^2 + \pi r a$$

Aire d'un disque
$$A_{\text{disque}} = \pi r^2$$

Aire d'un losange
$$A_{\text{losange}} = \frac{D \times d}{2}$$

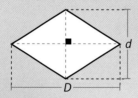

Aire d'un parallélogramme
$$A_{\text{parallélogramme}} = b \times h$$

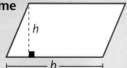

Aire d'un polygone régulier
$$A_{\text{polygone régulier}} = \frac{(\text{périmètre du polygone}) \times (\text{apothème})}{2}$$

Aire d'un trapèze
$$A_{\text{trapèze}} = \frac{(B + b) \times h}{2}$$

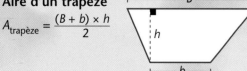

Aire d'un triangle
$$A_{\text{triangle}} = \frac{b \times h}{2}$$

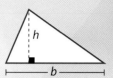

Aire d'une sphère
$$A_{\text{sphère}} = 4r^2$$

Aire latérale d'un solide
Somme des aires des faces d'un solide qui ne sont pas ses bases.

Aire totale d'un solide, p. 132

Apothème d'un cône circulaire droit
Segment ou mesure d'un segment reliant l'apex au pourtour de la base.
Ex. :

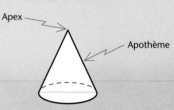

Apothème d'un polygone régulier
Segment perpendiculaire ou mesure du segment perpendiculaire mené du centre d'un polygone régulier au milieu d'un des côtés de ce polygone.
Ex. :

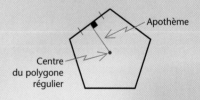

Apothème d'une pyramide régulière
Segment abaissé perpendiculairement de l'apex sur un des côtés du polygone formant la base de cette pyramide. Il correspond à la hauteur du triangle formant une face latérale.
Ex. :

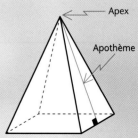

Arête
Ligne d'intersection entre deux faces d'un solide.

Asymptote, p. 79

Axe de symétrie
Une droite est un axe de symétrie d'une figure si la réflexion de cette figure par rapport à cette droite donne une figure image qui coïncide avec la figure initiale.
Ex. :

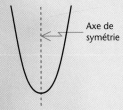

Axe de symétrie

Axe des abscisses
(axe des x)
Droite graduée qui permet de déterminer l'abscisse d'un point dans un plan cartésien.

Axe des ordonnées

Axe des abscisses

Axe des ordonnées
(axe des y)
Droite graduée qui permet de déterminer l'ordonnée d'un point dans un plan cartésien.

B

Binôme
Polynôme ayant deux termes.

Boule
Portion d'espace limitée par une sphère.

Boule

C

Capacité
Volume que peut contenir un récipient.

Caractère
En statistique, ce sur quoi porte la recherche de données.

Carré
Quadrilatère ayant tous ses côtés isométriques et tous ses angles isométriques.

Cathète
Côté qui forme l'angle droit d'un triangle rectangle.

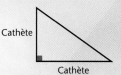

Cathète

Cathète

Cercle
Ligne fermée dont tous les points sont à égale distance d'un même point appelé centre.

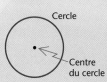

Cercle

Centre
du cercle

Circonférence
Longueur ou périmètre d'un cercle. Dans un cercle dont la circonférence est C, le diamètre est d et le rayon est r : $C = \pi d$ et $C = 2\pi r$.

Coefficient d'un terme
Dans un polynôme, facteur d'un terme excluant la ou les variables. Le coefficient peut être numérique ou littéral.
Ex. : Soit le polynôme $ax^2 - 4x + 5$. Le coefficient du premier terme est le paramètre a, le coefficient du deuxième terme est −4 et le coefficient du troisième terme est 5.

Coefficient de corrélation linéaire, p. 28, 29

Complétion du carré, p. 169

Cône circulaire droit
Solide constitué de deux faces : un disque et un secteur. Le disque correspond à la base et le secteur, à la face latérale.

Coordonnées d'un point
Chacun des deux nombres décrivant la position d'un point dans un plan cartésien.
Ex. :

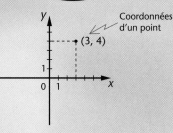

Coordonnées
d'un point

(3, 4)

Corrélation, p. 14

Corrélation linéaire, p. 15

Corrélation non linéaire, p. 42

Croissance d'une fonction, p. 70

Cylindre circulaire droit
Solide constitué de trois faces : deux disques isométriques et un rectangle. Les disques correspondent aux bases et le rectangle, à la face latérale.

D

Démonstration algébrique, p. 155

Décomposition en facteurs
Décomposer en facteurs un polynôme consiste à l'écrire sous la forme d'un produit de facteurs.

Décomposition en facteurs d'un trinôme, p. 168

Décroissance d'une fonction, p. 70

Degré d'un monôme
Somme des exposants des variables qui composent le monôme.
Ex. : 1) Le degré du monôme 9 est 0.
2) Le degré du monôme $-7xy$ est 2.
3) Le degré du monôme $15a^2$ est 2.

Degré d'un polynôme à une variable
Plus grand exposant affecté à la variable du polynôme.
Ex. : Le degré du polynôme $7x^3 - x^2 + 4$ est 3.

Diamètre
Segment ou longueur d'un segment reliant deux points d'un cercle et passant par le centre du cercle.

Diamètre

Discriminant, p. 206

Disque
Région du plan délimitée par un cercle.

Disque

Distance entre deux points, p. 239

Distribution
Ensemble des données recueillies au cours d'une étude statistique.

Domaine d'une fonction, p. 70

Droite de régression, p. 41, 42

E

Échantillon
Sous-ensemble d'une population.

Échelle
Relation de correspondance entre les dimensions d'une reproduction et les dimensions de l'objet réel. L'échelle s'exprime de différentes façons.
Ex. : L'échelle 1 cm ≙ 100 km signifie que 1 cm sur la reproduction équivaut à 100 km dans la réalité.

Équation
Énoncé mathématique comportant une ou des variables et une relation d'égalité.
Ex. : $4x - 8 = 4$

Équations équivalentes, p. 169

Étendue, p. 6

Étendue interquartile, p. 6

Expressions algébriques équivalentes, p. 153

Expression rationnelle, p. 154

Extremums d'une fonction, p. 79

F

Face
Surface plane ou courbe délimitée par des arêtes.

Figure image
Figure obtenue par une transformation géométrique appliquée à une figure initiale.

Figure initiale
Figure à laquelle on applique une transformation géométrique.

Figures équivalentes, p. 141, 142

Fonction
Relation entre deux variables dans laquelle à chaque valeur de la variable indépendante est associée au plus une valeur de la variable dépendante.

Fonction de variation directe, p. 71

Fonction de variation inverse, p. 71

Fonction définie par parties, p. 78

Fonction en escalier, p. 105

Fonction partie entière ou du plus grand entier, p. 105

Fonction polynomiale de degré 0 ou fonction constante, p. 78

Fonction polynomiale de degré 1 ou fonction affine, p. 7, 78

Fonction polynomiale de degré 2 ou fonction quadratique, p. 78

Formule quadratique, p. 206

H

Hypoténuse
Côté opposé à l'angle droit d'un triangle rectangle. C'est le plus long côté d'un triangle rectangle.

Hypoténuse

I

Identités algébriques, p. 155

Image d'une fonction, p. 70

Inéquation, p. 196

Inéquations équivalentes, p. 196

Intervalle
Ensemble de nombres compris entre deux nombres appelés bornes.
Ex. : L'intervalle des nombres réels allant de -2 inclus à 9 exclu est [-2, 9[.

L

Lois des exposants, p. 133

Losange
Quadrilatère ayant tous ses côtés isométriques.
Ex. :

M

Maximum d'une fonction, p. 70

Médiane, p. 6

Minimum d'une fonction, p. 70

Mise en évidence double, p. 168

Mise en évidence simple, p. 133

Modèle mathématique
Traduction d'un phénomène à l'aide de représentations mathématiques (équation, graphique) dans le but de l'analyser.

Monôme
Expression algébrique composée uniquement d'un nombre ou d'un produit de nombres et de variables.
Ex. : 9, x et $3xy^2$ sont des monômes.

Moyenne, p. 6

N

Nombre entier
Nombre appartenant à l'ensemble $\mathbb{Z}$ = {..., -2, -1, 0, 1, 2, ...}.

Nombre irrationnel
Nombre qui ne peut pas s'exprimer comme un quotient d'entiers et dont le développement décimal est infini et non périodique.

Nombre naturel
Nombre appartenant à l'ensemble $\mathbb{N}$ = {0, 1, 2, 3, ...}.

Nombre rationnel
Nombre qui peut être écrit sous la forme $\frac{a}{b}$ où a et b sont des nombres entiers, et b est différent de 0. Sous la forme décimale, le développement est fini ou infini et périodique.

Nombre réel
Nombre qui appartient à l'ensemble des nombres rationnels ou à l'ensemble des nombres irrationnels.

Nuage de points, p. 14

O

Opération sur les expressions algébriques, p. 133, 153, 154

Ordonnée
Nombre qui correspond à la seconde coordonnée d'un point dans le plan cartésien.
Ex. : L'ordonnée du point (5, -2) est -2.

Ordonnée à l'origine, p. 70

Origine du plan cartésien
Point d'intersection des deux axes
d'un plan cartésien. Les coordonnées
de l'origine sont (0, 0).

Parabole, p. 91, 240

Parallélogramme
Quadrilatère ayant
deux paires de côtés
opposés parallèles.
Ex. : $\overline{AB}$ // $\overline{CD}$
$\overline{AD}$ // $\overline{BC}$

Paramètre
Dans une expression algébrique, lettre autre
que la variable dont on peut fixer la valeur
numérique.

Plan cartésien
Plan muni d'un système de repérage formé
de deux droites graduées qui se coupent
perpendiculairement.

Polyèdre
Solide limité par des faces planes qui sont
des polygones.
Ex. :

Polygone
Figure plane formée par une ligne brisée.
Ex. :

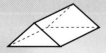

Polygones

Nombre de côtés	Nom du polygone
3	Triangle
4	Quadrilatère
5	Pentagone
6	Hexagone
7	Heptagone
8	Octogone
9	Ennéagone
10	Décagone
11	Hendécagone
12	Dodécagone

Polygone régulier
Polygone dont tous les côtés sont
isométriques et dont tous les angles
sont isométriques.
Ex. :

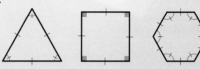

Polynôme
Somme de monômes.

Population
Ensemble des êtres vivants, des objets
ou des faits sur lesquels porte une étude
statistique.

Prisme
Polyèdre ayant deux faces isométriques
et parallèles appelées bases.
Les parallélogrammes qui relient ces deux
bases sont appelés faces latérales.
Ex. : Prisme à base triangulaire

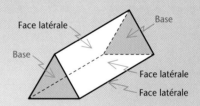
Face latérale
Base
Base
Face latérale
Face latérale

Prisme droit
Prisme dont les faces latérales sont
des rectangles.
Ex. : Prisme droit à base trapézoïdale

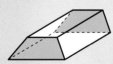

Prisme régulier
Prisme droit dont la base est un polygone
régulier.
Ex. : Prisme régulier à base heptagonale

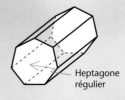
Heptagone
régulier

Proportion

Égalité entre deux rapports ou deux taux.

Ex. : Si le rapport de a à b, pour $b \neq 0$, est égal au rapport de c à d, pour $d \neq 0$, alors $a : b = c : d$ ou $\frac{a}{b} = \frac{c}{d}$ est une proportion.

Propriétés d'une fonction, p. 70, 79

Propriétés d'une fonction en escalier, p. 106

Propriétés d'une fonction quadratique, p. 92, 197, 206

Pyramide

Polyèdre constitué d'une seule base ayant la forme d'un polygone et dont les faces latérales sont des triangles ayant un sommet commun appelé l'apex.

Ex. : Pyramide à base octogonale

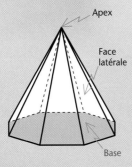

Apex

Face latérale

Base

Pyramide droite

Pyramide dont le segment abaissé depuis l'apex, perpendiculairement à la base, arrive au centre du polygone formant cette base.

Ex. : Pyramide droite à base rectangulaire

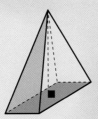

Pyramide régulière

Pyramide droite dont la base est un polygone régulier.

Ex. : Pyramide régulière à base hexagonale

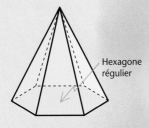

Hexagone régulier

R

Racine carrée d'un nombre positif

Le nombre a est une racine carrée d'un nombre positif b, si $a^2 = b$. Tout nombre b supérieur à 0 a deux racines carrées, l'une positive notée, $\sqrt{b}$, et l'autre négative, notée $-\sqrt{b}$.

Ex. : Les racines carrées de 25 sont 5 et -5.

Racine cubique d'un nombre

Le nombre a est une racine cubique d'un nombre b, si $a^3 = b$. Dans l'ensemble des nombres réels, chaque nombre b a une seule racine cubique, notée $\sqrt[3]{b}$.

Ex. :

Indice $\sqrt[3]{125} = 5$

Radical   Radicande

Rapport

Mode de comparaison entre deux quantités ou deux grandeurs de même nature exprimées dans les mêmes unités et qui fait intervenir la notion de division.

Rayon

Le rayon est un segment ou la longueur d'un segment reliant un point quelconque d'un cercle à son centre.

Rayon

Rectangle

Quadrilatère qui a quatre angles droits.

Ex. :

Réflexion

Transformation géométrique qui permet d'associer, à toute figure initiale, une figure image par rapport à une droite donnée appelée l'axe de réflexion.

Règle d'une fonction

Équation décrivant le lien entre la variable dépendante et la variable indépendante d'une relation fonctionnelle.

Règle d'une fonction partie entière
Forme canonique, p. 106

Règle d'une fonction polynomiale de degré 1, p. 7

Règle d'une fonction quadratique
Forme canonique, p. 91, 205
Forme factorisée, p. 227
Forme générale, p. 205

Règles de transformation des inéquations, p. 196

Relation de Pythagore, p. 132

Résolution d'équations de degré 2 à une variable, p. 169, 206

Rotation
Transformation géométrique qui permet d'associer, à toute figure initiale, une figure image, selon un centre, un angle et un sens de rotation donnés.

S

Signe d'une fonction, p. 79

Situation de proportionnalité directe au carré, p. 92

Sommet d'un solide
Point commun à au moins deux arêtes d'un solide.

Sommet d'une parabole
Point de la parabole qui se trouve sur l'axe de symétrie de celle-ci.

Sondage
Recherche d'informations sur un sous-ensemble d'une population afin de tirer des conclusions sur l'ensemble de cette population.

Sphère
Surface dont tous les points sont à égale distance d'un point appelé centre.

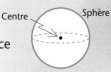

T

Tableau à double entrée, p. 14

Taux de variation, p. 7

Termes semblables
Termes composés des mêmes variables affectées des mêmes exposants ou termes constants.
Ex. : 1) $8ax^2$ et ax^2 sont des termes semblables.
   2) 8 et 17 sont des termes semblables.

Trajectoire
Ligne décrivant le mouvement d'un point ou du centre de gravité d'un objet dans un espace.

Translation
Transformation géométrique qui permet d'associer, à toute figure initiale, une figure image selon une direction, un sens et une longueur donnés.

Trapèze
Quadrilatère ayant une paire de côtés parallèles.
Ex. : $\overline{AB} \parallel \overline{CD}$

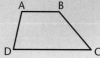

Trapèze isocèle
Trapèze ayant deux côtés isométriques.
Ex. :

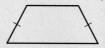

Trapèze rectangle
Trapèze ayant deux angles droits.
Ex. :

Triangle

Polygone ayant trois côtés.

Classification des triangles

Caractéristique	Nom	Représentation
Aucun côté isométrique	Scalène	
Deux côtés isométriques	Isocèle	
Tous les côtés isométriques	Équilatéral	
Trois angles aigus	Acutangle	
Un angle obtus	Obtusangle	
Un angle droit	Rectangle	
Deux angles isométriques	Isoangle	
Tous les angles isométriques	Équiangle	

Trinôme

Polynôme ayant trois termes.

Unités de capacité

Le litre est l'unité de capacité du SI. Cette mesure correspond à la capacité d'un récipient pouvant contenir un volume de 1 dm³. Les multiples et les sous-multiples du litre sont décrits à l'aide des préfixes usuels (milli-, centi-, déci-, déca-, hecto-, kilo-).

Ex. : 1 dL correspond à $\frac{1}{10}$ L.

Unités de longueur, d'aire et de volume

Le mètre, le mètre carré et le mètre cube sont respectivement les unités de longueur, d'aire et de volume du SI. Les multiples et les sous-multiples de ces unités sont décrits à l'aide des préfixes usuels dont la signification dépend de l'unité de base considérée.

Ex. : 1 dm correspond à $\frac{1}{10}$ m.

1 dm² correspond à $\frac{1}{100}$ m².

1 dm³ correspond à $\frac{1}{1000}$ m³.

V

Valeurs critiques d'une fonction en escalier, p. 105

Variable directement proportionnelle au carré d'une autre variable, p. 92

Variable statistique ou caractère quantitatif
Caractère auquel on peut faire correspondre un nombre.

Variables directement proportionnelles, p. 71

Variables inversement proportionnelles, p. 71

Volume d'un solide, p. 132

Z

Zéro d'une fonction, p. 70

Zéro d'une fonction quadratique, p. 197, 206

Crédits photographiques

H Haut   **B** Bas   **G** Gauche   **D** Droite   **M** Milieu   **FP** Fond de page

Couverture

© Shutterstock

Vision 1

Présentation HG © Shutterstock **Présentation HD** © Shutterstock **Présentation MG** © Shutterstock **Présentation MD** © Shutterstock **4 BD** © David Lees/Corbis **5 HG** © Shutterstock **5 HD** © Shutterstock **5 MD** © Shutterstock **8 HD** © Shutterstock **8 M** © akg-images **8 MB** © akg-images **11 MD** © Images.com/Corbis **16 MD** © Shutterstock **17 HM** © Corbis **19 HD** © Shutterstock **20 HD** © Floresco Productions/Corbis **21 BG** 36941822© 2008 Jupiter Images et ses représentants **22 HD** © Shutterstock **32 HD** 37856904© 2008 Jupiter Images et ses représentants **33 BD** © Shutterstock **34 BD** © Shutterstock **36 MD** © Shutterstock **38 MG** ©Bettmann/Corbis **44 BM** © Shutterstock **45 HD** © Shutterstock **46 MD** © Layne Kennedy/Corbis **48 MG** © Shutterstock **50 HG** © akg-images **52 MD** © UCLA Departement of Epidemiology, School of Public Health **52 BG** © Nick Sinclair/SPL/Publiphoto **53 HG** © Matthias Kulka/zefa/Corbis **53 BG** © Bettmann/Corbis **54 BG** © Shutterstock **57 MD** © Shutterstock **58 HD** © Firstlight **58 BG** © Shutterstock **60 MG** © Shutterstock **60 BD** © Shutterstock **62 MG** © Shutterstock

Vision 2

Présentation HG © Shutterstock **Présentation HD** © Shutterstock **Présentation MG** © Shutterstock **Présentation MD** © Shutterstock **68 HD** © Shaun Best/Reuters/Corbis **69 HD** © PHST-Chantale Hamel **72 MD** © Steeve Lemay **73 HD** © Shutterstock **74 MG** © Visuals Unlimited/Corbis **74 MD** © Firstlight **75 FP HM** 30437794© 2008 Jupiter Images et ses représentants **75 FP BG** © Shutterstock **75 FP BD** © Shutterstock **76 HD** © Shutterstock **76 BD** © Shutterstock **80 MD** © Shutterstock **81 HD** © Mauro Fermariello/SPL/Publiphoto **81 BD** 7655387© 2008 Jupiter Images et ses représentants **82 MD** © Shutterstock **84 HD** 36113517© 2008 Jupiter Images et ses représentants **86 MG** © Mike Powell/Getty Images **86 MD** © Olivier Maire/epa/Corbis **87 MD** © Gero Breloer/dpa/Corbis **89 HM** © Corbis **95 HG** 39202889© 2008 Jupiter Images et ses représentants **96 MG** © Firstlight **96 BD** © Asif Hassan/Getty images **97 HD** 24230596© 2008 Jupiter Images et ses représentants **98 BG** © Lucy Nicholson/Reuters/Corbis **99 HD** 22758579© 2008 Jupiter Images et ses représentants **100 FP G** © Shutterstock **101 HG** © Firstlight **107 BD** 26256365© 2008 Jupiter Images et ses représentants **108 HG** 30898139© 2008 Jupiter Images et ses représentants **110 HM** © Shutterstock **111 BD** © Shutterstock **114 HG** © Bettmann/Corbis **114 MD** © Shutterstock **115 HG** © Clipart **115 MD** Achille Cazin, *Les Forces physiques* © Librairie Hachette, 1871 **116 HG** © Royal Astronomical Society/SPL/Publiphoto **116 MD** © STScI/NASA/Corbis **117 HG** © Bettmann/Corbis **118 HD** © Shutterstock **119 FP B** © Shutterstock **120 HD** © Shutterstock **122 BD** © Rudy Sulgan/Corbis **124 HM** © Shutterstock **126 M** © Marc Muench/Corbis **127 HD** © Domaine public **127 M** © Steeve Lemay

Vision 3

Présentation HG © Shutterstock **Présentation HD** © Shutterstock **Présentation MG** © Shutterstock **Présentation MD** © Shutterstock **131 MD** © Shutterstock **135 HM** © Steeve Lemay **136 HD** © Shutterstock **136 BG** © National Gallery Collection, avec l'aimable autorisation de la National Gallery, Londres/Corbis **139 BM** © Adrienne Hart-Davis/SPL/Publiphoto **144 MD** © Steeve Lemay **145 HG** © Shutterstock **145 HM** Thierry Baudry © Galerie « Beaux-objets.com » **145 HD** © Shutterstock **146 HD** © Shutterstock **147 BM** © Shutterstock **148 HD** © Snark/Publiphoto **159 MD** Domaine public **161 HG** © Bettmann/Corbis **161 HD**

© SPL/Publiphoto **164 HG** © Shutterstock **164 HM** © Shutterstock **164 HD** © Shutterstock **166 M** © Fridmar Damm/zefa/Corbis **167 HG** Domaine public **171 B FP** © Shutterstock **172 BM** © Shutterstock **175 HD** © DEA Picture Library/Getty Images **175 BD** © Photo Stationnement Place Alexis Nihon **176 BG** © Shutterstock **177 HD** © Collection Roger Viollet/Topfoto/Ponopresse **177 MG** © James L. Amos/Corbis **178 MG** © Shutterstock **180 HG** © Musée J.-A. Bombardier **180 MD** © Shutterstock **181 HG** © George Hall/Corbis **181 HD** © Celaya/Cervera/Gomez **181 BD** © Firstlight **182 HD** © Perrine Poiron «Reproduction autorisée par Les Publications du Québec» **183 MD** © Shutterstock **184 HD** © Shutterstock **187 M** © Gilbert S. Grant/PhotoResearchers/Publiphoto **187 BD** © Bettmann/Corbis **188 MD** © Shutterstock

Vision 4

Présentation HG © Richard Cummins/Corbis **Présentation HD** © Atlantis Phototravel/Corbis **Présentation MG** © Shutterstock **Présentation MD** © Shutterstock **194 HG** © Shutterstock **194 HD** © Richard T. Nowitz/Corbis **194 MG** © Shutterstock **194 MD** © Shutterstock **195 MD** © Mark Karass/Corbis **198 HD** © C.Cuthbert/SPL/Publiphoto **200 BG** © 7673243 © 2008 Jupiter Images et ses représentants **203 HD** © Joe McDonald/Corbis **208 MD** © Shutterstock **209 B** © William Manning/Corbis **210 HD** © Shutterstock **212 MD** © Nasa **213 MH** © Shutterstock **217 BD** © Shutterstock **218 HD** © Shutterstock **218 BD** © Shutterstock **219 HD** © Shutterstock **219 MD** © Shutterstock **220 HD** © Shutterstock **220 MD** © Shutterstock **221 HG** © Bettmann/Corbis **222 M** © Shutterstock **224 MG** © Firstlight **224 MD** © Shutterstock **230 HD** © Shutterstock **231 BD** 34782262 © 2008 Jupiter Images et ses représentants **232 HD** © Chris Hellier/Corbis **233 MG** © Duomo/Corbis **235 MD** 60489243 © 2008 Jupiter Images et ses représentants **236 HD** Steeve Lemay **237 HD** © Shutterstock **242 HM** © Moodboard/Corbis **243 HD** © Shutterstock **244 BD** © Shutterstock **245 HD** © M. Bond/SPL/Publiphoto **246 HG** © SPL/Publiphoto **246 MD** 37067746 © 2008 Jupiter Images et ses représentants **247 MD** © Domaine public **248 HG** © Frank Robichon/epa/Corbis **248 MD** © Panneton-Valcourt **249 MD** © Sophie Bassouls/Sygma/Corbis **250 BD** © John C. Fernandez **251 MD** © Shutterstock **252 HG** © Firstlight **252 MD** © Ciniglio Lorenzo/Sygma/Corbis **253 BG** © Dante Fenolio/PhotoResearchers/Publiphoto **254 HD** © Joao Relvas/epa/Corbis **255 MG** © Shutterstock **257 HG** © Shutterstock **258 HM** © Shutterstock

Répertoire des SAÉ

262 B © Superstock **263 HD** © Tom Grill/Corbis **263 BG** © Keren Su/Corbis **264 HD** © Shutterstock **264 BG** © Shutterstock **265 HD** 32352413 © 2008 Jupiter Images et ses représentants **266 HD** © Kai Pfaffenbach/Reuters/Corbis **266 MG** © Shutterstock **266 BM** © Duomo/Corbis **267 HD** ©Matthew Impey/Colorsport/Corbis **267 MG** © Dimitri Iundt/TempSport/Corbis **267 MD** © G. Rancinan/Corbis Sygma **268 HD** © Gérard Julien/Getty Images **269 HD** © P. Psaila/SPL/Publiphoto **269 MG** © Luc Léger **270 B** © Nasa/SPL/Publiphoto **271 HD** © Shutterstock **271 MG** © Shutterstock **271 M** © Kenneth M. Highfill/PhotoResearchers/Publiphoto **271 MD** © Shutterstock **272 MD** © Shutterstock **273 HD** © Peikko® **274 B** © Peter Bassett/SPL/Publiphoto **275 HD** © Sam Ogden/SPL/Publiphoto **275 BD** © Shutterstock **276 HG** © David Smith, The human Cannonball in performance at the Canadian National Exhibition in Toronto, Canada **276 HD** © David Smith, The human Cannonball in performance at the Canadian National Exhibition in Toronto, Canada **277 HD** © M.-J. Roy – Centre des sciences de Montréal